高等教育应用型本科人才培养系列教材
黑龙江省经济管理类自学考试指定教材

管理系统中计算机应用

孔　宁　主　编

哈尔滨工程大学出版社
Harbin Engineering University Press

内容简介

本书根据全国高等教育自学考试指导委员会2011年《管理系统中计算机应用自学考试大纲》要求编写，为普通高等学校管理系统中计算机应用课程教材，内容包括管理信息、管理信息系统、数据库系统及面向对象程序设计等有关名词、概念、符号、图表等知识的含义，以及管理系统信息在计算机中的表述。通过本书的学习，可以使读者理解为什么要在信息管理中使用计算机软硬件及相关技术、方法和策略，理解管理信息系统的应用对现代化管理的重要性。

本书适用于经济管理类专业的自学考试使用，也可以供普通高校应用型本科人才培养使用。

图书在版编目(CIP)数据

管理系统中计算机应用/孔宁主编. —哈尔滨：哈尔滨工程大学出版社，2021.7
ISBN 978-7-5661-3150-8

Ⅰ.①管… Ⅱ.①孔… Ⅲ.①计算机应用-管理信息系统-高等学校-教材 Ⅳ.①C931.6

中国版本图书馆CIP数据核字(2021)第131863号

管理系统中计算机应用
GUANLI XITONG ZHONG JISUANJI YINGYONG

选题策划 夏飞洋 马佳佳
责任编辑 马佳佳 夏飞洋
封面设计 刘长友

出版发行 哈尔滨工程大学出版社
社　　址 哈尔滨市南岗区南通大街145号
邮政编码 150001
发行电话 0451-82519328
传　　真 0451-82519699
经　　销 新华书店
印　　刷 哈尔滨市石桥印务有限公司
开　　本 787 mm×1 092 mm 1/16
印　　张 17
字　　数 398千字
版　　次 2021年7月第1版
印　　次 2021年7月第1次印刷
定　　价 56.80元
http://www.hrbeupress.com
E-mail:heupress@hrbeu.edu.cn

前　　言

21 世纪是一个经济和社会快速发展的世纪,也是各行各业,各个层次人才需求高涨的时代,应用型人才培养和职业教育是21 世纪教育发展的重点。企业管理信息系统推广应用的实践证明,管理人员不了解计算机应用知识、计算机人员不了解管理,是建立计算机管理信息系统的主要障碍。因此,向管理人员普及计算机知识已是当务之急。

本书根据全国高等教育自学考试指导委员会 2011 年《管理系统中计算机应用自学考试大纲》要求编写,为普通高等学校管理系统中计算机应用课程教材,内容包括管理信息、管理信息系统、数据库系统及面向对象程序设计等有关名词、概念、符号、图表等知识的含义,以及管理系统信息在计算机中的表述。通过本书内容的学习,可以使学习者理解为什么要在信息管理中使用计算机软硬件及相关技术、方法和策略。理解管理信息系统的应用对现代化管理的重要性。使管理人员学习掌握一定的计算机程序设计和系统分析与设计知识,使他们一方面在建立计算机管理信息系统过程中,能切实有效地支持与配合计算机系统开发人员的工作;另一方面也初步具备参与开发小型计算机应用系统的基础。

本书根据现阶段经济管理信息与互联网发展情况,结合相关人才培养的需求,经过教学反馈,并参考相关信息管理系统在计算机中的应用案例编辑整理而成。内容具体包括:第 1 章管理信息系统概论,第 2 章企业信息管理,第 3 章管理系统的信息化平台,第 4 章管理信息系统开发的方法与规划,第 5 章系统分析与建模,第 6 章信息系统设计,第 7 章管理信息系统的实施,第 8 章管理信息系统运行管理与信息系统的评价,以及附录管理系统中计算机应用自学考试大纲。

由于编者水平有限,且编写时间比较仓促,书中难免有疏漏之处,敬请读者指正,以便进一步修改更新。

编　者

2021 年 5 月

目　　录

第 1 章　管理信息系统概论 …… 1

1.1　管理环境 …… 1

1.2　信息与数据 …… 4

1.3　系统概述 …… 9

1.4　管理信息系统概述 …… 11

1.5　管理信息系统的分类 …… 12

1.6　管理信息系统的集成结构 …… 18

1.7　管理信息系统与组织环境 …… 19

本章小结 …… 25

第 2 章　企业信息管理 …… 27

2.1　企业信息管理概述 …… 27

2.2　企业信息管理的关键技术与组织结构 …… 35

2.3　企业信息主管 …… 46

2.4　企业战略信息管理 …… 49

本章小结 …… 58

第 3 章　管理系统的信息化平台 …… 59

3.1　管理系统信息处理的基础平台 …… 59

3.2　计算机系统平台 …… 63

3.3　通信系统平台 …… 69

3.4　计算机网络平台 …… 79

3.5　数据库平台 …… 88

本章小结 …… 98

第 4 章　管理信息系统开发的方法与规划 …… 99

4.1　管理信息系统开发的基本方法 …… 99

4.2　管理信息系统开发的组织管理 …… 105

4.3　管理信息系统开发的系统规划 …… 108

本章小结 …… 115

第 5 章　系统分析与建模 …… 117

5.1　管理信息系统开发方法概述 …… 117

5.2　管理信息系统实施阶段 …… 128

5.3 可行性分析 …… 129
5.4 系统分析 …… 135
5.5 面向对象分析与建模 …… 139
本章小结 …… 178
第6章 信息系统设计 …… 180
6.1 系统设计概述 …… 180
6.2 结构化的系统设计 …… 184
6.3 面向对象的系统设计 …… 207
本章小结 …… 210
第7章 管理信息系统的实施 …… 212
7.1 系统实施概述 …… 212
7.2 程序设计 …… 213
7.3 系统测试 …… 215
7.4 系统转换 …… 220
本章小结 …… 222
第8章 管理信息系统运行管理与信息系统的评价 …… 224
8.1 信息系统的运行管理和维护 …… 224
8.2 信息系统的评价 …… 241
本章小结 …… 246
附录 管理系统中计算机应用自学考试大纲 …… 247
Ⅰ 课程性质与课程目标 …… 247
Ⅱ 考核目标 …… 248
Ⅲ 课程内容与考核要求 …… 248
Ⅳ 实践环节 …… 256
Ⅴ 关于大纲的说明与考核实施要求 …… 257
Ⅵ 参考样卷 …… 259
参考文献 …… 265

第1章 管理信息系统概论

[学习目标]

1. 理解企业管理环境的变化；
2. 掌握信息的概念和特点；
3. 掌握系统的概念和特点；
4. 掌握管理信息系统的概念和特点；
5. 掌握管理信息系统的结构。

1.1 管理环境

互联网和新市场正在改变传统企业的投入和收益结构，同时也加速了传统企业模式的消亡。企业的管理者不得不面对环境的变化对企业的影响，也在寻找在新的管理环境下企业如何适应环境变化以保持自身竞争优势。当代企业经营环境的变化如表1－1所示。

表1－1 当代企业经营环境的变化

环境变化	环境特点
全球化经济	全球市场的管理和控制 世界市场的竞争 全球的工作团队 全球物流的发展
信息经济时代	以知识和信息为基础的经济 新的产品和服务 知识成为核心生产和战略资源 产品生命周期缩短
组织结构的变化	组织的扁平化和分散化 团队和协同工作 授权
数字化企业	数字化的客户、供应商和员工关系 利用网络完成企业核心过程 企业关键资产的数字化管理

1.1.1 全球化的经济环境

经济全球化(Economic Globalization)是指世界经济活动超越国界,通过对外贸易、资本流动、技术转移、提供服务、相互依存、相互联系而形成的全球范围的有机经济整体的过程。世界银行提供了20世纪60年代至今的全球商品与服务贸易数据。数据显示,自1960年以来,商品与服务贸易出口占全球国内生产总值(Gross Domestic Product,GDP)的比例总体呈现出曲折上升的趋势,从1960年的12.23%上升至2015年的28.80%,经济全球化表现在以下几个方面。

1. 贸易全球化

经济全球化促进了世界多边贸易体制的形成,从而加快了国际贸易的增长速度,促进了全球贸易自由化的发展,也使得加入WTO组织的成员以统一的国际准则来规范自己的行为。世界各国开始跨越国界进行各种形式的贸易活动。销售活动克服了地域的限制,在全球范围内进行,而且国际贸易的商品范围也在迅速扩大,从一般商品到高科技产品,从有形商品到无形服务等几乎无所不至,例如,人们可以在世界各地享受可口可乐、麦当劳、丰田汽车、海尔电器等企业的产品及相应的服务。

2. 生产全球化

生产力作为人类社会发展的根本动力,极大地推动着世界市场的扩大。以互联网为标志的科技革命,从时间和空间上缩小了各国之间的距离,促使世界贸易结构发生巨大变化,以及生产要素跨国流动,这不仅对生产超越国界提出了内在要求,也为全球化生产准备了条件,是推动经济全球化的根本动力。例如,波音747飞机有400万个零部件,由分布在65个国家的1 500个大企业和15 000多家中、小企业协作生产。

3. 金融全球化

随着世界性的金融机构网络建立,大量的金融业务跨国界进行,跨国贷款、跨国证券发行和跨国并购体系已经形成。世界各主要金融市场在时间上相互接续,价格上相互联动,几秒内就能实现上千万亿美元的交易,尤其是外汇市场已经成为世界上最具流动性和全天候的市场。

4. 科技全球化

科技全球化是指各国科技资源在全球范围内的优化配置,这是经济全球化最新拓展和进展迅速的领域,表现为:先进技术和研发能力的大规模跨国界转移;跨国界联合研发广泛存在。以信息技术产业为典型代表,各国的技术标准越来越趋向一致,跨国公司巨头通过垄断技术标准的使用,控制了行业的发展,获取了大量的超额利润。

经济全球化给企业的管理者带来了很大的挑战,企业的管理者需要组织和管理分布在全球的工厂(办事处)、销售点及员工的组织和管理。首先,管理者的工作量及决策时需要面临的数据大幅度提高;其次,在全球范围内管理调控企业的经营情况要做到"身临其境"变得不可能;最后,全球范围内的分公司、销售点需要及时得到管理者的各种调控信息,如果不依靠管理信息系统,在时间和成本上都会花费巨大。因此没有管理信息系统,就不可能实现全球化,企业将无法在全球化经济下生存。

1.1.2 信息时代的到来

计算机的出现和逐步普及使信息对整个社会的影响逐步提高到一种绝对重要的地位。信息量、信息传播速度、信息处理速度以及应用信息的程度等都以几何级数的方式增长。正在全球展开的信息和信息技术革命,以前所未有的方式对社会变革的方向起着决定作用,其结果必定导致信息社会在全球的实现。具体表现有三方面:首先,在生产活动范围广泛的工作过程中,引入了信息处理技术,从而使这些部门的自动化达到一个新的水平;其次,网络通信与计算机系统合二为一,可以在几秒钟内将信息传递到全世界的任何地方,从而使人类活动各方面表现出信息活动的特征;最后,信息和信息机器成了一切活动的积极参与者,甚至参与了人类的知觉活动、概念活动和原动性活动。在此进展中,信息或知识正在以系统的方式被应用于变革物质资源,正在替代劳动成为国民生产中"附加值"的源泉。在当今社会,信息或知识成了社会的主要财富,信息或知识流成了社会发展的主要动力,信息或知识源成了新的权力源。

1.1.3 组织结构的变化

随着全球化和信息化的发展,企业自身也要发生相应的变化才能适应外界环境。随着网络统计技术的发展,企业可以跨越国门在全球范围内经营,面临全球的客户与竞争者。环境的变化要求企业能够以低成本提供多品种、小批量的产品,并且要快速满足客户的需求才能够在激烈的竞争中立足。这些都为企业管理带来了挑战。

传统的企业是金字塔式的组织结构,权力集中、结构严谨,且有专业化分工。它通常基于一个固定的标准化运作程序,来生产大量的产品或服务。而在新的环境下,要求企业是扁平式的组织结构,它依赖于及时的信息,来提供大量满足顾客需求的多品种、小批量的产品或服务,以专一的产品或服务去满足特殊市场或顾客的需求。这样的企业需要依赖信息在企业内部各个部门快速地传递和共享,使企业的销售、生产、采购能快速响应客户的需求;而企业的管理人员面对快速变化的市场,在进行决策时更需要信息或知识的支持,来提高决策质量,减少决策失误,以保证企业的高效运营。

1.1.4 虚拟数字企业

随着互联网和通信技术的发展,"数字化"企业成为21世纪国际化企业发展的必然趋势。所谓数字化企业,是指那些由于使用数字技术,改变并极大地拓宽了自己的战略选择的企业。"数字化"企业中几乎所有的商业关系,诸如客户、供应商、雇员之间以及核心的业务流程都是通过数字化的信息系统进行连接和沟通的;核心的企业资产如智力成果、财务和人力资源,也是以数字化信息系统的方式进行管理和运作的。"数字化"企业对外部环境的反应速度比传统的企业要快得多,使之能够在竞争激烈、变化无常的市场环境中生存并保持持续的竞争力。

现在有一些企业正在转变成数字化企业。例如,香港利丰集团本身并不生产制造产品,它通过网络技术接到客户订单后,通过信息系统对订单进行分解,在全球范围内寻找供应商、制造商和物流服务提供商，并按照客户需求及各企业的生产、供应能力制订采购计划、生产计划、物流计划等，将这些计划通过网络传递给遍布世界各地的客户订单的参与厂商，参与厂商根据计划安排生产和运营，并把实际运营情况反馈给利丰集团，便于利丰集团的调节和控制。整个过程中，各个企业通过信息系统紧密地联系在一起，利丰集团通过信息系统对各个企业的活动进行统一的规划和设计，减少整个订单完成过程中汇总的停工待料及资源浪费，以减少整个过程的成本，提高运作效率，保持企业在激烈的竞争环境中的竞争力。

虚拟的数字化企业通过网络信息技术的支持，利用通信与计算技术的融合来改进业务流程，实现了更有效地贴近客户需求，提高员工生产效率，以及提高企业运营效率。

综上所述，随着信息化在全球的快速发展，世界对信息的需求快速增长，信息产品和信息服务对于各个国家、地区、企业、单位、家庭、个人都不可缺少，信息技术已成为支撑当今经济活动和社会生活的基石。在这种情况下，信息产业成为世界各国，特别是发达国家竞相投资、重点发展的战略性产业部门。

新型信息化建设既是我国“新四化”的目标之一，也是实现新型工业化、城镇化和农业现代化的重要推动力。信息技术产业的发展对于我国经济结构的转型具有重要意义，作为我国经济发展中的朝阳产业，信息技术产业将成为重要的新的经济增长点。2016 年 4 月，在中国电子信息行业联合会、中国电子学会主办的第十一届中国电子信息技术年会上，中国电子学会发布了“2016—2020 年推动产业变革的十大信息技术”，网络信息技术等十大技术入选，成为推动产业变革的主要技术。

1.2 信息与数据

1.2.1 信息的概念及特点

1. 信息的概念

数据是管理信息系统处理的基本对象。数据是指对客观事件进行记录并可以鉴别的符号，是对客观事物的性质、状态及相互关系等进行记载的物理符号或这些物理符号的组合。它是可识别的、抽象的符号，通常表示为文字、字母、数字符号的组合，以及图形、图像、视频、音频等形式。它表示的仅是一个描述，脱离特定的背景，没有任何对事物的判断和解释，数据需要经过解释，数据和关于数据的解释是不可分的。例如，数字 55，如果不把它放在一定的环境中，我们并不知道它表示什么含义。

“信息”一词的英文、法文、德文、西班牙文均是“information”，日文中意为“情报”，我国台湾称之为“资讯”，我国古代用的是“消息”，其作为科学术语最早出现在 R. V. 哈特莱于 1928 年撰写的《信息传输》一文中。20 世纪 40 年代，信息的奠基人克劳德 · 香农首次将信息定义为“信息是用来消除随机不确定性的东西”，此后许多研究者从各自的研究领域出发，给出了不同的定义。控制论创始人诺伯特 · 维纳认为“信息是人们在适应外部世界，并使这种适应反作用于外部世界的过程中，同外部世界进行互相交换的内容和名称”。在经济管理领域,信息被定义为“信息是提供决策的有效数据”。美国信息管理专家弗雷斯特·伍迪·霍顿给信息下的定义是:“信息是为了满足用户决策的需要而经过加工处理的数据。”这个定义在管理信息系统中被广泛应用,本书也采用这种说法。

在霍顿对信息的定义中,信息被看作一种特殊的数据,数据是信息的表现形式和载体,而信息是数据的内涵,信息加载于数据之上,对数据作具有含义的解释,根据用户的需求对数据进行加工,满足用户决策的需要,如图1－1所示。

图1－1　信息与数据的关系

2. 信息的特点

(1)客观性

信息是事物的特征和变化的客观反映。由于事物的特征和变化是不以人的意志为转移的客观存在,所以反映这种客观存在的信息同样带有客观性。维护信息的事实性,也就是维护信息的真实性、准确性、精确性和客观性等,从而达到信息的可信性。

(2)时效性

人们获取信息的目的在于利用,而只有那些及时传递出来并适合需求者的信息才能被利用。信息的价值在于及时传递给更多的需求者,从而创造出更多的物质财富。信息传递不及时往往会失去价值。例如,渔民通过天气预报得知将来的天气情况,从而指导他们的出海决策,如果这个信息传递不及时,就不再对渔民有指导作用,失去了价值。所以,信息必须具有新内容、新知识,“新”“快”是信息的重要特征。

(3)信息的不完整性

关于客观事实的信息不可能全部得到,这与人们认识事物的程度有关,即由于认知能力的限制,人们不可能得到事物的全部信息。因此,数据收集和信息转换要有主观思路,要运用已有的知识,还要进行分析和判断,只有正确地舍弃无用和次要的信息,才能正确地使用信息。

(4)可传递性

传输是信息的一个要素,也是信息的明显特征。应高效地传递信息,通过传递,信息可以被多方多次共享和使用。传递速度的快慢,对信息的效用影响极大。

(5)可加工性

信息作为一种资源,不同于物质资源,它取之不尽、用之不竭,可以不断探索和挖掘。从信息所载的内容看,由于客观事物的复杂性和事物之间的相互关联性,反映事物本质和非本质的信息常常交织在一起,需要通过加工提取能够反映事物本质的信息,从而指导人们的行为和决策。

(6)用户依赖性

信息是为了满足用户决策而经过加工的数据。因此数据是否能被称为信息要看其是否能满足用户的需求,指导用户的决策。有些数据对某些用户来说是信息,对于另一些用户来说可能只是枯燥的数据而已。例如,零售店里每个客户的购买数据对收银员来说是信息,可以指导收银员收款的工作;而对销售经理来说,每个客户的购买数据并不能指导其做出决策,因此这些只是枯燥的数据而已。但是,将一段时间内的销售数据按照一定的需求进行汇总、分类,就可以指导销售经理的决策,那这些汇总、分类的数据对销售经理来说就是信息,但对收银员来说这些汇总数据没有指导作用,就不再是信息了。

1.2.2 信息的衡量

在市场经济条件下,信息已经成为一种极其重要的商品。不同的数据资料所包含的信息量差别很大。信息可以通过它含有的绝对信息量——信息内容消除人们不确定性的程度——来进行度量,但这种方式实施起来比较困难。也可以从信息的真实性、精确性、全面性、及时性、提供方式等方面定性地对信息的价值进行衡量。在经济管理中,人们更关注信息给企业带来的经济价值,下面介绍两种对信息经济价值的衡量方法。

1. 成本衡量方法

成本衡量方法是将信息等同于普通产品,将获得信息所需要的硬件、软件以及后期的信息系统维护等所花费的成本进行汇总,得到的是信息的成本价值。然后加上必要的利润,就是该信息的市场价值。

2. 效益差值衡量方法

效益差值方法是将用户使用信息前后的效益进行对比,得到的差值即信息的市场价值。例如,某企业的工作和决策靠管理者的主观经验来判断,该企业历年的平均利润为500万元。后来企业购买了管理信息系统,业务人员和管理人员工作时依靠信息提高决策质量和工作效率,使用管理信息系统后既节约了成本,又提高了工作效率,每年的利润达到了1 000万元,则该管理信息系统提供的信息的价值为500万元。

1.2.3 计算机中数据的表示方法

在现实世界中,采用十进制来表示数据,而计算机采用二进制数进行运算,在二进制系统中只有两个数——0和1,输出的时候可以通过数制间的转换将二进制数转换成十进制数,为了方便,有时还会用到八进制和十六进制的计数方法。在计算机中能直接表示和使用的数据有数值数据和字符数据两大类。

1. 数值数据的表示

数值数据用于表示数量的多少,可带有表示数值正负的符号位。日常所使用的十进制数要转换成等值的二进制数才能在计算机中存储和操作。

在计算机中,位(bit)是最小的数据单位,只能存放一个二进制的“0”或“1”,字节(byte)是一组长度固定为8的二进制位的集合,一般1字节可以存放一个字符,如图1-2所示。

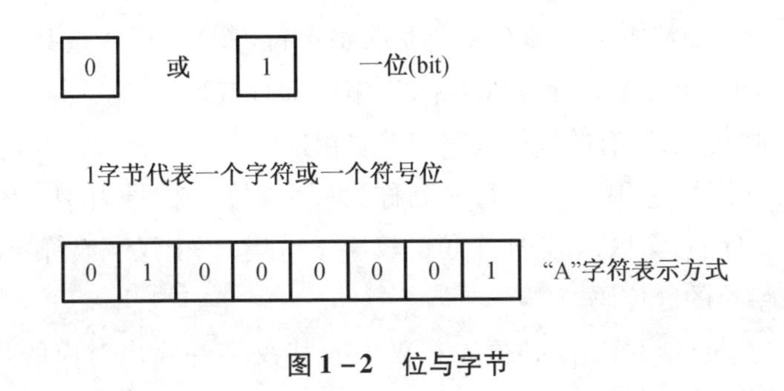

图1－2　位与字节

2. 符号数据的表示

符号数据又叫作非数值数据，包括英文字母、汉字、数字、运算符号及其他专用符号。它们在计算机中也要转换成二进制编码的形式。人们使用计算机，主要是通过键盘输入各种操作命令及原始数据，与计算机进行交互。然而计算机只能存储二进制数，这就需要对符号信息进行编码，人机交互时输入的各种字符由机器自动转换，以二进制编码形式存入计算机。

字符编码就是规定用什么样的二进制码来表示字母、数字及专门符号。计算机系统中主要有两种字符编码：ASCII 码和 EBCDIC。

(1) ASCII 码

ASCII 码的全称是美国信息交换标准代码（American Standard Code for Information Interchange），此编码被国际标准化组织（International Organization for Standardization，ISO）采纳后，作为国际通用的信息交换标准代码。ASCII 码有两个版本：7 位码版本和 8 位码版本。国际上通用的是 7 位码版本，即用 7 位二进制表示一个字符，由于 $2^7=128$，所以有 128 个字符，其中包括：0～9 共 10 个数码，26 个小写英文字母，26 个大写英文字母，各种标点符号和运算符号 33 个。例如，字符 R 的 ASCII 码为 11010010，S 的 ASCII 码为 01010011。

(2) EBCDIC

EBCDIC 的全称是广义二进制编码的十进制交换码（Extended Binary Coded Decimal Interchange Code），是字母或数字字符的二进制编码，是 IBM 公司为它的更大型的操作系统而开发的。它是 IBM 的 S/390 服务器中的 IBMOS/390 操作系统所使用的文本文件的编码，并且数千个公司为它们的遗留应用程序和数据库使用这种编码。在一个 EBCDIC 文件里，每个字母或数字字符都被表示为一个 8 位的二进制数（一个 0，1 字符串）。定义了 256 个可能的字符（字母、数字和一些特殊字符）。

3. 汉字的表示

汉字也是字符，与西文字符比较，汉字数量大，字形复杂，同音字多，这就给汉字在计算机内部的存储、传输、交换、输入、输出等带来了一系列的问题。为了能直接使用西文标准键盘输入汉字，必须为汉字设计相应的编码，以适应计算机处理汉字的需要。

(1)国标码

1980 年我国颁布了《信息交换用汉字编码字符集 · 基本集》（GB 2312—1980），该标准是国家规定的用于汉字信息处理使用的代码依据，这种编码称为国标码。在国标码的字符集中，共收录了 6 763 个常用汉字和 682 个非汉字字符（图形、符号），其中一级汉字 3 755 个，以汉语拼音为序排列，二级汉字 3 008 个，以偏旁部首进行排列。

GB 2312—1980 规定，所有的国标汉字与符号组成一个 94 ×94 的矩阵，在此方阵中，每一行称为一个“区”（区号为 01 ~94），每一列称为一个“位”（位号为 01 ~94），该方阵实际组成了一个有 94 个区，每个区内有 94 个位的汉字字符集，每个汉字或符号都有一个唯一的位置编码，称为该字符的区位码。

使用区位码方法输入汉字时，必须先在表中查找汉字并找出对应的代码，才能输入。区位码输入汉字的优点是无重码，而且输入码与内部编码转换方便。

（2）机内码

汉字的机内码是计算机系统内部对汉字进行存储、处理、传输统一使用的代码。由于汉字数量多，一般用 2 个字节来存放汉字的机内码。在计算机内，英文字符的机内码用一个字节来存放 ASCII 码，一个 ASCII 码占一个字节的低 7 位，最高位为“0”，为了区分，汉字机内码中两个字节的最高位均置“1”。

（3）汉字的字形码

每个汉字的字形都必须预先存放在计算机内，GB 2312—1980 中的所有字符的形状描述信息集合在一起，称为字形信息库，简称字库。字库通常分为点阵字库和矢量字库。目前汉字字形的产生方式大多是用点阵方式形成汉字，即用点阵表示汉字字形代码。根据汉字输出精度的要求，有不同密度的点阵。汉字字形点阵有 16 ×16 点阵、24 ×24 点阵、32 ×32 点阵等。

汉字字形点阵中每个点的信息用一位二进制码来表示，“1”表示对应位置处是黑点，“0”表示对应位置处是空白。字形点阵的信息量很大，所占存储空间也很大。例如，16 ×16 点阵，每个汉字就要占 32 字节（16 ×16 ÷8），24 ×24 点阵的字形码需要用 72 字节（24 ×24 ÷8），因此字形点阵只能用来构成“字库”，而不能用来替代机内码用于机内存储。字库中存储了每个汉字的字形点阵代码，不同的字体（如宋体、仿宋、楷体、黑体等）对应不同的字库。在输出汉字时，计算机要先到字库中去找到该汉字的字形描述信息，然后把字形送去输出。

4. 多媒体信息在计算机中的表示

随着计算机应用范围和领域的扩展，计算机不仅要处理数值信息和字符型信息，还要处理声音和图像信息，即多媒体信息。

在一般声像设备中，多媒体信息通常都表示为模拟信号。但计算机的 CPU 只能处理数字信号，即二进制数据，因此多媒体信息在进入 CPU 前要转换为二进制数据才能被加工处理；反之，从 CPU 输出的多媒体信息，也要从二进制转换为多媒体模拟信号，然后交由多媒体设备播放。在这些输入输出过程中，信息的转换都是由多媒体设备的接口板完成的。

目前多媒体设备正向数字化方向发展，如数字荧屏、数码摄像机、数码相机等，已数字化的多媒体设备可以与计算机直接连接，进行多媒体处理。

1.3 系统概述

1.3.1 系统的概念及特征

英文中"系统"(system)一词来源于古代希腊文systεmα,意为部分组成的整体,并将其内涵加以丰富。系统是指将零散的东西进行有序的整理、编排所形成的具有整体性的整体。中国著名学者钱学森将系统定义为由相互作用、相互依赖的若干组成部分结合而成的,具有特定功能的有机整体,而且这个有机整体又是它从属的更大系统的组成部分。通过定义可以归纳出系统具有以下特征。

1. 系统的目的性

系统是多元性的统一。系统由多个部分组成,这些部分存在差异性,各不相同,但是系统是这些差异性的统一,组成的系统具有特定的功能,各个组成部分的运作都统一为这个特定功能,即系统的目的服务。在任何系统建立之初,都要首先考虑系统的目的,然后考虑各部件如何配合来完成此目的。

2. 系统的相关性

系统不存在孤立元素组分,所有元素或组分间相互依存、相互作用、相互制约。各个组成部分按照一定的规则组合在一起,虽然具有独立的功能,但要完成系统的整体目标,各个子系统之间要相互联系、相互作用,从而能达到1+1>2的效果。

3. 系统的稳定性

系统的稳定性是指在外界作用下的开发系统具有一定的自我稳定能力,能够在一定范围内自我调节,从而使系统具有一定的抗干扰能力和抗冲击能力。

4. 系统的层次性

一个系统可以分解成若干个组成部分,如果将这些组成部分看成原系统的子系统,子系统可以继续分解成更小的子系统。也就是说系统可以逐层分解,这就是系统的层次性。系统逐层细分的过程称为系统的分解。只要规定了子系统之间的边界和接口,就可以把大的系统分解成若干个小系统,从而便于系统的管理和控制。将若干个小系统通过一定的规则组织起来实现一个整体目标的过程称为系统的集成。根据确定的整体目标,全面、合理地规划子系统的功能和流程,就能使各子系统集成在一起实现最终的目标。

5. 系统的环境适应性

每个系统都从属于更大的系统,更大的系统称为该系统的环境。每个系统都存在于一定的环境中,系统要达到其整体目标,受它所处的环境的影响,外界环境的变化会引起系统功能和组成部件相互关系的变化。例如,汽车要实现行驶的目的就要有平坦的路面这样的环境。因此,管理信息系统是否能发挥其作用,也要看它是否与企业环境相适应。

1.3.2 系统的运行过程

系统的运行过程如图1-3所示,一般要经历输入、处理、输出、控制和反馈5个步骤。

系统要想实现某个整体目标,需要输入一定的资源,经过系统各组成部分的处理,输出加工后的资源,输入和输出都是可以调整的,为了使系统各组成部件能够协调工作,使得输入的资源得到更充分的利用,进而达到更好的输出效果,可以根据处理、输出的结果反馈,对输入、输出和处理进行控制。

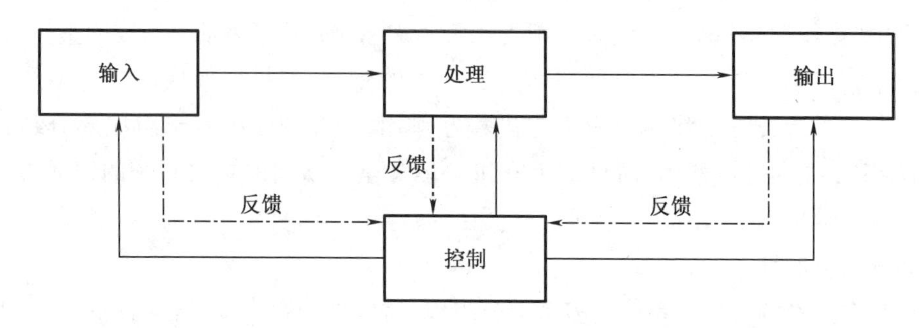

图 1－3　系统的运行过程

例如,一个制造型企业系统,该系统的输入是原材料、设施设备、人力资源、资金资源等,经过企业采购、生产、销售、人事、财务等组成部门的处理,将原材料加工成产品输出给外部环境,再将产品转换成资金资源。企业系统运行的过程希望输出的资源大于输入的资源,所以企业需要对输入、处理和输出过程进行管理和控制,使之能更有效地利用资源,当然管理和控制不能是盲目的,需要根据企业系统以外的运行过程的"数据"来合理调控企业的资源,而收集和利用企业以往数据的过程就是反馈的过程。

1.3.3　系统性能的评价

1. 目标明确

每个系统均为一个目标而运行。这个目标可能由一组子系统组成,系统的好坏要看它运行后对目标的贡献。因此一个系统首先要目标明确,才能对其进行管理和控制,目标明确是系统性能的第一评价指标。

2. 结构合理

一个系统由若干个子系统组成,子系统又划分成更小的子系统。子系统的连接方式组成系统的结构,系统的结构连接清晰、路径通畅、冗余少等,以达到合理实现系统目标的目的。

3. 接口清楚

子系统之间有接口,各个子系统通过接口连接在一起,并传递和共享资源。系统和外部也有接口,好的接口定义一定要清楚,要规定好每个子系统的功能是什么,如何与外部系统和其他子系统传递和共享资源等,系统才能运行良好。

4. 能观能控

通过接口,外界可以输入信息控制系统的行为,也可以通过输出观测系统的行为。只有系统能观能控,才能实现系统建立者的目标。

1.4　管理信息系统概述

1.4.1　管理信息系统的概念

管理信息系统(Management Information System, MIS)是一个不断发展的新型学科,管理信息系统的定义随着计算机技术和通信技术的进步也在不断更新,而且从不同的角度对管理信息系统的定义也不尽相同。以下列举了比较有代表性的定义。

1. 系统角度

管理信息系统是一个人机系统,由人、硬件、软件、数据资源、网络通信等组成,目的是及时、正确地收集、加工、存储、传输和输出信息,实现组织中各项活动的运行和管理。

在这个定义中,管理信息系统包括数据处理和数据传输两方面的功能,最终的目的是根据企业用户的需求,提供企业运作和管理过程中所需的信息。

2. 管理者角度

管理信息系统是在企业和管理者面临环境挑战时,提出的一套基于计算机的解决方案。这套解决方案是管理、组织和技术的结合体。

这个定义说明管理信息系统的使用离不开企业环境,管理信息系统与企业的管理方式、组织等各方面相互联系、相互影响,管理者不能忽略企业环境而单谈管理信息系统,也不能忽略管理信息系统对企业管理和组织进行改变。

3. 功能角度

管理信息系统通过对整个供应链上组织内和多个组织间的信息流的管理,实现业务的整体优化,提高企业运行控制和外部交易过程的效率。

这是从管理信息系统功能角度进行定义的。随着互联网技术和电子商务的发展,管理信息系统已经突破原有的界限,成为企业内部业务流程和外部商务流程集成的平台,即不仅支持企业内部信息的处理和传递,还超越了企业的界限,成为跨组织信息交流的平台。

1.4.2　管理信息系统的特点

从上面对管理信息系统的定义,可以得到管理信息系统的特征包括以下几点。

1. 管理信息系统是一个人机系统

在管理信息系统中,需要充分发挥人和计算机系统的长处。在企业里,信息加工计算的活动可以由计算机来完成,但是采用什么方式加工计算,以及最终的决策还是要由人来决定并执行,因此它是人和计算机系统结合的系统,共同完成企业对信息的使用功能。在管理信息系统开发过程中,要正确界定人和计算机在系统中的地位和作用,使系统得到整体优化。

2. 管理信息系统是一个综合系统

管理信息系统既是人和机器的综合体,也是计算机硬件和软件的综合体,还是企业管理和组织与信息技术的综合体。因此,在进行管理信息系统建设时,要考虑到这些部分之间的联系和影响。

3. 管理信息系统是一个动态系统

管理信息系统是一个软件产品,因此它具有其他产品所具有的生命周期特点。随着组织外部环境和内部条件的变化,管理信息系统也要不断更新维护来延长其生命周期。

4. 管理信息系统是多学科交叉形成的科学

管理信息系统从开发到使用的过程涉及各学科的内容和理论,包括计算机科学、网络通信科学、管理理论、运筹学等。它从这些学科中抽取相应的理论,构建了管理信息系统的理论基础,如图 1-4 所示。

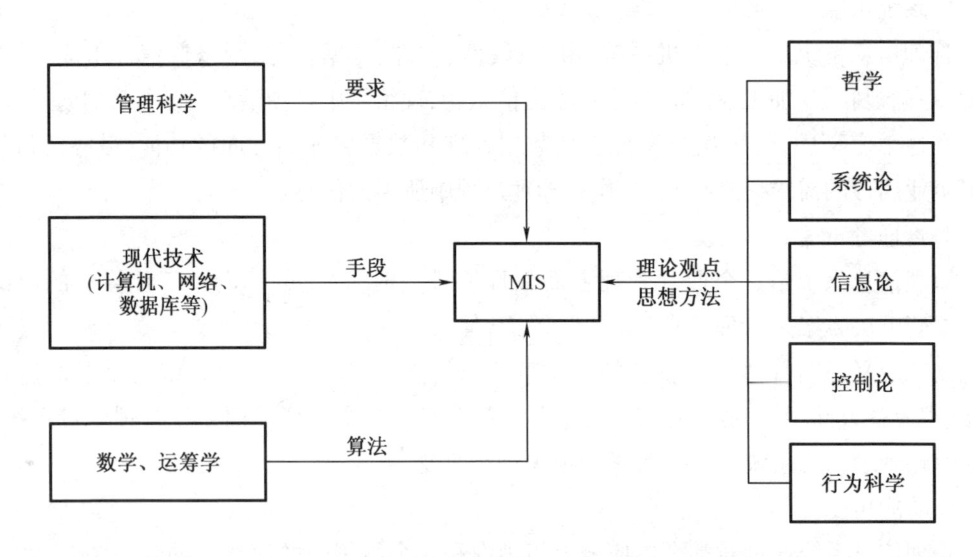

图 1-4 管理信息系统与其他学科的关系

1.5 管理信息系统的分类

管理信息系统的概念包含广泛,从不同的角度可以分为很多类别。例如,依据系统的功能和服务对象的不同,可以将管理信息系统分为国家经济信息系统、企业管理信息系统、事务型管理信息系统、办公型管理信息系统、专业型管理信息系统;依据其服务范围可以分为组织内管理信息系统和组织间管理信息系统等。在企业中,管理信息系统的应用可以按照纵向管理层次和横向组织功能进行分类。

1.5.1 管理信息系统的纵向管理层次分类

管理信息系统是为了完成企业的组织管理和业务运行的信息需求而设立的,由于信息具有用户依赖性,根据企业纵向管理层次对信息的需求不同,管理信息系统可以分为事务处理系统、知识管理信息系统、办公自动化、狭义管理信息系统、决策支持系统、经理信息系统 6 种类型,如图 1-5 所示。

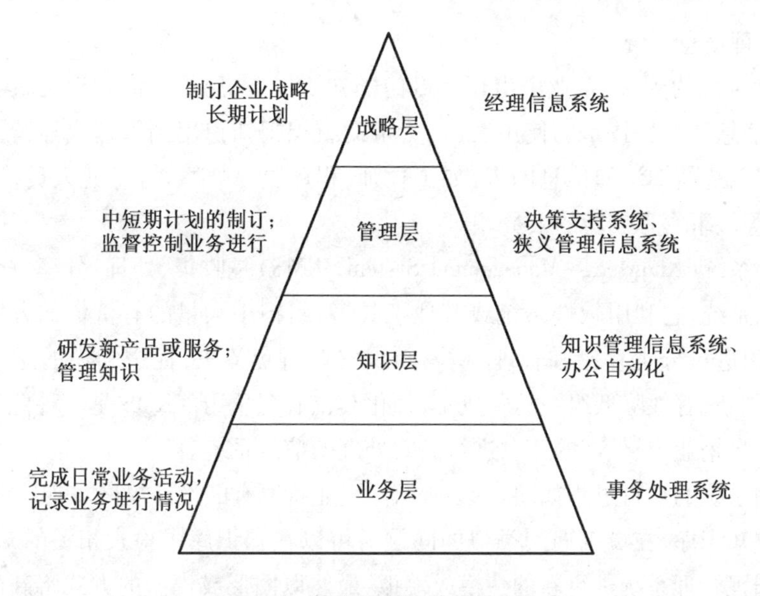

图1－5　管理信息系统的纵向分类

1. 事务处理系统

事务处理系统（Transaction Processing System，TPS）是在数据（信息）发生处将它们记录下来，通过联机事务处理过程产生新的信息，将信息保存到数据库中供其他信息系统使用，提高事务处理效率并保证其正确性。TPS 存在于企业的各个职能部门，它是进行日常业务处理、记录、汇总、综合、分类，并为组织的操作层次服务的基本商务系统，因此是企业联系客户的纽带，也是其他信息系统的基础。

TPS 是为了满足业务层工作人员的需求。业务层工作人员的工作任务是当有业务发生时，将业务信息准确无误且及时地记录下来。这部分工作是结构化的，即工作流程和工作方法及数据格式等都是固定的、重复发生的。这样的工作通过管理信息系统的应用可以减少差错，避免丢失，减轻劳动，改善工作条件，提高处理效率。

TPS 的运行过程如图 1－6 所示。这类系统面向企业基层的管理活动，即对企业每日正常运作必需的常规事务所发生的信息进行处理。处理的问题高度结构化，即能完全按照事先制定好的规则或程序进行，每发生一笔业务都要及时、准确地将业务数据如实记录下来。管理信息系统的功能是对这些业务数据进行排序、分类、汇总等简单的数据加工，最终输入有关该笔业务的列表或管理报告。

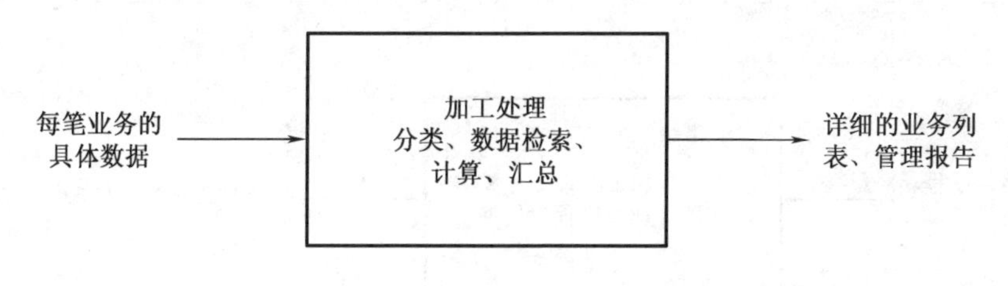

图1－6　TPS 的运行过程

2. 知识管理信息系统

随着信息时代的到来，企业中出现了专门的知识层，这层员工由知识工人和数据工人组成，他们是信息和信息技术的使用者，负责帮助组织把知识用到管理或经营中去。知识工人是指能够创造新知识和信息的人，如工程师、程序员、科学家等专业人员，以及高级经理、部门主管等从事管理创新的人员。

知识管理系统（Knowledge Management System, KMS）是收集、处理、分享一个组织的全部知识的信息系统，它利用软件系统或其他工具，对组织中大量的有价值的方案、策划、成果、经验等知识进行分类存储和管理，积累知识资产避免流失，促进知识的学习、共享、培训、再利用和创新，有效降低组织运营成本，强化其核心竞争力。KMS是一种能利用专业领域的知识对来自企业内、外部的信息进行高效处理的信息系统。

知识管理系统的运行过程如图1－7所示。企业将原有的设计规格、知识经验的总结等输入系统形成知识库，在员工遇到类似的问题时可以在知识库中检索相关的知识，或者将新问题输入知识管理系统进行新的建模或模拟，最终以图形或模型的方式将新的知识内容输出。

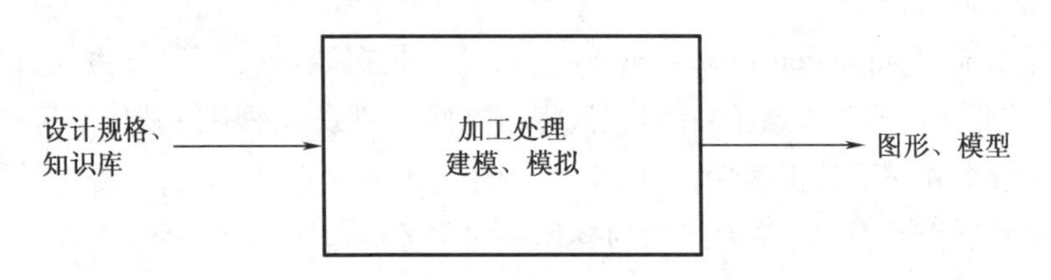

图1－7　知识管理系统的运行过程

3. 办公自动化

知识层的另一部分工作人员是数据工人，如秘书等，一般只处理信息而不创造信息。其主要工作是使用、处理和传播信息。办公自动化（Office Automation，OA）是将现代化办公和计算机技术结合起来的一种新型的办公方式。它是基于工作流的概念，以计算机为中心，采用一系列现代化的办公设备和先进的通信技术，广泛、全面、迅速地收集、整理、加工、存储和使用信息，使企业内部人员方便快捷地共享信息，高效地协同工作；改变过去复杂、低效的手工办公方式，为科学管理和决策服务，从而达到提高行政效率的目的。OA的运行过程如图1－8所示。可以看出OA不产生新的信息，只是将企业的行政文档进行存储、分类、检索，作为企业管理人员进行日程安排及企业人员行政沟通的一种先进的工具。

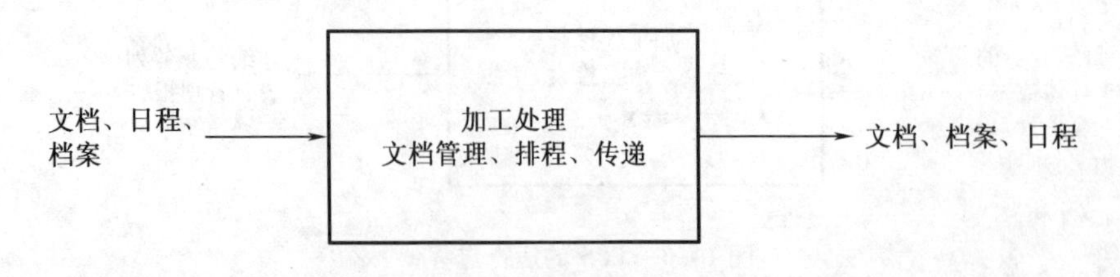

图1－8　OA的运行过程

4. 狭义管理信息系统

狭义管理信息系统(Management Information System,MIS)是为了满足中层管理的信息需要。企业的中层管理者要对组织内部的各种资源进行有效的利用,计划、检查并控制组织的活动,以确保组织目标的实现。中层管理者还需要根据一系列不同的报表,如汇总报表、常规报表、异常报表等,对业务数据进行概括、集中和分析,提出决策建议。狭义管理信息系统的运行过程如图1-9所示。

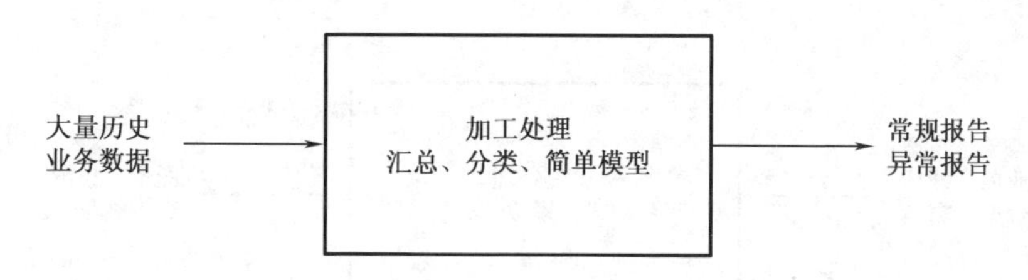

图1-9　狭义管理信息系统的运行过程

5. 决策支持系统

决策支持系统(Decision Support System,DSS)是以管理科学、运筹学、控制论和行为科学为基础,以计算机技术、仿真技术和信息技术为手段,针对半结构化的决策问题,支持决策活动的具有智能作用的人机系统。该系统能够为决策者提供所需的数据、信息和背景资料,帮助明确决策目标和进行问题的识别,建立或修改决策模型,提供各种备选方案,并且对各种方案进行评价和优选,通过人机交互功能进行分析、比较和判断,为正确的决策提供必要的支持。它通过与决策者的一系列人机对话过程,为决策者提供各种可靠的方案,检验决策者的要求和设想,从而达到支持决策的目的。DSS的运行过程如图1-10所示。一般由交互语言系统、问题系统及数据库、模型库、方法库、知识库管理系统组成。企业管理者根据要决策的问题,首先选择需要用到的模型、方法、知识等存储在管理信息系统中,在遇到需要决策的问题时,在DSS中选择适当的模型、方法或知识,将原始数据输入系统,经过系统的加工处理,将问题决策的结果输出给管理者参考。

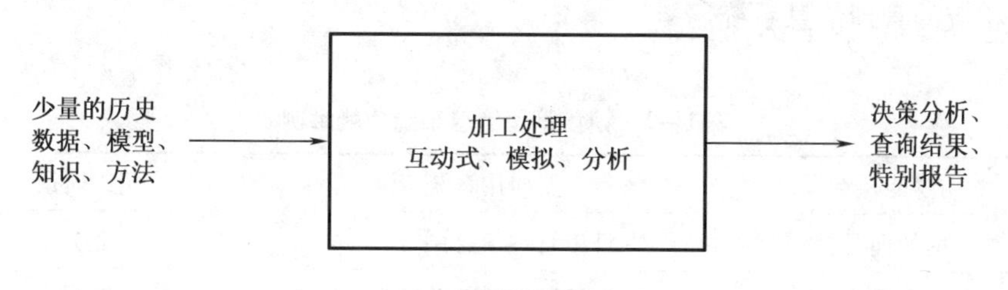

图1-10　DSS的运行过程

6. 经理信息系统

企业战略层由组织的高层管理者或资深管理者构成,他们负责确定组织的目标和发展方向,制定实现该目标的长远策略。经理信息系统(Executive Information System,EIS)也叫作主管信息系统,是服务于组织的高层经理的一类特殊的信息系统。EIS 能够使经理们得到更快、更广泛的信息,能够迅速、方便、直观(用图形)地提供综合信息,并可以预警与控制“成功关键因素”遇到的问题。EIS 还是一个“人际沟通系统”,经理们可以通过网络下达命令,提出行动要求,与其他管理者讨论、协商,确定工作分配,进行工作控制和验收等。EIS 的运行过程如图 1 – 11 所示。EIS 主要提供高层决策者进行决策时需要的内、外部信息的综合,通过一定的图形工具或分析工具,将内外部信息以直观、清晰、综合的方式表现出来,便于高层决策者理解。

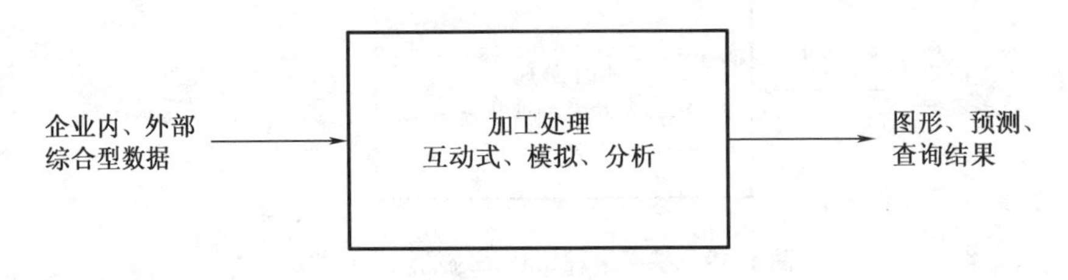

图 1 – 11　EIS 的运行过程

1.5.2　管理信息系统的横向组织功能分类

组织根据功能在横向上可以分为不同的部门来实现组织目标,管理信息系统为了满足各组织部门的信息需求,专门设计了相应的具有专门功能的管理信息系统。对最常见的制造企业来说,管理信息系统在横向组织上可以分为销售管理信息系统、生产管理信息系统、采购管理信息系统、财务管理信息系统、人力资源管理信息系统等。

1. 销售管理信息系统

销售管理信息系统通常包括产品的销售、推销及售后服务的全部活动,是一个用来辅助企业销售活动、销售管理和销售决策的工具。销售管理信息系统的主要功能有管理销售信息、控制销售活动、处理销售业务、制定销售方针、分析销售环境及效果、规划销售策略、制定报表、制定预算等。

同样在销售部门也分为业务层、知识层、管理层及战略层,表 1 – 2 列举了各个层次的部分功能及相应的管理信息系统。

表 1 – 2　销售管理信息系统功能举例

功　能	主要应用系统	组织阶层
订单处理	订单管理信息系统	业务
市场分析	市场研究信息系统	知识
定价分析、销售计划	定价信息系统、计划信息系统	管理
销售趋势预测	预测支持信息系统	战略

2. 生产管理信息系统

生产管理信息系统的主要功能是满足组织生产部门的各项活动,包括产品的设计与制造、生产设备计划、生产工人录用与培训、质量控制等。通过生产管理信息系统,管理者能够随时了解生产情况、库存情况,自动生成生产配料单,跟踪整个生产过程,科学管理生产物料,同时还可以帮助企业管理者有效控制生产成本,及时了解产品产量及库存的业务细节,发现存在的问题,避免库存积压,快速进行市场反应。表1-3列举了生产管理信息系统的部分功能。

表1-3　生产管理信息系统功能举例

功　能	主要应用系统	组织阶层
机器控制	生产设备规划系统	业务
计算机辅助设计	计算机辅助设计系统	知识
生产规划	生产资源规划系统	管理
设施位置	选址决策支持系统	战略

3. 采购管理信息系统

采购管理信息系统是通过采购申请、采购订货、进料检验、仓库收料、采购退货、购货发票处理、供应商管理、价格及供货信息管理、订单管理及质量检验管理等功能综合运用的管理系统,对采购物流和资金流的全部过程进行有效的双向控制和跟踪,实现完善的企业物资供应信息管理。表1-4列举了采购管理信息系统的部分功能。

表1-4　采购管理信息系统功能举例

功　能	主要应用系统	组织阶层
采购订单管理	订单管理信息系统	操作
供应商分析	供应商管理信息系统	知识
订货批量	采购设计系统	管理
原材料趋势分析	预测支持系统	战略

4. 财务管理信息系统

财务管理信息系统分为企业财务和决策两个层次。企业财务以总账系统为核心,包括总账、应收应付、现金管理、项目管理、工资管理和固定资产管理等模块,为企业的会计核算和财务管理工作提供了全面、详细的解决方案。决策功能是利用信息技术,结合财务管理方法、管理理论,以计算机及网络为工具,建立各种预测、决策、预算与控制及分析模型,如财务预算、营运资金管理和控制、投资决策分析、筹资决策分析、销售和利润预测与管理、成本计算和控制、财务分析等。表1-5列举了财务管理信息系统的部分功能。

表1－5　财务管理信息系统功能举例

功　能	主要应用系统	组织阶层
应收账款	会计电算化	业务
投资组合分析	投资分析系统	知识
预算	预算支持系统	管理
利润规划	规划支持系统	战略

5. 人力资源管理信息系统

人力资源管理信息系统是管理信息系统在人力资源管理部门的应用。人力资源部门借助引进人力资源管理信息系统，实施电子化人力资源管理，如招聘、培训、使用、考核、评价、激励、调整等。表1－6列举了人力资源管理信息系统的部分功能。

表1－6　人力资源管理信息系统功能举例

功　能	主要应用系统	组织阶层
培训和发展	员工管理系统	业务
职业生涯规划	员工职业规划系统	知识
报酬分析	员工报酬管理系统	管理
人力资源规划	规划支持系统	战略

1.6　管理信息系统的集成结构

管理信息系统在组织中一般以模块的形式存在，每个模块具有不同的功能，满足不同层次、不同部门的工作人员的不同信息需求，如在纵向上分别支持业务、知识、管理和战略等不同层次对信息的需求，在横向上支持采购、生产、管理等多个职能部门对信息的不同需求。每个模块有各自的数据需求和数据存储。企业整体的管理信息系统是对这些模块或子系统的集成，各个模块通过统一的规划与设计，合理设计各个模块的接口，使各个模块之间可以进行通信与共享。

管理信息系统通过组织内各管理信息子系统之间的数据联系和共享以及组织的流程进行集成，使各子系统之间能够有机地协调工作，以发挥整体效益。集成的管理信息系统在纵向上可以分成四个层次的子系统，在横向上可以分为满足各职能部门的子系统，这些子系统既能单独工作，实现各子系统的目标，也能通过各接口实现数据和信息共享，完成企业的整体目标。在各个子系统中有一些共同使用的数据或应用程序，这些数据和应用程序一般安装在公共数据库、公共应用程序服务器中，供各子系统共同使用，以节约资源，并保证数据的一致性。

1.7　管理信息系统与组织环境

管理信息系统作为系统的一种,也具有环境适应性的特征,也就是说管理信息系统的运行和应用离不开一定的环境和条件。管理信息系统的使用效果和组织的产品生产过程、组织规模、管理的规范化程度、组织的系统性、信息处理与人有着密切的联系。

1.7.1　组织的产品生产过程

不同行业的企业具有不同的生产过程,即便同一个行业的企业,其采用的管理方法和手段也是有区别的。管理方法和手段应该与企业的实际状况结合起来才能展现出比较好的效果。

1. 工业行业的类别

(1)采掘业

采掘业是从自然界直接开采各种原料、燃料的工业部门,主要包括各种金属和非金属矿(如煤炭、铁矿、石油与天然气、化学矿等)采选、木材采伐及自来水的生产与供应等。其特点为:以自然界的天然物质为劳动对象,其产品是制造业必需的原材料;建设周期长,投资大,产品运输量大;矿产资源有限。发展采掘工业必须考虑其资源、储量、品位、储存条件及其分布、国家急需程度、所处的交通地理位置等因素,以决定合理的开采规模、年限和开发时序。

(2)冶炼业

冶炼业是对采掘业所提供的物料进行深加工的行业,物料经过加工后,其化学、物理特性都会发生转变。冶炼业所使用的机器设备专用程度比较高,该行业大多是流程式生产。在该行业中大多采用现代化的管理方法与思想,如计划评审技术、线性规划的最优决策等。

(3)制造业

制造业是指对制造资源(物料、能源、设备、工具、资金、技术、信息和人力等),按照市场要求,通过制造过程,转化为可供人们使用和利用的工业品与生活消费品的行业,包括除采掘业、冶炼业外的所有行业。目前,作为我国国民经济的支柱产业,制造业是我国经济增长的主导部门和经济转型的基础。制造业中各类企业数量多,产品品种结构复杂,因而对生产过程的计划和管理也是最复杂的,所以它一直是生产与库存管理的重点。

2. 生产方式的类别

根据上述三个行业的特点,可以将其生产过程归纳为流程式生产或离散式生产。

(1)流程式生产

流程式生产是通过一条生产线将原料制成成品,如集成电路、药品及食品、饮料制造、采掘业、冶炼业等。流程式生产方式的每个生产工序都是以前一个生产工序的结果为基础的,生产工序之间的联系密不可分。流程企业的产品是以流水生产线方式组织连续的生产方式,只存在连续的工艺流程。因此,在作业计划调度方面,不需要也无法精确到工序级别,而是以整个流水生产线为单元进行调度。从作业计划的作用和实现上来说,比离散企

业相对简单。流程生产行业企业的特点是品种固定、批量大、生产设备投资高，而且按照产品进行布置。

(2)离散式生产

离散式生产是将原材料加工成零件，由零件组装成部件，最后总装成产品。它的产品是由许多零部件构成的，各零件的加工装配过程彼此是独立的，所以整个产品的生产工艺是离散的，制成的零件通过部件装配和总装配，最后成为成品。制造业往往属于离散式生产行业。典型的离散制造行业主要包括机械制造、电子电器、航空制造、汽车制造等行业。

离散式生产过程要求各级作业之间设有相当的存储，每项作业也可以独立进行。各级作业之间的关系较流程式生产要松散得多。对离散型生产方式来说，除了要保证及时供料和零部件的加工质量以外，重要的是要控制零部件的生产进度，保证生产的成套性。因为如果在生产的品种、数量上不成套，哪怕只缺少一种零件，都无法装配出成品。另外，如果在生产进度上不能按时成套，那么由于少数零件的生产进度拖期，必然会延长整个产品的生产周期，以至延误产品的交货期，还要蒙受大量在制品积压和生产资金积压的损失。这就需要在生产过程的各个环节通过信息传递和共享来实现统一的协调与配合，减少停工待料和资源浪费。

3. 信息需求的区别

流程式企业和离散式企业在应用 MIS 上的不同主要体现在以下几个方面。

(1)自动化水平

离散制造业企业由于是离散加工，产品的质量和生产率很大程度上依赖工人的技术水平。离散制造业企业一般是人员密集型企业，自动化水平相对较低，虽说一些制造行业采用了机器手臂或流水式生产，但是其自动化水平相对于流程式生产来说还是低得多，对员工的依赖相对于流程式生产则要大得多，即产品的质量在很大程度上取决于工人的技术熟练水平和工艺水准。

流程生产行业企业则大多采用大规模生产方式，生产工艺技术成熟，广泛采用过程控制系统(Process Control System，PCS)，控制生产工艺条件的自动化设备比较成熟。因此，流程生产行业企业生产过程多数是自动化的，生产车间的人员的主要工作是监督和维修设备。

(2)数据采集

离散企业的数据采集以手工上报为主。由于离散式生产企业严重依赖员工，因此生产过程的数据采集也离不开员工的统计。流程生产行业的自动化程度较高，在检测方面，各种智能仪表、数字传感器已普遍应用；过程控制则广泛采用以小型机为主的自动控制系统。这些自动化设备能自动准确记录各种生产现场信息。

(3)过程的协调

离散制造业由于各生产环境在时间和空间上都是分散的，所以信息协调需求主要是对各个环节的工作协调，以保证各个生产工序之间的物流储备量少、时间短，从而降低成本。而连续型生产的生产过程一气呵成，信息需求是生产条件的信息需求，没有异地工序的协调需求。

不同的生产特征决定了企业开发应用管理信息系统时应当贯彻的管理思想和方法是不同的,因此必须在系统进行总体规划前认真分析,以保证系统能对企业的生产经营活动进行有效管理。

1.7.2　组织规模

组织规模即一个组织中人数的多少,一般来说,组织规模越大,人数越多,业务量也会越多,同样增多的还有企业的部门数量。组织规模的大小在应用管理信息系统的时候会分别有其优缺点。

对规模小的组织而言,组织规模越小,管理信息系统的应用范围越小,出错的概率也就比较小,这样,系统维护人员较少。组织规模大,则需要长期论证组织内不同部门对信息系统的要求,并且要让信息系统可以支持企业的战略目标,同时也要考虑该组织的特殊性要求;且组织规模大,应用范围大,出错的概率也就比较大,系统维护的人员多。

小组织在管理信息系统开发应用时受系统资源方面的限制。由于管理信息系统的开发投资巨大,小组织企业可能承担不了,由此造成小组织企业在进行管理信息系统开发时欠缺整体的考虑。大规模组织可以考虑整体应用效果,倾向于系统技术上的先进性和功能上的完整性,小规模组织则往往以牺牲系统性能为代价,采取一些低配置系统。

从资金的绝对数量上来说,大规模的组织应用管理信息系统时远远超过小规模的组织。但是组织规模小的组织在开发管理信息系统时虽然要比大公司使用较少资金,但是资金的使用量也是十分可观的,因为小规模的组织本身资金规模就小,在进行管理信息系统开发的时候,可能面临资金不足或要求较快的投资收益,而这一切却隐藏着危机,因为管理信息系统的开发需要一定的时间成本,还需对员工进行培训,而且管理信息系统是否可以很好地支持企业的业务还需要实践的验证和反复的修改。上述目标不是在短期内就可以达到的。另外,受系统性能的制约,系统功能的发挥受到了限制,难以实现良好的经济效益。

1.7.3　管理的规范化程度

管理的规范化程度与组织规模的大小有着明显的相关性。大企业由于已经形成了成熟的管理经验和方法,会有严格的规章制度,一方面机构比较完备,同时管理活动也会比较规范化。在小规模组织中,由于领导手中有较大的权力,管理上会呈现出无序化和随意化的倾向,各部门之间的联系也会较为松散,且缺乏相应的制度说明。

如果在实行管理信息系统之前,企业的业务处理是高效率的,那么将其用规范的管理信息系统方法处理后,效率将大大提高。如果在实行管理信息系统之前,企业的业务处理效率是比较低下的,那么建议先根据信息技术的特点,按照业务流程重组的原则,对企业原有业务流程进行优化。用户根据使用需要建立自己所需要的管理模型,从而解决实际过程中遇到的问题。

管理信息系统是对一个组织管理的全过程进行管理的人机系统,自动化程度高,它的成功应用必须以规范化的管理模式为基础,因而在系统开发之前,就必须对不规范的管理进行规范化,对于小组织尤其如此。

1.7.4 组织的系统性

与组织的规模、管理的规范化程度一样,组织的系统性是管理信息系统应用中的重要环节因素,在一定程度上决定着管理信息系统的成败。

组织的管理是一个复杂的系统。我们可以把组织看作一个人工系统。与一般人工系统不同的是,很多组织都是未经充分规划而创造的,或者虽经规划,但随着生态进化般的发展,生产过程、产品结构、组织结构等经过多次调整,系统结构早已发生变化,成了一个不可捉摸的"黑匣子"。我们可以观察到系统的输入和输出,却无法了解其内部工作过程,甚至管理人员也无法清楚地说明管理过程。在这种组织中应用某项技术只是因为知道它有用,而不是因为真正理解它如何发挥作用。这种组织在管理上是不系统的。这种系统既无法被清楚地精确定义和理解,也无法进行量化分析,因为它不产生与决策有关的数据。一个系统性的组织则相反,其管理过程是系统化的,可以被准确地描述和量化,能够产生与决策控制过程相关的数据。这样系统的管理和决策能够在管理环节的支持下准确地进行。

除上述因素外,其他因素如如何获得系统所需的物资和人力资源、组织内部对管理信息系统的理解和认知程度、决策技术及系统的软硬件水平、人的素质等,都对管理信息系统的应用有着举足轻重的影响。开发管理信息系统最大的难点在于系统需求难以获得。由于管理信息系统应用涉及组织管理的方方面面,没有对组织管理系统的深刻理解和对应用环境的精确把握,就不可能有成功的管理信息系统应用。因此,在管理信息系统规划之前,必须对影响应用的环境因素进行认真分析,找出影响系统成功应用的关键,使组织的管理工作走上规范化、现代化的轨道,为管理信息系统的应用铺平道路。

1.7.5 信息处理与人

1. 决策的类型

组织中的管理和运作业务所处理的问题有结构化、半结构化和非结构化三种。

(1)结构化决策

结构化决策是指对某一决策过程的环境及规则,能用确定的模型或语言描述,以适当的方法产生决策方案,并能从多种方案中选择最优的决策。

(2)半结构化决策

在决策过程中所涉及的数据不确定或不完整,虽有一定的决策准则,也可以建立适当的模型来产生决策方案,但决策准则因决策者的不同而不同,不能从这些决策方案中得到最优化的解,只能得到相对优化的解,这类决策称为半结构化决策。

(3)非结构化决策

非结构化决策问题是指那些决策过程复杂,其决策过程和决策方法没有固定的规律可以遵循,没有固定的决策规则和通用模型可依,决策者的主观行为(学识、经验、直觉、判断力、洞察力、个人偏好和决策风格等)对各阶段的决策效果有相当大的影响,往往由决策者根据掌握的情况和数据临时做出决定。

2. 计算机与人员分工

管理信息系统在处理结构化决策方面有着不可替代的优势，它可以迅速、准确地计算出数据，并且可以长期对数据进行保留，可以对现实的管理环境进行模拟和仿真，能够对线性规划问题迅速求解，得出最优方案。

但是，在面对非结构化决策时，由于管理信息系统缺乏逻辑推理性，缺乏进行决策的创造力和想象力，是无法对例外事情的决策制订解决方案的。而人则可以完成上述内容，且可以完成与人有关的各种问题，也可以根据大量的知识进行模糊处理。因此应该两者结合才能从容解决所有结构化问题和非结构化问题。

在管理信息系统开发和应用过程中应正确划分人与机器的分工，将计算机与人结合起来，充分发挥计算机和人各自的长项。

3. 人与计算机的配合

在信息系统中，人既是创造者，同时也是使用者，因此应该让人和信息系统达到一种和谐的状态，而要想达到这样的状态，要从以下几个方面着手。

(1)信息系统界面的人性化

所谓界面人性化是指该界面应该具有容易上手、容易学会、容易操作等特点。系统应该可以支持不同用户的不同需求，要达到这样的目的则应通过人机交互的手段来完成。

(2)人与信息系统的合理分工

信息系统不可能代替人的一切劳动，至少指令的发布、进行模糊推理和与人打交道是需要以人为主体来进行的。计算机则要进行数据的存储、处理、传输等内容。只有通过这样合理的人机分工，才能最大限度地发挥信息系统的作用，提高信息系统的计算能力。

社会的发展、商业活动的日益繁荣、生产过程的实际需要，都要求信息系统具有强大的计算能力。例如，对生产资源的分配问题，是需要经过大量的线性计算才可以完成的；对未来销售情况的预测，则要用到历史销售数据和同行业其他企业的销售数据，这也离不开强大的数据处理能力。信息系统还应该可以提供各种管理模型、软件开发工具，这样可以方便用户根据使用需要建立自己所需的管理模型，从而解决实际过程中遇到的问题。

4. 对人员的培训

首先，是对管理信息系统的开发人员进行培训，使得他们完全具备开发信息系统的知识和能力。由于管理信息系统的开发涉及的知识种类繁多，因此有必要根据不同开发人员所负责的开发工作进行有针对性的培训。其次，是对管理信息系统的使用者进行培训，即对信息系统的使用方法、信息系统中管理模型的使用方法、信息系统的优缺点、信息系统使用的日常注意事项进行说明和解释，以打消人们的畏惧感和抵触心理。

案例

从传统中激发创新力量——当百年老店遇上互联网

作为一家有着“中华老字号”称号的百年老店，北京稻香村的加工方式是比较传统的，其店面设计也相对传统。但北京稻香村也积极吸纳、尝试新的生产方式，一切能促进企业长足发展的新技术、新模式、新工艺，都会被稻香村消化吸收，适合自己的就会被采纳。北京稻香村的信息化探索就是最好的例证。尤其面对互联网大潮,稻香村借助各种信息化技术,不断摸索,大胆尝试,从而为产品的生产及经营,激发出了更多创新的力量。

1. 信息化助力产供销一体化管理

北京稻香村从2002年开始启动了信息化建设。2002年应用了用友U8会计电算化系统,之后的信息化过程一直没有离开用友U8。2003年应用了供应链管理系统,2006年应用了分销管理系统,2011年分销管理系统升级,成本核算、大数据分析同步上线。2016年北京稻香村启动O2O工程,将线上销售与互联网支付方式和传统生产销售方式相结合。

说起信息化给北京稻香村带来的变化,北京稻香村主管营销的副总经理程文花最有感触。程文花是从基层一步步被提拔起来的企业高管。30年前,程文花刚进稻香村的时候是在糕点组卖货,后来当了组长、店长,直至开始负责整个稻香村的产品销售。

"在门市当组长的时候,做小条账都得拿纸一点点写,用计算器一点点算。做完小条账以后,每周一、三、五公司有人来取账。为这个事儿,也用了很多人,耽误了很多精力。"程文花回忆说,"稻香村的产品品种多,数量也多。我记得我在第四营业部糖果组当组长的时候,每个月盘点表都要写50多页,一页大概得有20行,每种产品的去除和添加,都有可能弄错一张表,到最后这个库存就对不上,需要重新去做。有了信息系统之后,库存是多少、卖了多少产品、需要订多少产品都不再用手工记账了,系统记得清清楚楚,省了不少人力,准确率也比以往高很多。"

北京稻香村有180多家分店,每个分店有糕点、熟食、糖果三个柜台组。发货单上的产品有600多个品种。汇总订单、安排生产、打发货单,都是很大的任务量。有了信息系统之后,这些烦琐的工作简化了很多。在信息系统里,门店和经销商的采购订单到食品厂就变成了销售订单;销售订单汇总,就变成了车间的生产订单;生产订单在生产出成品之后就变成了物流的产品入库单;产品入库单配送完之后,销售发货单就出来了,然后传到门市入库,库存就进来了;门市电子秤的称重数量传到分销系统,就形成了销售发货单。

订单一旦不够发,生产车间马上备料,安排生产。生产出成品,在系统里清点一下,货就发走了,工作效率提高了很多,准确率也高了。原来发货单是手填的,一旦出错,可能就差出一车货。有了信息系统,发货单不用手填,发货数量基本上不会错。

有了信息系统之后,各个门店的库存明细都可以实时看到。稻香村的产品保质期都不长,某种产品,如果某个门店的库存大,而离它不是很远的门店接近断货了,则两个门店可以互相调配,这在没有信息系统的时期是不可想象的。

2. 信息化助力管理提升——杜绝跑冒滴漏,细化成本核算

未使用信息系统的时候,很多事情没法管控,管理成本也很高。北京稻香村生产糕点的原材料都是类同的:面、鸡蛋、豆沙等。原先出库就是写单子,都是人工核算,产品很多,班组也多,车间主任不可能一组组去看。领了多少原材料,出了多少成品也没个数;领了多少肉,出了多少熟食也没个数;每种原材料剩了多少,也不清楚。信息化的生产制造系统上线之后,对稻香村杜绝跑冒滴漏现象、核算成本非常有用。

北京稻香村更是将用友U8的配方管理系统的作用发挥到了极致。对于每个单项的产品,多少原材料能出多少成品,基本上有个相应的比例,误差不会太大。要生产多少成品,可以领多少原材料，系统都计算得清清楚楚，不再是一本糊涂账，企业毛利率一下子提高了。

同时，各种产品的成本核算也非常清晰，成本核算可以细化到每个单品。对管理层来说，做决策也有了支持。哪些产品是赚钱的，哪些产品是不赚钱的；哪些产品销量大，哪些产品销量小；哪些产品赚得多，哪些产品赚得少——都由清晰的数据呈现出来。不赚钱但受欢迎的产品就可以考虑用其他类似的产品替代。

3. 数据支撑科学决策

以前好多决策靠拍脑袋，现在的决策有了数据做支撑就变得科学多了。原来稻香村的绩效考核是拿信纸计算谁销售了多少，算得慢不说，也不准确，少不了靠画钩、打分等方式，人为因素很多。现在每个门店每个组卖多少货在信息系统里都有数据。个别比较特殊的门市会精确计算到每台秤卖了多少货。有了数据支撑，绩效管理就尽可能地避免了人为因素。每月末只要半天时间，绩效管理的数据就出来了，可以依据这个数据发奖金。

2016 年，北京稻香村从系统数据中得出了结论：当年上半年企业增收不增利。于是公司及时进行了管理整顿，到年底利润率又回到了正常水准。

4. 电子商务和大数据

有了信息系统，在企业分析经营会上，财务部门常常唱主角。各个部门都在等财务的月经营分析汇报：上个月的经营结果是怎样的？现金流是怎样的？财务状况是什么样的？既有数字，又有分析。这很大程度上要得益于用友 U8 的商业分析工具。

2016 年，北京稻香村在京东、天猫都已开设网店。尽管目前从网上可购买的产品种类有限，但 2016 年网络销售的收入已达 3 000 多万元。在网店的订单管理上，北京稻香村通过用友 U8，将所有的产品、物流、订单、促销及交易记录、发货记录等信息均整合在一个平台上，相关人员可以直接从平台了解这些信息。

同时，稻香村的全部门店都开通了支付宝和微信支付，2016 年全年，支付宝支付 8 000 多万元。通过支付宝支付，北京稻香村还策划了消费者画像的活动。通过客户的购买记录，可以获悉多大年纪、什么性别、收入高低的人们都喜欢买什么，每次买多少。这对经营决策也很有用。北京稻香村要出小包装的商品，这个包装到底要多大？包 3 两还是包 5 两？例如，买枣花酥，顾客每次平均会买 6 两左右，稻香村的小包装就装半斤多一点。顾客买泥肠一次会买几根？这些数据也很有用。做小包装产品的时候，就要考虑这个因素。

在信息化方面，2017 年，北京稻香村首先要做的是 O2O 的布局，如移动、社交。在 O2O 的实现过程中，依然需要用友 U8 的大力支持，如 U 商城、U 订货等产品，都将为北京稻香村的业务能力提升带来很大价值。

（资料来源：http://www.ciia.org.cn/news/3007.cshtml）

本章小结

本章首先分析了企业经营面临的外部环境的变化，包括全球化经济、信息时代的到来、组织结构的变化、虚拟数字企业的产生等，这些都给企业经营带来了新的挑战，而管理信息系统是企业迎接挑战必备的工具。要理解管理信息系统的概念，首先要理解与之相关的信息与系统的概念。信息是为了满足用户决策的需要而经过加工处理的数据，信息具有客观性、时效性、可加工性、可传递性、用户依赖性等特征。在企业应用中，主要通过信息的经济价值对信息进行定性的衡量。在计算机中数字用“0”或“1”来表示，字符用 ASCII 码和 EBCDIC 来表示，汉字用国标码、机内码和汉字字形码来表示，多媒体信息的表示是将模拟信号转换为数字信号表示。系统是由相互作用、相互依赖的若干组成部分结合而成的，具有特定功能的有机整体，而且这个有机整体又是它从属的更大系统的组成部分。系统具有目的性、相关性、稳定性、层次性和环境适应性的特征。系统的运行过程要经过输入、处理、输出、反馈和控制五个过程。管理信息系统从不同的角度有不同的定义，最常用的定义是从系统角度出发给出的定义，管理信息系统是一个人机系统，由人、硬件、软件、数据资源、网络通信等组成，目的是及时、正确地收集、加工、存储、传输和输出信息，实现组织中各项活动的运行和管理。管理信息系统纵向上可以分为事务处理系统、办公自动化、知识管理信息系统、狭义管理信息系统、决策支持系统、经理信息系统；横向上可以分为销售管理信息系统、生产管理信息系统、采购管理信息系统、财务管理信息系统、人力资源管理信息系统等。企业整体的管理信息系统是对各种模块或子系统的集成，各个模块通过统一的规划与设计，合理设计各模块的接口，使各个模块之间可以进行通信与共享。由于管理信息系统的环境适应性，不同的企业环境对管理信息系统的要求也各不相同，在判断企业环境时主要从组织产品生产过程、组织规模、组织的系统性、信息处理与人五个方面进行分析。

[思考题]

1. 简述企业经营面临的环境挑战有哪些。
2. 简述信息与数据的区别与联系。
3. 系统的特征有哪些？
4. 管理信息系统在纵向上分为几类？总结每类管理信息系统对信息需求的特点。
5. 总结离散型生产方式和连续型生产方式对信息需求的区别。

第2章　企业信息管理

［学习目标］

1. 掌握企业信息的构成；

2. 了解企业信息资源的特点；

3. 掌握企业信息管理的内容、实施的条件及关键技术；

4. 了解企业信息管理的组织结构，我国企业信息管理机构现状与发展方向；

5. 了解企业信息主管；

6. 了解企业战略信息管理。

2.1　企业信息管理概述

企业信息管理是指利用现代信息技术对企业生产经营过程中各环节涉及的各方面信息进行收集、整理、分析和提供利用的工作。它是现代企业管理与传统企业管理的重要区别之一。信息作为企业的一种宝贵资源，与原料、设备、能源和劳动力一样，已成为主要的生产资源之一。对信息的占有、开发利用程度直接决定了企业的生产经营水平、开发能力等综合竞争能力的强弱。因此，企业必须对其进行合理、充分、有效地开发和利用才可能发挥信息资源的作用，信息资源的真正价值才能得以实现。企业信息资源作为企业知识资源的重要组成部分，正逐步取代工业经济时期的物质资源成为企业生存和发展的命脉，企业能否充分、高效、快速地创造、开发、收集、积累、分析和利用信息资源正成为新的经济时期企业竞争成败的关键。

企业信息管理的核心是运用信息技术对企业信息资源进行编码化与管理。编码化就是把现实世界中的实体、关系和过程数字化（计算机化）。根据对象的不同，编码化可分为数据（文档、图形、图像、结构关系、记录）的编码化、隐含知识和工具的编码化、业务流程的编码化、经营决策的编码化。编码化既是信息高效存储、使用、传播的基础，也是企业在战略层次上实现转变的关键。

企业信息管理的目的是充分开发和有效利用信息资源，把握机会，做出正确决策，增进企业运行效率，最终提高企业竞争力。

2.1.1　企业信息的构成

企业信息按其来源可分为企业内部信息和企业外部信息两大类。

1. 企业内部信息

企业内部信息指企业内部产生的各种信息，它是反映企业目前的基本状况和企业经济活动的信息。企业状况信息包括企业基本情况，如人、财、物的构成，企业规模等。企业经

济活动信息包括供、产、销等生产经营信息，财务核算信息及生产工艺、设备、安全、质量、技术改造、新产品开发等信息。具体地说，企业内部信息包括以下几方面。

(1)生产信息

反映生产过程的信息，如生产计划、工序管理、工艺流程等信息；库存信息、在制品信息等。

(2)会计信息

主要是资金流动信息，包括资产、负债、权益、收入、费用和利润及其相互关系。会计信息是企业进行本、量、利分析的基础。本、量、利分析系统指分析费用(本)、收入(量)和净收益(利)之间的相互关系。本、量、利分析是企业管理者的一项日常工作。

(3)营销信息

主要包括订单、装运、应收款账单和销售报告等一系列销售信息，它是企业信息结构的最重要的组成部分。

(4)技术信息

指有关企业产品的技术基础信息。从广义上讲，每个产品都有其技术含量，技术信息反映的是本企业产品是基于何种技术条件生产的，与同行相比是否领先，实现该技术的投入是多少，企业的技术手段、科技开发能力和组织情况等。技术信息是一种竞争能力信息，一般属于商业秘密。

(5)人才信息

反映企业各种人才的基本情况信息，如简历、专长、教育背景等，是企业经营者了解企业各种层次人才结构、分布和使用情况的依据。

2. 企业外部信息

企业外部信息指企业以外产生但与企业运行环境相关的各种信息。其主要职能是在企业经营决策时作为分析企业外部条件的依据，尤其是在确定企业中长期战略目标和计划时起着重要作用。企业外部信息主要包括宏观社会环境信息、科学技术发展信息、生产资源分布与生产信息以及市场信息。

(1)宏观社会环境信息

包括国内政治经济形势、社会文化状况、法律环境等信息。

(2)科学技术发展信息

包括与企业经营相关的科学技术发展的信息。这些信息往往展示了产品发展的方向，在新产品研发中发挥重要作用。

(3)生产资源分布与生产信息

主要包括企业正常生产所需要的设备、原料、外购元器件和零部件、能源等物资的供应和来源分布。

(4)市场信息

市场信息是营销信息的主体，它集中反映商品供需关系和发展趋势，主要包括市场需求信息、竞争信息和用户信息。

①市场需求信息。涉及 3 方面内容：社会购买能力，如用户(包括个人用户与单位用

户)的数量与收入情况、用户的构成、用户的各种分布等;购买动机信息,反映产生用户购买动机的各种原因,如各种偏好等;潜在需求信息。

②竞争信息。市场经济的主要特征在于竞争性,竞争信息主要反映了市场竞争状况,这对企业制定正确的经营对策具有十分重要的意义。竞争信息包括:市场分布信息,它反映了市场的基本结构,反映了各种产品的市场占有率;竞争对手的基本情况,如竞争对手的数量、地域分布、生产规模与能力、资金情况、技术水平与装备、产品性能与价格、市场占有率、经营策略与手段、服务情况等信息。

③用户信息。包括企业用户的基本情况和潜在用户的分布状况,用户的主要特点和支付能力、信用程度等方面的测评。

3. 企业竞争情报

竞争情报,也称"竞争对手情报"或"商业情报",是经过筛选、提炼和分析过的,可据之采取行动的有关竞争对手和竞争环境的信息集合。

企业竞争情报在国内外都是一种新事物。在西方,尽管20世纪90年代以前已有企业在战略规划中利用它,但它的迅速兴起是在20世纪90年代中期,并在欧美企业界受到普遍重视。竞争情报可以充当企业的预警系统、决策支持系统和学习工具。它的兴起是竞争环境急剧变化的结果,是21世纪的企业最重要的竞争工具之一。

竞争情报所依赖的信息95%以上来自公开或半公开的信息源——报纸杂志、企业财务报告、贸易展览会上的闲聊、市场传言、产品手册、经理人员的讲话、互联网等。这些信息都可以通过合法的方式得到:一些只要留心观察就行;另一些则需要使用最先进的技术和独特的方法,包括卫星侦察、对相关数据库进行梳理、逆向工程分解,乃至雇用心理学家对竞争对手的决策者进行分析;还有一些需使用专门用于数据分析的高速计算机。但这些来自各种信息源的信息还不是竞争情报。因为这些不断传递的有关竞争对手的各种情报是零散的、没有规律的。它们可能是真实的,也可能是虚假的;它们对企业可能产生积极影响,也可能产生消极作用。不管它们显得多么重要,本质上是不可使用的,是具有潜在危险的资源。只有经过分析、处理、具有可行动性的信息才是情报。尽管信息不是情报,但信息是情报工作的原始材料。在零散、混乱的信息流中,有一定的知识模式,将这些知识联系起来并加以分析,便可能提供许多具有战略意义的重要情报。竞争情报与信息不同之处在于它包括了把分散的有关竞争对手的信息、资料转化为互相联系的、准确的、可使用的知识的分析过程。这些经过分析处理的知识能使主管人员清楚地了解有关竞争对手的地位、绩效、能力和动机。有了这些知识,他们在制定战略决策时所面临的不确定性便大大减少,做出正确决定的可能性大大增加。

企业竞争情报在近十几年来发展相当迅速。20世纪80年代中期,竞争情报专业人员协会在华盛顿一家宾馆成立时仅有几百个成员,但到1999年就已发展到6 500个成员,其分支遍及世界各地。日本于1992年2月12日成立了"日本工商竞争情报专门协会"。1995年美国、日本、法国、英国成立了"全球工商情报联合会"。竞争情报教育也在许多国家展开,美国的西蒙斯学院、印第安纳大学、立西赫斯学院、康涅狄格州哈特福德中心和澳大利亚的悉尼技术学院等高等教育机构都开设了本科课程,瑞典隆德大学还招收竞争情报专业硕士和博士研究生。

1995 年美国的大公司只有 1% 有健全的竞争情报部门，其中大部分是新成立的，80% 的历史不足 5 年。到 1998 年，60% 的美国公司都设有正式的商业情报系统。《财富》杂志的世界 500 强公司中，有 90% 设有竞争情报部门。

竞争情报对企业的作用主要表现在以下 3 方面：

(1)充当企业的预警系统

竞争情报最重要的功能之一是使企业避免受到突然袭击。在市场上没有什么比对竞争对手的行动和市场威胁事前毫无准备的情形更糟糕的事。竞争情报有助于发现市场上的威胁和机会，并通过减少对手的反应时间增加自己的反应时间来获得竞争优势。竞争情报充当企业预警系统的具体表现为：监测商业环境，跟踪技术变化，了解影响企业业务的政治，法规的变化，监测主要客户的动向，跟踪市场需求变化，预期现有竞争对手的行动，发现新的或潜在竞争对手等。

(2)决策支持系统

竞争情报对高层管理人员在企业并购、投资、竞争领域选择等方面的战略决策具有积极作用。利用竞争情报可以使企业主管增加决策的成功率。竞争情报对决策的作用主要体现在：增加收购目标选择范围，提高收购质量、竞争方式决策、进入新的业务领域决策、开发新市场、技术开发决策等。

(3)学习工具

竞争情报工作不仅能帮助你决定是否进入一项新的业务领域，并能使你知道如何进行实际操作，还能帮助你不断接触新思想和先进的管理方法，从而避免思想僵化。竞争对手可以是你最好的老师，为你提供经验教训，为你提供参考的标准。如为企业提供技术借鉴、帮助采用最新的管理工具等。

2.1.2 企业信息资源的特点

企业的信息资源是指产生于企业内外部、企业可能得到和利用的与企业生产活动有关的各种信息，其特点包括时效性、有序性、共享性和可存储性。

1. 时效性

企业信息资源有生命周期。在生命周期内，信息资源有效，否则信息资源无效。信息资源的有效性特征要求尽可能快地得到和被使用。因此，企业在收集、处理和利用信息资源时，必须保证信息传递通道的畅通和快速。

2. 有序性

有序性即相关信息发生的先后在时间上具有连贯性、相关性和动态性。根据信息资源的过去可以分析现在，进而推测未来。为了保证企业信息资源的有序性，要求企业连续收集信息，利用先进的存储设备，建立数据库和开发高效、便捷的检索方法。

3. 共享性

共享性表现为多人可使用相同信息。在企业信息资源中，这种共享性体现在两方面：①在企业内部，许多信息可以被各个部门使用，从而保证了决策的一致性和行为的可协调性;②企业与外部之间的信息能够互相交换、共同利用。共享性并不排斥企业的信息资源中的一部分尤其是产生于企业内部的信息资源由于某些原因而不能广泛地共享,只能由某些人专用。因此,企业必须利用先进的国际互联网和企业内部网等先进网络技术和通信设备。

4. 可存储性

可存储性表现在两方面:一方面是企业的信息资源可以文字、数字、图形、声音、符号等形式存在,因此信息资源必须借助于各种媒体才能存在和传输,并由此产生各种储存方式;另一方面是,信息资源存储性要求存储信息内容的真实与安全。计算机技术为信息资源的存储提供了条件。

2.1.3 企业信息管理的内容

1. 按企业信息管理规划划分的内容

(1)建立企业业务流程和管理流程

充分考虑信息技术的应用以及企业外部的环境变化对企业生产经营活动模式及其相应的管理模式的影响,尽可能合理地构建起企业的业务流程和管理流程。在此基础上,结合企业发展规划完善企业组织结构、管理制度等。

(2)建立企业总体数据库

总体数据库一般分为两个基本部分:①用来描述企业日常生产经营活动和管理活动中的实际数据及其关系;②用来描述企业高层决策者的决策信息。

(3)建立相关的各种自动化及管理系统

如 CAD、CAM、MIS、MRPII、DSS、OA、ES 等在内的计算机管理系统。它们构成企业内部信息源,主要实现企业生产经营活动及管理活动中各项信息的收集、存储、加工、传输、分析和利用,为企业高层决策提供依据。

(4)建立 Intranet

提供企业内部信息查询的通用平台,并利用这一网络结构,将企业的各个自动化与管理系统及数据库以网络的方式进行重新整合,从而达到企业内部信息的最佳配置。

(5)建立 Extranet

使企业与合作伙伴、供应商及顾客或消费者之间达成相应的信息共享。

(6)接通 Internet

利用 Internet:①可以获取大量与企业生产经营活动有关的信息,充实企业内部信息资源;②可以向外部企业提供生产等公开的信息;③通过自己的网址,在网上开设虚拟商店,宣传自己的产品及服务,直接在网上开展经营活动。通过企业与顾客或消费者之间的直接联系,互动沟通,进一步开拓市场,同时产品和服务质量也会提高。

2. 按企业信息管理工作流程划分的内容

(1)制定信息规划

企业信息管理的第一个阶段不是收集信息,而是规划信息收集的过程或界定信息方向,也就是明确企业需要什么样的信息,收集信息的范围和目的是什么。企业信息管理工作最首要的问题应是界定信息需要,制定信息规划。如果一个企业在信息管理初始阶段没有根据管理层的要求分出轻重缓急,信息收集就可能出现盲目性、缺乏系统性的问题。信息收集的优先目标应该根据企业管理层决定他们需要什么信息,然后由信息管理工作人员确定采取什么方法完成任务。

规划工作一般分3部分:

①了解企业各部门信息需要以及使用信息的目的。信息的用途可能十分广泛,如战略规划、研究开发、确定进入新市场的战略、评价收购目标、确定新产品投放市场时间、技术评估等。在这一阶段,最重要的也是企业信息管理中最易忽略的一项工作就是对企业内部信息需要的评估。这项工作通常有3个内容:确定最经常需要的信息;确定广泛使用的内部信息;确定内部的交流渠道和人们交流的媒介。信息需求评估的重点是了解企业高层管理的需要。信息管理工作应该围绕企业管理层的需要进行,首先满足企业高层管理人员的需要,否则,信息管理工作不会成功。了解高层管理者的需要方法很多,如访谈、问卷调查等。据此确定信息需要的具体范围,特别是确定核心信息因素。"核心信息因素"的概念最早由美国军事情报机构提出,指挥人员在决策时所需要的有关对手和环境的关键信息。关键信息的确定取决于指挥员要完成的使命和完成使命的方法。将这一概念引入企业信息管理中,特别是企业竞争情报领域非常有意义。总之,制定信息规划是保证信息管理部门为管理者提供所需要的信息,而不是提供所获得的所有信息。

②制订一个收集分析计划。根据可拥有的时间和需要的信息内容确定收集的信息和实施计划。计划应包含得不到某些资料时的应急方案。比如,在得不到最佳信息源的情况下,应有提供第二选择的信息源。

③让用户了解工作进展。一旦有了一个计划,就应将该计划告诉你的使用者,确保提供的信息能适合他的需要。

(2)收集信息

根据信息规划,主要收集原始信息。信息的大部分来源是公开渠道。只要知道如何收集,任何人都能从中得到所需的信息。这些信息源包括政府、行业协会、报刊、年度报告、书籍、广播电视、讲话、数据库、聊天、网络等。只要掌握收集信息方法的人都可以通过合理合法的方式得到所需信息的绝大部分,其实这也是企业收集信息的主渠道。可是在企业信息管理的实践中,我们往往忽略公开信息源,而是把收集信息的重点放在了竞争对手商业秘密的挖掘上。即使企业得到竞争对手的商业秘密,充其量才得到你要了解竞争对手信息的5%,况且商业秘密也不完全是企业成功的保证。一个企业掌握了可口可乐饮品的秘密配方,该企业就一定会像可口可乐公司一样成功吗?如果不具备可口可乐公司销售机构的风格、定价和广告战略、销售网络等,该企业也不能成功。我国国产的可乐在百姓的口中,与可口可乐没有太大的区别,但他们无法同可口可乐竞争,原因很简单,就是缺乏可口可乐公司的销售风格、定价和广告战略、销售网络等。而可口可乐公司的这些东西都不是商业秘密,是完全可以通过公开合法的方式获得的。因此,企业收集信息工作一定要重视公开信息源。

根据信息的来源,企业收集信息一般将信息分为一级信息、二级信息和创造性信息

3类。

①一级信息

从一级信息源(年度报告、政府文件、讲话、电视、电台采访直播、公司财务报告、个人观察等)获得的未经处理的事实,是关于某一事物原始的、完整的信息,一般情况下,这类信息比较准确。

②二级信息

从二级信息源(报纸、杂志、书籍、经剪辑的电视和广播节目、分析员的报告等)提供的经加工的信息。与一级信息相比,二级信息通常是从更大的信息源中剪裁下来的,经变动的、不完整的信息。但这并不意味着二级信息不如一级信息准确和重要。区分它们只不过是为了在搜集信息时要根据其来源和经过的渠道,给予它们不同的权重。

③创造性信息

如果从收集方法上将信息分类,信息可分为基本信息和创造性信息。基本信息是搜集时可以比较直接得到的信息。包括来自一、二级信息源的信息。创造性信息是要通过一些间接的方法或非常规的方法才能得到的信息。下面是一个通过非公开信息收集方法获得成功的案例。

一家日本公司打算在美国佐治亚州建一座造纸厂,因此需要了解当地的现有造纸厂的生产能力和实际产量。如果该工厂开工充足,再建一座造纸厂就无意义,否则,就有利可图,因为当地有许多林场,造纸的原料不成问题。日本公司聘请一个外部咨询公司来了解当地造纸厂的情况。该咨询公司首先记录了从工厂开出的火车车皮数量,然后为了解车皮是否都满载,该咨询公司又请来一个既是化学家又是金属方面行家的人。他们通过每趟火车开过之后钢轨上的铁锈的变化情况确定钢轨承受的质量,从该质量中减去火车的质量,而确定了火车的载重,从火车的载重推算出了工厂生产的纸的数量。但仅知道产量还不够,还需要掌握工厂设备的开工情况。于是又通过询问该厂的一些工人了解到机器的数量、类型等,又从机器制造商那知道了这些机器的生产能力。结果发现,工厂机器的开工率大部分时间达90%。于是该日本公司决定在此地建造一座新造纸厂。

(3)处理信息

企业收集到的信息可能是大量的、无秩序的。因此必须对它们进行一定的处理,才能使用。处理信息的首要工作是将信息集中、记录和组合。一般由企业较低级的部门完成,这样做的好处是使公司的中级和高级信息分析人员将精力集中在关键的分析工作上。特别强调的是企业获得原始信息的部门始终应该保存信息的全文,但送达管理层的信息更应简明扼要,越往上级,信息越应浓缩。其次是对信息进行评级和分类。由于信息的来源不同,收集到的信息良莠不齐,对信息的真伪要进行辨别,分出等级和归档。

(4)分析信息

分析是将基本信息转换成情报的过程。分析是竞争情报最困难的环节,要求分析人员权衡信息的重要性,寻找分析模式,提出方案。分析包括对所有的资料进行综合、评价、分析,将所有资料组成有逻辑性的整体,将评价的信息置入一定背景中,并提供完成的情报。

(5)提供信息产品

这一阶段的工作是企业信息管理周期的最后一个环节,是前期工作的最终结果。它可能是简短的口头汇报,也可能是详尽的书面报告。企业管理者在了解有关内容之后可能提出新的信息要求,从而导致新的信息管理周期的开始。

2.1.4 企业信息管理实施的条件

企业信息管理建设必须具备一定条件才能成功实施。

1. 企业有信息化的内在需求

企业信息化的内在需求是企业实施信息管理的首要条件。企业要进行信息化管理,必然要建立相应的信息管理的自动化系统,或者开发管理信息系统,无论哪一种投入都是巨大的,而且其中技术复杂,牵涉企业管理的方方面面的关系及其利益,实施起来困难很大。因此,当企业真正感觉到必须实现信息化,才能满足企业当前及未来发展的需要时,企业才具备实现信息化的真正动力。企业信息管理不是赶时尚、追求花架子,如果企业没有信息化迫切的需求,只是为了装饰门面而投入大量资金去建设信息管理工程,其结果必然造成各种资源的巨大浪费。航空工业成都飞机工业(集团)有限责任公司(简称航空工业成飞)是我国第一家实施 CIMS 工程的企业,其各项具体内容的实施都是企业发展目标与市场需要相互推动的结果,没有一项是头脑发热冲动之下的结果。如新机研制和外贸出口的改进改型必须采用 CAD/CAM 技术;为确保航空工业成飞与麦道公司生产和管理的同步传递和处理,必须引进 MRPII 系统;为了确保和提高飞机结构件的综合能力,必须建立柔性自动化车间(FA)等。航空工业成飞企业信息管理取得了成功,其企业内在要求是一个重要原因。

2. 设计企业信息化的总体规划

企业实施信息化管理,必须要有一个与企业发展相适应的整体规划。设立哪些信息管理系统,以及建设的顺序都要与企业生产经营紧密结合并协调,避免不切合实际地追求所谓的“全”“一步到位”。企业应该根据自身的生产经营情况制定企业信息化管理的总体发展规划,有步骤、有计划、有缓急地建设。

3. 技术基础和管理基础

企业信息化首先必须建立在一定的技术基础和管理基础上,如果企业技术基础落后,机械化和自动化技术水平很低,那么企业实现信息管理只是一句空谈。现代化的信息技术只有同相应的机械化、自动化的技术水平相匹配,其信息管理的优势才能发挥出来。因此,企业信息化首先必须以一定的工业现代化和自动化为基础。其次,企业信息化要有较好的管理基础,包括两个方面:①企业从上至下要有现代化管理观念,对企业信息化的重要性与迫切性有较为深刻的认识;②建立合理的组织结构,建立、健全企业的规章制度,完善企业的业务流程;如果企业的管理基础不好,那么即使实施信息化,其阻力也很大,效果肯定不会好。

4. 技术与管理人才

成功实施企业信息化的经验之一是企业要有自己的技术与管理人才。实际上,企业信息化是充分运用现代信息技术的过程,从项目的立项、开发、投入使用到运转过程中的维护,其中技术总是在不断地更新、升级,因而运用这些技术的信息管理系统也涉及不断更新和升级的问题。企业必须在各个环节上有与之相适应的技术人才和管理人才,这是企业信息管理的重要基本条件之一。

5. 与技术进步、管理创新和观念更新结合

企业信息化是一项宏大且复杂的系统工程,不仅投入巨大,技术更新快,而且牵涉到企业业务与管理流程、组织结构、体制、制度等一系列问题。因此在某种程度上说,生产经营活动中的信息化建设和管理实质上是应用现代信息技术对企业的各项资源及各个环节在信息处理、工作方式、管理机制以及人的思维理念等方面进行的一项创新和变革。除技术与管理结合之外,企业信息化建设与实施过程中还涉及人的观念的变革与更新,其科学、严密的管理必将冲击着企业管理者的思维方式和行为方式,促使管理者的观念发生变化,信息管理系统的好处才能被一些起初不愿意接受的人认识到。比如在企业的物资采购中,拿回扣现象严重,在传统的管理系统中,此类现象屡禁不止,控制起来难度较大。大连化学工业公司在这方面深有体会。该公司下属单位30 多个,经常出现各种同类、同规格、同质量的物资的采购价格差异很大。但由于部门不统一,票据繁多,调查起来非常困难。后来该公司针对这一事实开发了物资管理信息系统。该系统使用后,采购物资中的不当行为很快就被分析出来,一些管理的漏洞也得到了及时补救。1996 年,该公司采购额近 10 亿元,通过物资管理信息系统挽回经济损失达上千万元。企业信息化建设给人们带来的不仅是技术的更新与进步,而且也给人们的思想观念带来了创新。从某种意义上说,后者比前者更重要,因为观念的创新是企业信息化的根本保证。

6. 选择一个好的合作伙伴

合作伙伴包括系统开发伙伴和产品及其供应商伙伴。企业采用的信息管理系统,一般依靠企业自己的力量难以完成,购买现成的系统或软件又不能完全吻合企业管理的要求。因此,必须借助企业外部的力量对系统进行开发。这样一来,选择合作伙伴就显得相当重要。一项好的技术需要一种好产品来体现,因此,在选择相应产品时,一方面必须考虑产品运行的软硬件环境条件,包括对系统软件的要求和硬件环境的要求,如内存、可使用硬盘空间、主板等要求;另一方面要注意软件与其他软件的兼容性。否则,企业内运行的各系统上的信息将成为一个个“信息孤岛”,而不能共享。因此,企业的信息管理系统必须建立在一个开放、符合工业标准、可有多家厂商支持的平台上。

2.2 企业信息管理的关键技术与组织结构

2.2.1 企业信息管理的关键技术

企业信息管理技术可保证企业内、外部信息在企业中准确、快捷地流动,为决策提供依据,其关键是实现设计信息、生产信息、管理信息的有效整合。主要包括后台(back office)技术、前台(front office)技术和虚拟(no office)技术。

后台技术是指以企业资源规划(Enterprise Resources Planning,ERP)系统为代表的企业

内部信息管理系统软件，又称后台管理系统，包括财务管理、采购管理、库存管理、生产管理、人力资源管理、项目管理等。它主要用于管理企业内部运营的所有业务环节，并将各业务环节的信息化孤岛连接起来，使各种业务的信息能够实现集成与共享。

前台技术是指客户关系管理(Customer Relationship Management，CRM)系统，它实施于企业的市场、销售、技术支持等与客户有关的工作部门。由于其管理范围和功能直接面向市场，位于企业运营的最前端，故又被称为前台系统。

1. ERP 技术

ERP 兴起于20 世纪90 年代初期的国外企业，在几年中迅速崛起并推广，尤其是网络技术，包括 Internet 和 Intranet、虚拟专用网(Virtual Private Network，VPN)、WWW 等技术的发展，对 ERP 的实用化产生了积极的影响。支撑 ERP 的实际上是一种简单的理念，即让企业雇员能够获得和生产经营有关的企业内部或外部各部门的相关信息，不管这些部门是否连接在企业的主机上，将这种理念以创造性的方法进行程序化和电子化。

企业的资源分为硬件资源和软件资源。硬件资源包括厂房、生产线、加工设备、检测设备、运输工具等；软件资源包括人力、管理、信誉、融资能力、组织结构、员工的劳动热情等。ERP 系统的管理对象就是企业的软硬件资源，并通过 ERP 的作用，使企业的生产过程能及时、高质量地完成客户的订单，最大限度地发挥这些资源的作用，并根据客户订单及生产状况做出调整资源的决策。ERP 是实现企业价值的基础。

ERP 的基本思想是将企业内部业务单元划分成若干个相互协同作业的系统，将业务流程看作是一个紧密连接的供应链，对供应链上的所有环节有效地进行管理，比如订单、采购、库存、计划、生产制造、质量控制、分销、财务管理、投资管理、经营风险管理、决策管理、获利分析、人事管理、实验室管理、项目管理、配方管理等，为企业提供了丰富的管理功能和工具。

(1) ERP 的特点

①信息系统。在理论上，ERP 允许开发商为企业建立部门之间的信息交换，并最终将企业所有事务处理实现电子化。它的目标是实现无纸办公。

②系统集成。在某种意义上说，ERP 承诺建立跨越企业各个部门、各种生产要素和环境的单一的数据库、单一的应用和统一的界面。在单一应用的原则下处理所有的事务，就是集成。这种集成包括人力资源、财务、销售、制造、任务分派和企业供应链等的各项管理业务。

③企业过程再造(Business Process - Reengineering，BPR)方案。ERP 是一种将商业规则作为网络设计的一部分的企业再造方案。通过建立一种集成各个部门的金融和生产保障事务处理的企业计算环境，ERP 系统能够增强任何一个企业及其部门的处理问题能力。从理论上说，该系统能够将企业从制造过程到资产管理的所有事务处理转移到网络上进行，它是企业战略向先进的网络计算模式转变过程中最有力的企业过程再造方案。

(2) ERP 的结构

尽管 ERP 的产品繁多，但采用的技术大致相同。

①技术手段。新型的计算机和通信技术是 ERP 产品的根基与发展土壤，并提高了 ERP

的产品性能。这些技术主要包括以下四种。

a.浏览器/服务器(Browser/Server)结构。大部分ERP产品采用浏览器/服务器结构,浏览器和Web服务器已成为当前ERP产品中重要的组成部分。这无疑使ERP的使用更加简单。

b.超文本标记语言(Java和HTML)技术。是Browser/Server结构不可缺少的技术基础,也是进行浏览器描述的主要手段。

c.安全保密技术。ERP实施过程中最重要的问题之一是如何保障系统中信息的安全。一般采用的措施有:防火墙技术、安全认证技术、数字签名技术等。

d.电子数据交换(electronic data interchange,EDI)技术。EDI技术是电子商务活动中的重要工具,也是ERP的重要组成部分。

②捆绑式的应用程序接口(Application Programming Interface,API)。API策略是当前各主要ERP厂商和开发商在ERP实施过程中采用的基本方法。API策略分核心级的API和终端级的API两种。

核心级API策略的主要作用是保证用户允许存取不同类型的数据库系统,通常以某种服务器的形式出现。如IBM的Data Joiner充当一个基本服务器的中间件的角色,它能够动态地将任何数据库的查询要求翻译为能被它所依赖的某种基础数据库所能理解的一组命令。也就是说,对拥有一系列不同数据库(如Oracle8、DB2、UDB、Sybase,甚至是微软的Access)的IBM用户而言,Data Joiner将位于数据库引擎和数据库查询应用之间,查询被自动地翻译成数据库所需要的格式以便得到合适的回馈。

终端级API通常以桌面为基础面向具体应用。虽然ERP一般不主张根据各企业用户的具体要求进行开发,因为版本升级和系统维护费用很昂贵。但是又不得不面对各企业用户之间的差异,所以ERP主要厂商均提供终端级API以用于用户桌面的定制,所谓定制就是根据用户的具体要求进行ERP的开发。

③模块化的ERP结构。当前各主要的ERP系统采用的基本结构是模块化的。模块化结构的特点是结构灵活、安装方便、安全可靠、版本升级简单方便,同时有各种API,可以根据用户的个别需求进行灵活的配置,而且可以进行终端级定制。

2. CRM技术

CRM指的是客户关系管理。简单来说,客户关系管理就是企业利用信息技术,通过对客户的跟踪、管理和服务,留住老客户、吸引新客户的手段和方法。依托信息技术,利用CRM,加强对客户的了解并为客户提供更加到位的服务。一个企业级的CRM系统通常包括市场管理、销售管理、客户服务和技术支持4部分。

(1)市场管理

市场管理主要包括市场分析、市场预测和市场活动管理等功能,根据人口、区域、收入水平、购买行为等信息的各种统计分析结果,一是可以更好地识别和确定潜在的客户和市场定位,科学地制定出产品和市场策略;二是为新产品的研发、销售目标和计划提供预测的参考信息;三是对企业的一些行为,诸如广告、展览、促销等进行数据收集、统计分析,提供跟踪服务。通过以上3方面,实现市场管理功能。

(2)销售管理

销售管理主要帮助销售部门掌握复杂的销售路线,通过计算机处理重复性的工作,来实现降低出错率,提高工作效率,缩短销售周期的目的。另外,通过共享的数据库,及时获取产品和市场竞争的信息并保存重要的业务数据。

(3)客户服务

客户服务主要通过方便、及时、灵活、多样的客户服务方式,如 IP 电话、E-mail、传真、文字、音频视频信息等,与客户进行随时随地的面对面或远程交流,为客户进行周到、热情的高品质服务,并将客户的各种信息及时进行处理存入业务数据仓库以便信息共享。

(4)技术支持

技术支持为特定的客户进行个性化服务,技术人员通过对用户的使用情况进行跟踪,为用户提供预警服务,以确保用户安全使用产品。

CRM 通常是一个系统的工程,只有软硬件结合才能造就完整的 CRM 系统。CRM 一般都提供电子商务接口,还全面开展电子商务,支持电子商务销售方式,就是以电子流的方式进行销售活动的商业模式,如网上购物、网上支付等。

CRM 系统构架通常有 3 个层次:①部门级需求。在一个企业中,市场部、销售部和服务部 3 个部门与客户联系紧密,CRM 必须首先满足这 3 个部门的信息需求,在市场决策、销售的统一管理、客户服务质量等方面起到辅助作用。②协同级。客户关系管理将企业的市场、销售和服务协同起来,建立起他们之间的沟通渠道,从而使企业能够在电子商务时代充分把握市场机会,也就是满足企业部门协同级的需求。③企业级。通过收集企业的经营信息,并以客户为中心优化生产过程,满足企业级的管理信息需求。

CRM 是联系企业内、外信息的桥梁,通过建立良好的客户关系,可以提升客户的满意度,获得最新的客户需求,真正实现“以客户为中心”的经营目标,企业在实现 CRM 时一定要明确:①CRM 不是一个产品和服务,而是一种商业策略,是以客户为中心的商业模式。②传统的客户关系管理的理念是如何赢得客户,而如今强调如何留住客户。获得一个新客户的费用往往是留住一个老客户的 5 倍。

3. 虚拟技术

虚拟企业信息管理体系从低到高可分为以下 4 个层次。

(1)通信层及技术

通信层(Communication Layer,COMM)是虚拟企业信息管理体系结构的最底层。它使节点间能够进行基于消息的通信,并能相互理解消息的含义。COMM 为节点通信提供了完整的消息规范,并依据规范对发送或接收的消息进行处理。消息规范涉及通信机制、通用的通信语言和协议、通用的通信内容格式和各节点所共享的本体论 4 个方面。虚拟企业可以被看成是由多个 Agent 组成的系统,每个 Agent 都具有自治性、协同性和适应性。Agent 之间共享信息、知识和任务,协同工作实现共同目标。Agent 之间的交互通过基于消息的通信来完成,它们可以使用多种方式、相同的消息格式和内容语法进行通信,并保证它们对通信内容有一致的理解。

在通信机制方面。两个 Agent 之间可以使用 TCP/IP 等协议直接建立物理链路,采用专门的 Agent Name Server 对注册的 Agent 地址信息进行管理,实现 Agent 之间的对话。当系统中有多个 Agent 时,最好建立若干个域,建立联邦系统,每个 Agent 域中设一个中介 Agent,负责本域的能力和需求发布,作为域内 Agent 与外界进行通信的代理。这样可能节省通信开支。另外根据不同的需要还可以采用广播通信、黑板系统等共享数据仓库。

(2)信息层

信息层(Information Layer,INFO)主要包括以下 3 个功能。

①信息组织。INFO 对节点的私有和共享信息进行合理组织,确保节点私有信息的安全。采用的是完全联邦式的面向对象的信息管理系统,支持合作的自治异构节点间的信息共享和交换。

②访问控制。对共享和交换的信息进行信息用户(组)的访问授权,防止其他节点对本节点信息的非法操作。

③分布式查询处理。INFO 具有高效的分布式信息查询处理能力,能够识别本地查询和分布式查询请求,并利用联邦式查询处理器将复杂查询分解成若干个便于查询的子查询。

(3)会话层

会话层(Conversation Layer,CONV)主要控制节点的交互行为。该层根据信息管理系统功能的需求,分析实现各项功能所需进行的节点交互,定义各个节点的会话模型。CONV 提供全面的会话管理功能,能够动态地创建会话模型的实例,能使会话激活、挂起、恢复、终止等,并能按预定的会话规则,进行会话的推理与决策,控制会话实例的运行,实现节点之间的正确交互和协同运作。

(4)功能层

功能层(Function Layer,FUNC)是虚拟企业的最高层,它定义虚拟企业信息管理系统的功能。为实现虚拟企业的协同,虚拟信息管理系统必须要支持节点间的充分交互。但是,成员企业节点的自治性要求在共享和交换部分信息的同时,尽可能保持本节点的自治和信息私有。同时,还要考虑节点固有的分布性和异构性,以及成员节点各自的信息语义。虚拟企业信息管理系统的一般功能有信息的导入/导出、导入信息与本节点信息的集成、信息可见性和访问权限管理、不同信息建模标准间的互相转换、对数据交换标准(如 EDI 的支持)等。另外,还有对冗余信息的处理与更新功能等。

4. 其他关键技术

(1)关键集成技术

①企业信息化建设的基础设施技术包括:计算机网络技术、数据库技术和网络安全技术。

② CAD/CAIVI/CAE 集成技术,实现企业的数字化设计。

③基于网络的 CAD/CAPP/CAM/PDM 集成技术,实现真正的数字化设计和数字化制造集成。

④CAD/CAPP/CAM/PDM 技术和 MIS/ERP 的结合,实现企业设计、管理、经营的数字化,即企业内部的数字化。

⑤ SCM、CRM 及 EC 平台的搭建,并实现同 MIS/ERP 的集成,形成企业间的信息化整

体构架——企业动态联盟。

企业先进技术的引用,主要有两条主线:①技术主线,主要关注企业设计的深度,如二维 CAD 技术、三维 CAD 技术、CAE 技术、CAM 技术、数控技术等均是其考虑的空间。②信息主线,主要是实现企业内、外部信息在企业中的准确、快捷的流动,为决策提供依据,其关键就是实现设计信息、生产信息、管理信息的有效整合。

(2)瓶颈技术

要实现企业信息化的建设,关键要实现企业信息的集成和共享,包括不同部门间、企业内部与外部间、企业同企业间的信息集成和共享,解决企业"信息孤岛"问题。对制造企业而言其信息管理的难点和关键点就是要实现设计部门的数据信息同管理部门的数据信息的集成,即通常所说的 BOM(Bill of Materiel),其中包括 EBOMT 和 PBOM。由于制造企业的设计和生产准备时间一般占整个产品生产周期的 70% 以上,费用也远远超出原材料和具体加工的费用,因此,如何更好地实现企业设计部门的信息管理,实现信息集成和共享,是企业实施信息化建设成功与否的关键。

要解决企业信息管理的瓶颈问题,标准化技术是企业必须考虑的关键问题,如何实现数据访问或传递控制的标准、如何实现数据交换的标准、如何规定同一的数据格式等标准都是企业必须认真考虑的,因为信息平台与文件格式的互异性成为企业信息孤岛的最大障碍。

(3)单元技术

①企业信息化建设的支撑硬件环境技术。企业在信息化基础设施,如计算机网络建设时,一定要用发展的眼光来看待问题,考虑网络的实用性和先进性的结合;系统的开放性和可扩充性;网络的可靠性,兼容性和经济性相结合;系统的安全性;整个系统的可管理性等。

②安全技术。企业面临的信息安全问题主要表现在:病毒、内部威胁,无意破坏、系统的漏洞和后门、网上的蓄意破坏、侵犯机密资料、服务器拒绝服务等。

③设计技术(CAD/CAM/CAE 技术)。二维 CAD 技术是企业信息化建设中的基点,企业的二维技术和三维技术是相辅相成、互为补充的,并不是谁取代谁的问题,发达国家二维 CAD 与三维 CAD 软件的运用比例通常保持在 3∶1 最多是 4∶1 的状态。

a. 三维 CAD 技术。其主要技术是完成三维建模,即三维造型,包括零件设计、装配设计和出图等功能。考虑的关键技术有:实体造型能力、大型装配(大于 1 000 个零部件)的处理能力、二维工程处理的能力、与上下游的 CAE/CAM 软件的接口以及与其他 CAD 文件的交换等。

b. CAE 技术。是 CAD 技术的延伸,它是人们通常说的分析软件。关键技术有是否能提供相应的动态仿真分析结果和数据报表、同三维软件的交换能力等。

c. CAM 技术。是基于三维 CAD 模型,完成零件加工代码的自动生成。

(4)企业内部的信息管理技术

PDM(产品数据管理)技术主要解决企业技术部门产品设计全周期中的技术文档(图文档)的管理,主要分为信息管理和过程管理,其中的过程管理同企业的管理紧密结合,是企业管理理念的反映。PDM 软件需实现的关键技术有:EDM(图文档管理系统)、WPM(工作流程管理系统)、PMS(项目管理系统)、PCM(配置管理系统)。

(5)企业动态联盟(电子商务)

企业信息化建设的最终目的就是要建立相关企业间的动态联盟,实现企业间的信息共享,实现电子商务,形成新的竞争格局,即动态联盟与动态联盟间的竞争。其中电子商务的关键技术主要有电子商务交换平台技术、CRM 技术、SCM 技术,而其中的关键是是否支持统一的信息标准和建立相应的信息机制。

2.2.2 企业信息管理的组织结构

企业管理的关键是对信息的有效管理,信息管理已经成为现代企业管理的核心。在企业经济活动中,每一种信息都有一个由收集、加工处理、传递到使用的过程,这个过程是否高效畅通,信息能否在企业经济活动中发挥最大作用,取决于企业信息管理的机构设置及其有效的组织形式。

企业信息结构通常是指企业运作过程中各种类型信息及其功能以及企业信息沟通的基本方式的总和。其基本特征表现为:经济结构日益扩大、信息技术迅猛发展;信息的生产能力大幅度提高、传递速度快。在这种环境中,信息和资本、劳动力、原材料、设备一样已成为主要生产要素。因此,研究企业信息管理组织结构问题不仅要重视企业信息管理组织结构设置的合理性,还要注意在这种组织结构中信息传递的有效性。

一般来说,企业的信息结构通常由 3 个部分组成:企业内部信息、企业外部信息和企业竞争情报。有效的企业信息结构需要建立有效的信息组织体系予以保障,使企业的信息有序化管理,以便高效优质地满足企业对各种信息的需求。因此,为了提高信息流动的速度和对信息进行有效的控制,建立相应的企业信息管理机构显得非常必要。

企业信息管理体制是指关于企业信息管理机构的设置及其管理权限划分的制度。一个企业设置哪些信息管理机构,采取什么样的管理形式,要根据企业生产经营特点、规模、管理体制、管理层次来设计和确定。一般企业设置的信息管理组织机构有3 个层次,它们之间职责分明又相互联系。

1. 高层信息管理机构

高层信息管理机构指负责统一管理全企业各种主要信息的信息管理中心,负责把与企业经营管理有关的重大信息向企业决策层反馈。因此,这一层次信息管理机构的建立和设置应与企业管理职能一致或相适合。通常信息管理中心宜设置在负责全企业生产经营计划、统计等业务的综合科室或总经济师办公室。这样,才能使信息与企业经营管理紧密衔接起来。对于大型企业来说,为了提高信息管理的整体效率,最好建立一个集中管理企业信息的专门机构。高层信息管理机构应承担以下 5 个功能。

(1)信息汇总与收集功能

表现在以下两方面。

①将分散于各部门的信息汇总起来,形成一个权威的内部信息库。在信息汇总的同时,对各种信息进行检验与评估,以保证信息的准确性。

②有选择地收集企业的外部信息。包括两层含义,首先是收集与本企业密切相关的信

息，如与企业生产相关的科技信息、政策法规信息等；其次是企业的信息管理机构应成为企业与社会信息服务机构沟通的桥梁，经常与社会信息服务机构联系，取长补短，互通有无，善于利用他们收集与企业经营相关的信息为企业所用。

社会信息服务机构对企业来说，是一个非常好的信息源。可以让企业最大限度地利用社会信息资源。

(2)信息管理与检索功能

信息管理与检索功能对汇总与收集的信息进行有序化管理，如按企业生产流程、经营范围、组织机构设置或信息用途等划分，将信息归纳为几大类，使相同和相近的信息集中在一起，将不同的信息区别开来。这个过程实际上是将零散无序的信息重新排列组合到相应的信息链中，使信息成为一种有序化的整体，便于多途径检索，随时满足查询要求。

(3)信息分析与处理功能

主要体现在3方面：首先是信息选择与过滤，正如西蒙所说“信息不必只因为存在就非被处理不可”。面对大量的信息，“我们可以根据需要的迫切性，从大量信息中选择那些看来对我们有用的信息，而忽略其余信息”。其次，需要对信息进行有效分析，“去伪存真，去粗取精”。最后，要利用各种方法对信息进行处理，根据信息对现状进行描述及对未来进行预测。这是利用信息的根本目的。信息的重要价值之一就是在于它对未来具有预见性。

企业大部分信息经过分析才有使用价值，盲目使用未经分析处理的信息，不仅没有任何价值，可能还暗含风险。比如，我国一家国有商业企业就是利用未经分析的信息由盈利变为亏损的。1999年春节前，报上登载了两则消息：一是中央财政增加1 000亿元国债用于基础设施建设来拉动内需；另一则消息是全国冶金工作会议决定采取限产保价的宏观调控措施。这家国有商业企业没有对信息进行分析，只根据这两则消息就下结论：春节以后钢材价格不会下跌，于是决定一次性大批量进货。结果，元宵节刚过，首钢常用规格螺纹钢每吨降价80元，使这家企业从可盈利15万元转为亏损25万元。如果该企业看到信息后，对信息进行认真分析研究后再下结论，这种失误是完全可以避免的。分析可使信息变成可用于战略和战术决策的情报。特别是在企业竞争情报工作中，分析是其非常重要的一环。

分析信息的方法很多，比较传统的有微观分析方法和宏观分析方法。

微观分析方法涉及大量的细节，并使用尽可能多的统计资料。这种方法是企业在为某一产品或市场制定战略或战术规划时经常使用的方法。一般包括对众多市场力量，如对企业无法控制的因素和公司可能完全控制的因素的详细分析。微观分析需要审视外部环境以确定企业无法控制的外部环境因素是否对市场有影响，它的主要任务是辨认可能影响经营的经济的、法律的、政治的、人口的市场因素、消费者因素、技术因素、竞争对手以及企业自身。通过对每一问题的分析，事前便可预测外部因素对企业经营可能产生的影响。

作为战略规划的一部分，宏观分析是从上到下的决策过程。许多大企业由3个组织层次构成：企业层、业务层和管理层。企业总部负责设计战略规划，以指导企业的发展。企业要进行各种决策，包括：给每个业务单位提供多少资源，开发哪些新业务等。这样的决策需用宏观分析的方法，传统的宏观分析方法是业务组合分析。组织分析是将市场分为两维矩阵，一维反映市场的吸引力，另一维反映企业相对竞争地位。企业战略一般通过评价企业产品或服务在矩阵中的位置和企业希望的位置来决定。战略是企业选择从现在的位置进入希望的位置的手段。

(4)信息协调与沟通功能

信息管理机构要对企业各部门的信息工作进行协调、指导与监督,同时作为企业信息沟通的主要枢纽。

(5)信息反馈功能

信息管理机构一方面为企业决策提供有效的信息服务,另一方面又将决策的执行情况反馈到决策层,不断完善决策过程。

2. 中层信息管理机构

中层信息管理机构是指主要负责收集、传递、处理或反馈各种专业信息的信息管理机构,对企业生产经营过程中的各种有关生产工艺、供销、质量检验、设备管理、财务核算、安全环保、技术改造、新产品开发等各种专业信息进行收集、反馈,以便由各有关部门及时解决或传递给企业决策层研究解决,因此,中级信息管理机构可按信息所属专业分设于各业务归口科室。中层信息管理机构的主要功能是收集以下几个方面的信息。

①国内外同行业对口业务的经济、技术、工艺、质量、新产品开发等信息。

②上级机关及有关对口业务部门颁发的政策性信息和技术资料。

③由基层信息管理机构传递来的生产经营过程中存在的异常情况需要跨车间或分厂、跨部门协调统一解决的重要问题。

④市场信息,如产品销售情况、价格变化情况、原材料供应的货源、运输及保管、产品开发技术情报及国际市场的开拓等信息。

⑤上级对口业务机关发布的与本企业有关的批示、指令、批复等信息。

3. 基层信息管理机构

基层信息管理机构是处于企业基层的信息管理机构,主要负责收集、传递企业内各基层生产单位(车间或分厂)在生产经营过程中所产生的信息。因此,与企业行政管理一致,基层信息管理机构宜设在各车间或分厂等基层生产单位。其具体功能包括以下几点。

①收集本单位(车间或分厂)各岗位生产过程中出现的异常情况。

②收集和整理本单位的产品产量、质量、产值、消耗、成本、经济效益指标等统计资料及有关技术资料,并做好各种原始记录的整理工作,使各种资料档案化。

③产品用户及其他车间或分厂对本单位产品的意见。

④原材料质量因素对产品质量的影响等问题。

⑤上级有关部门的指令、决定、要求及意见。

⑥向企业信息管理中心和中层信息管理机构传递基层信息管理机构收集的信息并接收他们反馈的信息及处理结果。

企业信息管理组织结构可以用图2-1来表示。

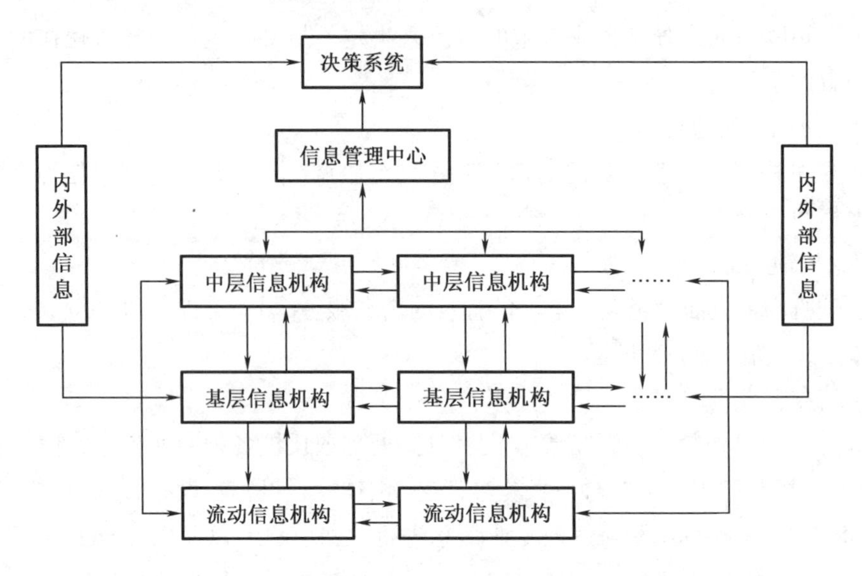

图 2－1 企业信息管理组织结构

图2－1中流动信息机构指的是企业的工作人员在外出开会、参观、学习、社会交往活动中，出于对企业的责任感而收集信息的高尚行为。企业应该提倡和鼓励员工的这种行为，因为通过这种渠道往往能得到很多珍贵信息，是企业宝贵的资源财富。社会信息网络指的是社会上的信息机构。如信息中心、兄弟单位的信息机构、咨询公司、大专院校和科研部门等。企业一般通过网络获得与本企业有关的信息。企业信息管理中心是信息管理系统的核心，具有输入、存储、处理、输出的控制功能，既承担和协调企业经济技术信息的输入、存储、处理、输出业务的正常运行，又实现信息系统自身的控制。通过反馈信息不断改进信息系统的组织结构、工作方法和工作程序等，更好地为生产经营活动服务。

企业信息管理系统能否正常运行，不仅取决于信息工作人员的力量、素质和先进的工作手段，而且还取决于健全的激励机制和约束机制以及各部门的信息服务和利用意识。在中小型企业宜采用集中管理体制，设置一个信息管理机构对企业信息进行集中统一管理。信息管理工作需由专人承担，这些人应直接归属总经理领导。专职人员的数量视企业规模而定，少则1人，多则十几人。他们的工作是总经理工作的一部分，是企业的直接生产经营系统的管理人员，与生产车间管理人员、企业经营部门的管理人员的工作性质一样。他们的工作是为总经理收集所需要的各方面的市场信息，因此，要求他们具有初步整理信息的能力，才能完成总经理信息管理工作助手的任务。在大型或特大型企业宜采用“分散—集中”的管理体制，根据企业组织机构设置情况建立不同层次的信息管理机构，最终由企业的信息管理中心进行统一管理。可以依托企业的综合管理部门，成立独立的信息管理中心，充分利用综合管理部门的研究力量和协调功能开展工作。一般应在首席执行官下设企业信息主管 CIO。

在企业内部，由于企业信息系统的组织结构不同，企业信息流的传播机制存在着较大的差异。从我国的实际情况看，一般存在着集中、分散和集中、分散 3 种组织结构模式。在集中型结构模式中，由企业信息中心负责各种信息中心的收集、加工、检索、传递等工作，各个不同层次机构及职能部门所需要的信息,统一由信息中心筛选、提供。在这种模式中,企业信息流的传播机制是“信息中心—职能部门”。企业信息中心实际担任了一个“信息守门人”的角色。因此,这种模式对企业信息人员的素质要求很高,而且只适合规模较小的中小型企业。分散型结构模式是在企业中不设信息中心,在各车间和职能部门设专、兼职信息员,定期或不定期组织信息交流活动。企业信息流的传播是从车间的职能部门到车间的职能部门。这种结构适应环境能力强,但由于车间的职能部门之间约束力弱,因此易发生信息传递障碍。在“集中—分散”结构模式中,企业有独立的信息中心,负责各种信息收集、加工、整理和传递,同时各职能部门或车间存在必要的信息联系,与其他两种模式相比,这种结构模式比较灵活,值得推崇。因为这种模式中,信息流不仅发达且畅通,在企业内部既有自上而下和自下而上的纵向信息流动,还有各职能部门之间横向的信息流动。因此,这种模式有利于企业的信息交流,也是企业信息交流模式发展的方向。

2.2.3 我国企业信息管理机构现状与发展方向

与一些经济比较发达的国家相比,我国企业在信息管理方面比较落后。在日本,各级信息机构的建设规模及质量都可谓世界一流。800 人以上的企业全部设有信息处理中心和信息库,信息服务工作贯穿企业发展的全过程。在美国的纽约,3 000 人以上规模的企业,拥有信息中心的超过 40%。1 万人以上的大企业均设有信息管理中心,而且配置先进的信息处理系统。许多大企业还设立了信息主管和知识主管高级管理职位,专门负责企业信息管理和知识管理工作。

随着办公自动化技术、制造资源计划技术、计算机集成制造系统技术、电子商务技术以及网络技术等相继引入企业生产和管理中,必然会对企业现行的管理体制和管理模式产生巨大冲击,从而要求企业改变现行的管理体制和管理模式以适应企业信息化的要求。对企业的管理机构进行重新调整,应按照现代化企业管理和企业信息化的要求,在对企业生产经营活动全过程进行全面、系统分析的基础上从提高效率的角度,精简企业的机构设置,使企业的各职能机构都能围绕提高企业经营效益的中心高效运作。按照企业信息化建设的要求,设置企业信息管理机构。由于信息技术的发展和在企业中的应用以及知识经济的影响,企业的信息功能显得越来越重要。原来分散、孤立发展起来的信息组织也只有经过重组和集成,方能适应网络时代企业发展的需要。

企业在发展过程中,特别是大中型企业为了适应不同历史阶段的发展需要和响应不同信息部门的要求,陆续建立了一系列信息组织,诸如隶属于董事会的战略咨询委员会和行业政策研究室、隶属于企业总部的战略规划部门(或企划部门)和竞争情报部门、隶属于宣传部门的信息传播组织、隶属于 R&D 部门的技术图书馆和科技情报室、隶属于办公室的文书或记录管理部门、隶属于工会组织的工会图书馆、隶属于人事部门的档案馆、隶属于总部或单独建制的 IT 中心和(或)电子商务部门以及隶属于各类分支机构、事业部、子公司乃至基层企业的信息组织等。这些信息组织没有像财务系统那样统合起来形成一个有机的信息功能系统,他们分属于企业的不同部门,为了赢得企业决策层的关注和认可并进而寻求生存与发展,彼此间常围绕资源配置和权利地位等问题进行竞争,其结果不仅使冗余和重

复建设愈演愈烈,更严重地阻止了企业的信息化进程。

霍国庆、黄艳华根据 BPR 理论,对企业信息结构提出了重组的设想:企业信息结构重组是指在统一的目标指导下,根据 BPR 理论,对企业内部相互分离的信息结构要素实施优化组合的过程。企业信息结构重组应该是信息功能的重组,而不仅仅是现有信息机构的重组,因为企业现有的信息机构所代表的是企业的历史,这些机构往往不是根据企业整体的信息需求统筹规划的,同时,这些信息机构的设置也较少考虑与外部信息机构的合作,企业信息结构重组的理论前提是从战略的角度重新评估企业整体的信息需求,然后根据企业整体的战略信息需求设计企业的信息功能。通常,信息管理组织是从分析用户信息需求入手来设计信息功能的,但这种做法不完全适合企业信息结构重组的要求;企业信息结构重组建立在广泛的企业内部和外部分工与合作的基础上,重组后的企业信息功能不追求满足企业所有管理者和员工的所有信息需求,在具体分析信息需求时,甚至可以不考虑具体的企业人员的需求,而只需考虑企业的任务、目标、战略、威胁与机会、优势与劣势、战略价值流、核心能力等企业整体事宜及其引发的信息需求。同时,他们提出了企业信息结构重组模型:企业信息结构重组要着眼于为企业战略服务,要坚持具体情况具体分析。一般而言,重组后的企业战略信息中心的构成因企业的规模而异:对于小型企业而言,战略信息中心无须分解,有时战略信息中心或许就是一个人,这个人甚至可能就是该企业的老板本人;对于中型企业而言,战略信息中心可分解为 3 个中心(战略规划中心、信息资源中心和 IT 中心)或 2 个中心(战略规划中心和 IT 中心);对于大型企业特别是大型集团企业,战略信息中心的 3 个中心之下还须细分。

2.3 企业信息主管

2.3.1 CIO 的产生及发展

1. CIO 概述

CIO(Chief Information Officer)译为信息主管,又称首席信息官、信息总监或总信息师。关于 CIO 的描述很多,较全面的首推美国 CIO 杂志给出的定义: CIO 是负责一个公司(或企业)信息技术和系统的所有领域的高级官员。他们通过指导信息技术的利用来支持公司的目标。他们具备技术和业务过程两方面的知识,具有多功能的观念,是将组织的技术调配战略与业务战略紧密结合在一起的最佳人选。CIO 监督技术的获取、实施以及由信息系统部门提供的各种相关服务。在许多引领潮流的组织中,CIO 将大量的战术和操作事务授权给“值得信赖的副职”,以使自己将更多的注意力集中在战略方面。

CIO 工作的“信息”部分正变得越来越重要。一般的公司信息的有效和战略的利用要求 CIO 具有多功能观念。CIO 在重组公司的业务过程和强化公司的信息技术结构以实现组织内部信息的高频、高效、高值利用方面具有领导作用。许多 CIO 在知识管理和智力资本评估方面也具有领导作用。同样,CIO 在开创、领导 Internet 和 Web 服务方面也占据着理想的位置。

CIO一般是归公司执行主管(CEO)、动作主管(COO)或财务主管(CFO)领导,他们常常在公司的最高领导层拥有一席之地(起码与最高层领导保持着经常性的紧密的接触),这是CIO成为信息技术官员高级职位和战略影响的标志。

CIO不仅是一个与信息技术有关的职位,更是信息技术成为一个公司或企业核心技术的标志,昭示着信息资源已经成为与资本和人力同样重要的战略资源,信息管理部门已经成为一个公司或企业成败的关键职能部门。

作为信息资源管理理论研究的成果和发展的产物,CIO最初是作为一种概念出现在20世纪70年代末80年代初,而作为一种职位出现是在20世纪80年代中期。CIO主要是一个组织信息管理发展到战略信息管理阶段的产物。通常将CIO理解为处于该职位并承担战略信息管理职责的个人或群体。主要是从战略的角度和层次审视、规划和实施一个组织的战略信息管理活动,战术层和操作层的信息管理则通常授权给其他副职和管理者完成。在组织内部的竞争和协作环境中,CIO将充分调动和配置所有的信息因素,最大限度地发挥信息的作用和实现信息的增值,最终促进组织竞争力的增强。

2. CIO的形成主要影响因素

(1)信息技术逐渐演变为公司的核心技术,成为CIO形成的内因。

(2)MIS系统的失败和战略信息系统的出现,成为CIO形成的外因。

(3)信息技术投资的增加及对投资回报的期待,成为CIO形成的动因。

(4)以信息技术为基础的信息功能集成管理的实现诱发了CIO的产生。

CIO自出现以来就是沿着政府和企业两个方向发展的。从美国的CIO发展来看,如果说政府CIO是从信息内容或流程管理的角度设计的职位,注定其发展是一个法律主导的过程,那么企业CIO就是从信息技术角度设计的职位,其发展过程表现为更加自由化。

3. 政府CIO和企业CIO的主要区别

(1)决定权

政府CIO在信息系统的建设和终止以及重要的信息技术决策方面没有决定权,企业CIO大多有这方面的决定权。

(2)服务范围

政府CIO服务范围广,涉及社会的公共安全、医疗等方方面面,其规划过程极为繁杂;企业CIO相对服务范围集中,只需要专注于某一业务或顾客感兴趣的事务,有选择地为决策层或重点业务部门提供即可。

(3)使命和压力

除总统大选外,政府CIO通常不关心竞争对手问题的,其工作成果处于大众的监督和关注下,面临最多和最大的是舆论压力,所以更需要关系和形象的塑造;企业CIO则要面临来自业务部门、外部信息技术组织等竞争问题,故面临的主要是来自总裁和企业决策层的压力。

由于信息管理涉及的内容与技术日益细化和深入,CIO不再是单一和孤立的角色,也有了相应的变化。CIO逐渐分化出CTO(Chief Technology Officer)、CKO(Chief Knowledge Officer)等角色。在一些特大型公司、企业层的CIO之下还有部门级的CIO(Divisional CIO

DIO)、执行层的 CIO (Process CIO PIO)和地区分公司的 CIO(Regional CIO RIO)。他们共同构成一个组织的信息功能的领导集体,共同考虑、规划和统筹组织的战略信息管理工作。

2003 年起,我国劳动保障部推出企业信息管理师国家职业资格认证制度,是国家职业资格证书制度在企业信息化建设领域的具体运用,旨在培养既懂经营管理又懂信息技术的复合型信息管理人才。该职业资格认证制度推出以来,受到社会各界的高度关注,尤其得到了广大企业 CIO 的热烈欢迎。根据《企业信息管理师国家职业标准》,企业信息管理师是指"从事企业信息化建设,并承担信息技术应用和信息系统开发、维护、管理以及信息资源开发利用工作的复合型人员",并按知识和技能水平的不同划分为助理企业信息管理师(国家职业资格三级)、企业信息管理师(国家职业资格二级)和高级企业信息管理师(国家职业资格一级)3 个等级。劳动保障部、国资委联合下发通知,从 2005 年起在中央企业开展企业信息管理师国家职业资格认证工作。中国企业信息管理师网站(http://www.cio.cn)统一开展网上培训。

2.3.2 CIO 的职责

CIO 的职责主要是由企业的信息功能的集成程度及特定企业对信息资源管理的理解等因素所决定的,它也受信息功能和组织内部分工的制约。但无论从企业分工的角度,还是依靠功能组织内部分工的角度,CIO 都应该立足于战略层次来审视自己的职责。

CIO 的职责就是负责战略信息管理,主要集中表现在 2 个方面:

①主要包括信息技术管理的战略管理、信息资源管理的战略和电子商务的战略管理等方面。

②包括制定和指导实施信息战略、建立和重组信息组织、组建和优化信息队伍、创建完善企业信息文化等方面。

根据黄硕豪的观点,企业 CIO 的职责主要有 5 个方面:

①为企业的决策提供所需的切实可靠的信息,有效地帮助企业制定长期发展战略,是 CIO 最根本的责任。

②有效地管理信息技术部门,将信息技术切实置于可以支持或引导业务需要的地位。

③紧跟所有的最新技术的发展,联络科技与商务战略,保证企业在技术上的竞争优势,并将其迅速转化为业务发展的动力。

④正确规划企业的信息技术发展战略,构思与促进技术远见,确保企业信息技术资源源远流长。

⑤建立并保持积极的信息技术文化,与所有的阶层培植良好的关系。

2.3.3 CIO 的素质

CIO 的素质是由其职责决定的,担当此职位的人需要具备一定的专门资格。理论研究上提出的素质要求一般比较理想化。

通常将 CIO 的主要素质归纳为 3 个方面:

1. CIP 主要素质

①具备领导者的素质。

②具备 IT 战略家的素质。

③具备业务分析家的素质。

这 3 方面素质的整合使 CIO 区别于其他高层管理者的必备素质，对 CIO 其他方面的要求则可称为一般素质要求。

2. CIO 理想的知识结构

以 CIO 的知识和技能结构为基础分析 CIO 的素质，其理想的知识结构应该由 3 个方面构成：

①信息技术知识，最好是接受过正规信息技术专业教育。

②MBA 知识，最好兼修 MBA。

③与某一业务相关的专业知识。

3. CIO 理想的技能结构

CIO 的理想技能结构也可分为 3 类：

①信息技术技能或称专业技能，这类技能与信息技术联系紧密。

②管理技能，包括交流技能、组织能力、协调能力、磨合能力、应变能力、决策能力等。

③经验，包括信息技术或信息系统经验和业务经验。

2.4 企业战略信息管理

2.4.1 信息战略与战略信息管理

企业战略是企业根据内外环境和可获得资源的情况，为求得长期生存和持续的均衡发展而进行的总体性谋划。一般分为公司层的总体战略、业务单元层的竞争战略和经营层的职能战略。信息战略是企业战略的有机组成部分，是关于信息功能的目标及其实现的总体谋划，是企业信息功能的大政方针和战略体系。

战略信息管理是企业信息管理资源发展的高级阶段。从理论来源的角度考察，战略信息管理可以视为战略管理与信息管理的交集，是一种跨领域的管理活动；从战略规划的角度考察，战略信息管理可以视为信息战略的展开过程，是企业依靠功能战略的制定、实施、监控、调整及其与企业业务战略的整合过程；从领域分析的角度考察，战略信息管理是一个跨越所有企业活动领域的相对独立的功能领域，是围绕信息、信息技术、信息人员、信息设备及其他相关资源实施规划、预算、组织、指挥、控制、协调和培训等活动的多功能领域。

战略信息管理是关于企业信息战略的管理，是企业信息功能要实现的任务、目标及实现这些任务和目标的方法、策略、措施的总称。由信息技术管理、信息资源管理和电子商务管理 3 部分组成。并以信息技术管理为战略信息管理的基础，信息资源管理为核心，电子商务管理为延伸构成一个企业的信息结构。信息技术管理的主要任务是设计、建立一个与企业的任务相匹配的体系结构，充分发挥信息技术在企业运行和管理方面的作用，重塑企业的核心能力和竞争优势;信息资源管理的主要任务是挖掘、收集、组织、分析、传播能够支持企业决策的信息资源,提高决策的质量和成功率,增加产品或服务的信息含量,促进企业的创新活动,加速企业的创新和转型;电子商务管理的主要任务是利用信息技术手段和信息资源能力,实现大规模个性化定制或服务,创造企业在网络时代的竞争优势。

信息战略主要划分为信息技术战略、信息资源战略、电子商务战略和信息组织战略等类型。信息技术战略主要包括信息技术与企业业务的调配战略、信息技术外包战略、信息技术重组战略和信息技术风险管理战略等;信息资源管理战略主要包括信息资源杠杆战略、信息资源产品战略和信息资源经营战略等;电子商务管理战略主要包括全面电子商务战略、信息流先行战略、互补合作战略等;信息组织管理战略主要包括确立信息和 CIO 的地位、重组信息结构、建设信息队伍、培养信息文化等。

2.4.2 战略信息管理的特点

战略信息管理是信息资源管理的发展阶段之一,具有信息资源管理的共性,它是在信息经济、知识经济、全球化、信息化条件下发展起来的,因此更具有特殊性。战略信息管理的特点包括以下几方面。

1. 战略信息管理与信息资源管理的共性

(1)综合性

从管理的对象来看,战略信息管理强调管理对象的多样性,应包括组织大环境研究、组织自身前景研究和关键对象的行为研究。从管理内容来看战略信息管理是多种要素的综合管理,它是组织战略管理的重要组成部分,不仅要管理组织的战略信息,更要对组织内部、外部的环境进行管理,强调其过程的综合性、全方位性和协调性。

(2)经济性

在信息经济崛起的背景下,信息被视为 5 种经济要素(人力、原材料、资本、科技和信息)之一。信息是组织不可忽视的重要的生产力和经济要素,而战略信息管理主要是对战略信息的管理,因此它也具有经济性。

(3)系统性

战略信息管理是对组织内部、外部战略信息的管理,广义上讲它也包括与战略信息相关的、与组织核心竞争力密切联系的人员、设备、资金的管理。

(4)决策性

战略信息管理是组织信息的宏观管理,它的主要作用就是为组织的战略决策层提供决策支持信息,为组织的决策制定提供卓有成效的帮助。决策性是战略信息管理的重要特性。

(5)技术性

战略信息管理同信息管理一样重视组织中信息技术的应用,提高信息技术含量,使组织中的信息系统能够更好地发挥作用。

(6)二重性

战略信息管理不仅是一种管理模式更是一种管理思想。组织成员首先应接受战略信息管理这种思想观念,从战略高度重视组织的信息管理,着重组织战略信息的管理;其次应将战略信息管理看作一种模式,真正将战略信息管理这种管理模式应用到组织管理中来。

2. 战略信息管理的特殊性

(1)全局性

战略信息管理不同于信息管理,它是组织从战略高度对信息管理的再认识,是信息管理新的发展阶段。战略信息管理从全局上对组织的信息管理进行整体规划、管理,侧重于战略信息管理与组织的其他战略管理相协调和统一,追求效益的最优化,带有明显的全局性。

(2)长远性

"战略"本身就带有长远性。战略信息管理即在分析组织内外环境和条件的基础上对组织信息管理的长远规划的制定、实施和评价的一个长期的过程。

(3)权威性

组织内部各个部门都会有自己的信息管理实施计划,而战略信息管理是从组织总体上对各个部门的信息管理进行的战略规划和控制。组织各个部门的信息管理活动都要服从总体的战略规划和控制,要与组织总体的战略信息管理相协调。

(4)稳定性

战略信息管理是组织从战略高度对信息管理活动的管理和控制,具有长期性。一个战略信息管理规划的制定通常持续 5 年左右时间,在这段时间内组织的信息管理活动处于一个相对稳定的状态。

(5)创新性

有学者认为"战略信息管理"阶段也叫"知识管理"阶段,这其实是从广义上理解知识管理得到的结论。知识管理既注重显性知识的管理,也注重隐性知识的管理,尤其注重人类头脑中隐性知识的管理,注重知识创新。从广义上讲"知识管理"阶段就是"战略信息管理"阶段,战略信息管理具有知识管理的特征,因此也具有创新性。

(6)注重人文管理

信息管理过分注重信息技术的应用,而忽视了人文管理的重要性。即在实践上注重可编码信息的管理,忽视了隐性知识的管理。战略信息管理不仅注重信息技术的应用,也注重人文管理,主要包括信息体制、信息政策和法规、信息伦理。

2.4.3 战略信息管理过程分析

战略信息管理是一种覆盖企业所有业务和管理领域的活动,同时又是一个相对独立的职能领域。其管理是一个过程,通常由信息战略制定、信息战略实施和信息战略控制 3 个阶段组成。

(1)信息战略制定

在信息战略制定阶段,要理顺信息战略与企业业务战略和总体战略的关系,全面、深入地分析企业信息功能的外部和内部环境及其变化趋势、评价和选择企业信息战略。

(2)信息战略实施

在信息战略实施阶段,要确立和培育适应时代发展的信息价值观和信息文化,建立适应企业战略发展所需的信息组织和信息队伍,不断调整和完善资源配置的方式,强化信息功能与其他业务功能、管理功能的协调与协同,最大限度地发挥信息资源在降低风险、提高效率、改进效果、促进创新等方面的作用,切实支持企业战略目标的实现和企业的战略转型。

(3)信息战略控制

在信息战略控制阶段,要制定科学合理的评价指标体系,动态追踪企业信息战略的实施过程,联系企业信息战略目标和实施情况进行实时分析,并根据内外部环境的变化及时调整和修正战略,以确保企业的可持续发展。

战略管理主要是在信息层面上进行的活动,是一个需要大量信息并以信息为管理对象的过程,是建立在企业战略信息资源管理基础上的一种管理。下面以企业战略信息资源管理为例分析其过程。

企业战略信息资源管理过程一般划分为战略信息资源规划、战略信息资源收集、战略信息资源分析和战略信息资源传播 4 个阶段。

1. 战略信息资源规划

规划阶段的主要任务是确定企业的战略部门和战略人员,重点是用户及其战略信息需求的确定与分析。其管理活动是围绕着企业的任务、目标、战略以及战略部门和战略人员展开的。在此基础上,制定战略信息资源管理的目标和整体计划,组织战略信息资源管理所需的资源、技术和人力,实现战略信息资源管理任务与人力资源的最优组合。

在战略信息规划阶段应该明确以下问题:

(1)制定战略信息管理的目标和总体计划

在明确企业的任务、目标、战略以及战略部门和战略人员的基础上制定战略信息管理的目标和总体计划,组织战略信息管理所需资源、技术和人力,实现战略信息资源管理任务与人力资源的最优组合。

(2)通过多种方式了解和确认服务对象

这是战略信息管理规划阶段的重点内容。战略信息管理是面向企业战略人员提供的一种服务,而不是企业的所有员工。所以首先要确定哪些人员属于战略人员,对一个企业来说,战略人员由其战略重点和核心能力决定。如果是一个现代化高科技企业,战略人员主要包括决策人员、融资人员、创新人员和营销公关人员。如果是传统的制造企业,其战略人员则包括决策人员、管理人员、销售人员、生产质量管理人员等。

(3)确定战略人员的信息需求

包括需求的内容与形式。明确需求内容就是清楚需求什么。战略信息管理部门不是满足战略人员的全面信息需求,而只是满足其战略信息需求,即满足战略人员与职能组织与其职务相关的战略信息需求。由于战略人员,特别是决策人员面临的决策环境通常变数很大,其信息需求的变异度较大;又由于他们表达信息需求时存在的障碍,其信息需求难以被准确把握。所以必须采用多种方法了解分析,如通过采访、调查等直接方法,也可以通过个人记录、任务陈述、策划方案文档等材料间接分析战略人员的信息需求。其中,交流是掌握信息需求的重要方法。而且规划的过程本身就是战略信息的交流过程,不是简单的研究和计划过程。是以战略规划及其产品凝聚企业各部门及其所有员工,鼓舞士气、统一思想的过程。不仅如此,交流还有助于随时调整战略信息管理的目标和方向,提高战略信息管理的效率和效果。

(4)区别不同的战略任务及其要求,预计战略信息资源的成果形式

在明确战略人员的信息需求内容的基础上,了解其信息需求的形式,即明确以什么样的信息产品形式提供给他。如喜欢印刷型,还是多媒体型等。以战略人员喜欢的方式提供信息产品,利于信息内容的吸收和利用。制定战略信息资源管理的评估标准和指标,形成战略信息资源管理过程的质量管理计划。

2. 战略信息资源收集

收集阶段的主要任务是从可能产生战略信息资源的地方收集原始的信息并对这些信息做进一步的处理。

首先确定战略信息资源。战略信息资源是信息资源总量中最重要和最具增值潜力的部分,是与企业战略相关或是企业战略管理过程中所需要及所产生的信息资源的总和,是那些决定企业命运的、为企业决策所必需的、关系到企业发展全局和远期规划的信息资源。战略信息资源的服务对象主要是决策者,重要的不是获得信息,而是对信息的加工和分析,根据决策需要提供信息,应当有一定的条件限制。战略信息资源分析是围绕企业战略而进行的解决方案制定和选择过程,企业战略环境、企业战略要素、企业战略竞争对手、企业战略过程、企业战略人员是分析的重点。以战略方案和策略为目标对信息进行推理和提炼,从已知推导出未知、从混乱整理出秩序、从模糊走向清晰、从表面分析中揭示出内在的本质联系等。这与一般的文献信息服务不同。

(1)战略信息资源内容

战略信息资源主要涉及5个方面的内容:

①与企业任务陈述和目标相关的信息资源。任务陈述和目标是企业战略形成的基础和指导思想,是区别一个企业与其他类似企业的持久性目的的陈述,能明确企业的业务范围、业务重点及未来的发展方向等。

②与企业战略及其管理过程相关的信息资源。战略信息资源首先是指与战略相关的信息资源,企业战略管理过程既是指导企业开展有效竞争的过程,同时又是利用这个过程所产生的战略信息资源来统一和协同作用的过程。

③与企业战略决策相关的信息资源。战略决策是战略管理过程的核心部分,是指决定采用何种战略以及如何实施和调控所选战略的方法的过程。

④与企业战略部门和战略人员相关的信息。必须明确企业的战略部门和战略人员。从企业内部的分工与职责来判断,企业的战略部门主要包括董事会、监事会、战略规划部门、R&D 部门和市场营销部门等,在这些部门的人员及各分部、各职能部门的经理等都属于广义的战略人员,企业最高层及企业核心部门的决策人员则属于狭义的战略人员,战略信息资源主要是为这些部门和人员服务的,而且满足的只是战略人员承担的战略工作产生的

信息需求，而不是作为个体的人的全面需求。

⑤与企业竞争优势相关的信息资源。竞争优势是从战略管理结果的角度识别战略信息资源的，主要集中在3个方面：第一，竞争优势最终来源于客户，如何满足客户的需求是企业赢得竞争优势的根本，与此相关的信息资源；第二，企业的竞争优势不外是通过低成本和差别化两种形式获取的，与这两种战略相关的信息资源；第三，竞争优势来源于企业价值链的某一个环节或某几个环节，而不是来源于整个价值链，与这些环节相关的信息资源。

(2)战略信息资源层次

战略信息资源大体分为5个层次：

一次信息源，也称本体论信息源。如竞争对手的厂房、设施、设备、产品、废品、废料及废水等。

二次信息源，也称感知信息源，储藏在人的大脑中属于潜在的信息资源，如经济学家、科学家、技术专家、政府官员、顾问、供应商、用户、竞争对手的雇员等。

三次信息源，也叫再生信息源。主要包括口语信息、体语信息和文献信息源。

四次信息源，集约信息源。如数据库、图书馆、档案馆、专利局、情报中心、博物馆、标本室等。

五次信息源，也就是网络信息源。

(3)信息资源转换

除了识别战略信息源问题外，还要特别注意信息采集过程中信息资源的转换问题。否则会使企业陷入纠纷中。信息资源转换主要包括：

①信息资源所有权或使用权的转换。如专利的转让、电影发行权的买断、论文的使用许可等。

②信息资源记录方式的转换。如手写稿出版、乐谱录制为磁带、文学名著改编为影视作品等。

③信息资源载体的转换。如演讲录音、印刷文本的数字化、学位论文缩微发行等。企业战略信息资源管理完全可以从正常的渠道、正常的手段获得，关键在于企业应合理地运用知识产权所规定的权限，合法收集和利用各种信息资源。

最后是对收集信息的组织工作，也就是对信息进行序化。可以按照事物的形式、内容和效用属性对信息进行组织，目的是为下一步的信息分析打好基础。

3. 战略信息资源分析

分析是战略信息资源管理的核心环节。战略信息资源分析是围绕着企业战略而进行的解决方案制定和选择过程，分析重点是企业战略环境、企业战略要素、企业战略竞争对手、企业战略过程、企业战略人员。战略信息资源分析是以战略方案和策略为目标的信息推理和提炼过程，从未知推出已知；从无序走向有序；从有限的信息推出结论；从互不相干的异质信息中找出联系；从假象中识别出真相。最终为决策提供有参考价值的结论。战略信息资源分析要经过战略分析、战略制定和战略选择3个步骤。

(1)战略分析

包括企业外部环境与内部环境的分析。主要是进行信息的收集。

①外部环境

主要目的在于确认有限的可以使企业受益的机会和企业应当回避的威胁,着重识别和评价超出某一企业控制能力的外部发展趋势与事件。影响企业生存和发展的外部环境因素很多。分析的目的不是考虑所有的因素,而是要识别和确认那些关键的、值得做出反应的变化因素。主要包括:

a. 宏观环境。企业经营涉及的国家或地区以及所处时代的社会、经济、政治、法律、文化和科技环境。

b. 行业环境。企业所在行业的结构及其发展变化趋势。

c. 竞争环境。由企业生存直接相关的供应商、顾客、竞争者、同盟者等构成。

②内部环境。分析的关键是确定企业自身的优势和劣势。主要围绕企业的管理、营销、财务会计、生产作业、研究开发及计算机信息系统等方面确定企业的优势和劣势。其中重点是找出企业的核心能力。核心能力是一个企业所具有的不易被竞争对手超越和模仿的优势。

(2)战略制定

战略制定主要是将企业的内部资源和技能等要素与外部关键因素所决定的机会与风险进行匹配,并制定可行的备选战略。

(3)战略选择

战略选择主要对匹配阶段形成的可行的备选战略进行客观评价并最终选择企业拟实施的战略。

企业战略信息管理的主要任务不是制定企业的战略,而是针对企业的战略制定信息管理的战略。所以决定了其具有极强的目的性、针对性和计划性。企业战略一般分为总体战略、竞争战略和职能战略。总体战略决定并揭示企业的目的和目标,提出实现目的的重大方针和计划,确定企业应该从事的经营业务,明确企业的经济类型与人文组织类型,决定企业应当对职工、顾客和社会做出的经济的和非经济的贡献。主要问题是确定企业的整体经营范围,在企业内合理配置资源。竞争战略是解决企业如何选择经营的行业和如何选择在一个行业中的竞争地位的问题,包括行业的吸引力和企业的竞争地位两个方面。职能战略是为实现企业整体战略和竞争战略而对企业内部的各项关键职能活动做出的统筹安排,解决如何提高企业的竞争力问题,主要包括财务战略、人力资源战略、组织战略、研究与开发战略、生产战略和市场营销战略等。企业战略信息管理是企业战略管理的有机组成部分,属于企业职能战略管理范畴。

4. 战略信息资源传播

战略信息资源传播是以分析产品为杠杆满足用户信息需求的过程,也是战略信息资源管理的最后一个阶段。传播既是传播者主导的信息交流活动,也是战略实施活动,是最终实现战略信息资源价值的活动,战略信息资源管理的成效和影响由传播的深度和广度直接决定。按照传播范围划分,企业战略信息资源传播分为内部传播和外部传播两种。

(1)内部传播

内部传播是针对企业内部的管理者和员工进行的战略信息资源传播。

根据传播对象的不同,内部传播又分为三个层面的传播:企业战略决策者、企业战略人员和企业一般员工。其中企业战略决策者是战略信息资源管理的核心,是战略信息资源管理的优先消费者。

呈交给他们的战略信息产品应该符合以下主要标准:

①企业战略决策者

a. 战略信息分析必须响应战略决策层的需求,以简洁的方式回答他们提出的问题,最终方案必须简短且能击中要害。

b. 战略信息分析必须是聚焦式的而非一般化的,最终方案必须以权重或概率的形式表明其可能被选定或成功实施的优先顺序。

c. 战略信息分析必须是及时的,最终方案要保证一定的提前量或具有一定的超前性。

d. 战略信息分析必须是可以高度信赖的,最终方案必须是成熟的和经过试验的。

e. 最终方案必须以最适当的形式呈交给战略决策者,通常有视觉(书面报告、图表、视频等)、听觉(口头汇报、交互式电子会议系统等)、动觉(建模、演示等)3 种方式。多数情况下,战略信息决策者以多种方式接受战略信息产品,口头汇报往往成为大多数战略决策者倾向的一种方式,因为这种方式更有利于双方的交流,也便于对战略信息资源产品的理解。

②企业战略人员

企业战略人员是战略信息资源管理的主要用户,是除战略决策者以外的企业高层管理人员、战略规划人员、R&D 人员和市场营销人员及各分部、各职能部门的主管。他们的工作与企业战略高度匹配。该层面的战略信息资源管理传播的主要特点是:

a. 二重性,战略信息产品一方面可以通过战略决策者迂回传播给他们,一方面也可以由信息传播人员直接呈交给他们。

b. 直接递交的战略信息产品是与企业战略信息人员职能有关的部分,其他战略信息产品的递交时间和内容,则依据有关规定办理。

c. 企业战略人员也参与事关本部门职能的战略信息资源的收集和分析工作,与企业战略信息资源管理部门是一种分工合作的关系。

d. 企业战略人员倾向于通过视觉方式接受战略信息产品,需要较为具体详细,有时甚至是不成熟的,但有创意的战略信息产品。

③企业员工

企业员工是战略信息资源管理的间接用户。因为他们不是战略信息资源管理服务的对象,一般不考虑或较少考虑他们的信息需求,但他们可以享用战略信息产品。企业的战略最终是要通过企业的员工来实现的,他们最能在实施企业的战略实践中发现企业战略中存在的问题。因此他们反馈回来的信息对战略信息资源管理部门很有意义。针对企业员工的传播主要有 3 种形式:

a. 迂回传播,传播的主渠道。通过企业战略决策者和战略人员进行传播。

b. 被动传播,将原始的战略信息资源和战略信息产品集中存储,允许员工自由存取和利用。

c. 选择传播,由信息传播人员选择部分战略信息产品主动呈交给企业员工。这一层面的传播的主要目的是以战略信息产品为媒介统一员工的思想和认识、提升员工的境界、营造战略文化氛围、确保企业战略的顺利实施。

(2)外部传播

外部传播是企业战略信息资源针对与企业利益相关的顾客、股东、供应商、合作伙伴、竞争对手、政府主管部门以及社会公众所进行的传播行为。总体上是一种选择性传播。企业战略信息资源很多涉及企业的机密,不可能公之于众,即使在企业内部也不为所有人知道。所以信息传播人员应该有选择地对企业利益相关者进行传播,以维系企业与外界的联系与平衡。

①与企业利益相关者的类型

a. 合作伙伴,主要包括供应商、分销商、外包商、战略联盟等。传播主要是基于协议(或合同)与业务合作的传播。本着促进合作、实现双赢的原则,有两层含义:一是根据业务合作关系进行对等的战略信息资源交流,二是要依据彼此签订的协议(或合同)选择传播内容和方式。

b. 竞争对手,本行业除合作伙伴以外的所有其他企业。其传播是一种基于限制和业务竞争的传播。一方面要严格限制战略信息资源的出口以防为竞争对手所获取;另一方面又要灵活运用竞争策略通过互换战略信息资源来谋求共同发展。

c. 政府主管部门,包括行业主管部门、统计部门、工商税务部门、知识产权部门等各种相关的政府主管部门,主要是基于政策和管理的传播。一方面要根据国家和地方的政策法规及时为有关政府主管部门呈送各种信息资源以利于政府的管理;另一方面根据企业或产业发展的需要主动向政府主管部门提交政策建议等信息资源,以谋求有效利用政府在产业发展方面的杠杆作用。

d. 社会组织,主要包括行业协会或学会、高等院校、科研机构等,基于互补和互惠进行传播,一方面要有选择地定向传播企业的规划或项目等方面的需求信息,以利用社会组织的人力资源和信息资源来促进企业的发展;另一方面要将规划或项目的实施进展与结果信息反馈给社会组织以利其研究从而达到互惠的目的。

e. 社会公众,包括大众顾客、股东和关心企业发展的所有公众,是基于形象和品牌的传播。一方面借助企业识别系统的设计和宣传来树立自己良好的公众形象;另一方面借助互联网等手段来支持企业的产品或服务。

②外部传播特点

企业对外的战略信息传播是一种有限传播,结合其特点在传播过程中应该注意以下问题:

a. 要平衡传播内容,既能满足各种利益相关者的信息需求,又不能泄露企业的战略机密。

b. 把握好传播时机,关键的战略信息资源选择在什么时候公之于众是一个艺术问题,过早会给竞争对手提供应对的线索和机会,过晚则不利于企业争取社会各界的支持和关注。

c. 要集成传播手段。优势互补,集成各种传播手段,形成多层立体的传播体系,为企业与外部环境的协同发展创造条件。

本 章 小 结

本章首先对企业信息管理进行了概述，介绍了企业信息的构成、企业信息资源的特点、企业信息管理的内容、企业信息管理实施的条件。其后对企业信息管理的关键技术与组织结构进行了总结，对台(back office)技术、前台(front office)技术和虚拟(no office)技术分别加以了介绍，详细说明了一般企业设置的信息管理组织机构的层次设置及相互之间的关系。并对CIO的产生及发展、CIO的职责和素质要求进行了说明。最后对企业战略信息管理的相关内容单独作为一节进行了详细的介绍。

企业信息管理是信息管理的重要组成部分，也是企业管理的核心之一。企业信息管理包括企业的信息化及其管理，是企业应用信息技术及信息产品的过程。更确切地说，就是信息技术由局部到全局、由战术层次到战略层次向企业全面渗透、运用于各个流程、支持企业经营管理的过程。本章主要包括企业信息管理一般问题、企业信息管理的关键技术、企业信息管理的组织结构——CIO、企业战略信息管理等方面的内容。

第3章　管理系统的信息化平台

[学习目标]

1. 了解信息化的基础平台；
2. 熟悉计算机系统的最新发展；
3. 了解计算机网络的结构和基本通信服务；
4. 理解数据库平台的构成和演进方向。

3.1　管理系统信息处理的基础平台

3.1.1　管理系统信息处理基础平台的概念

随着生产力的发展，人类经历了农业社会、工业社会后，正式步入信息社会，信息与物质、能源一起构成了人类赖以生存与发展的三大资源。信息的收集、传输、加工和利用这类信息处理工作日益成为人们社会活动的重要组成部分。

信息处理的主体是各行业的人，客体是以各种数据为载体而存在的信息，而为进行信息处理提供技术支持的各种资源的总和称之为信息处理基础平台。有了这样一个基础平台的支持，信息化社会才能真正得以实现。在当代，一般意义上的信息处理基础平台主要包括计算机系统平台、通信及网络平台、数据库平台等硬资源，以及相关的理论、方法、标准、规则、制度、政策等软资源。

1. 计算机系统平台

计算机系统是信息处理的主要工具，它对以文字、符号、图像、音频、视频等形式存在的信息进行存储、变换、运算和输入输出等操作。在计算机内部，信息是以二进制数字形式存在的，即由若干“0”和“1”二进制基本码元来表示各种信息。计算机系统平台可以分为硬件系统和软件系统两大部分，两者配合工作，实现信息的处理。

2. 数据库平台

数据库平台从本质上讲属于计算机软件的范畴，它能够配合计算机硬件设备，在计算机内部科学、高效地组织和管理数据，进而能利用数据所承载的信息，为人们的生产和生活服务。一个完整的数据库平台应该包括操作系统、数据库管理系统、数据库和应用程序。数据库系统从传统文件系统的基础上发展起来，是企业管理信息系统（Management Information System, MIS）的基础。

3. 通信网络平台

通信网络平台的主要作用是传输信息，使信息能够被处于不同空间的使用者所共享。通信网络平台是现代通信技术和计算机网络技术相结合的产物，其所追求的目标就是更准确、更快速、更安全和更便宜地传播信息。构成通信网络平台的要素主要包括通信网设备(如路由器、交换机、移动基站等)、传输介质(如同轴电缆、光纤、无线电磁波等)和通信协议(如TCP/IP、UDP等)。

4. 信息处理的软资源

除了计算机、通信网络和数据库平台外,信息处理基础平台还包括了实现信息处理所必需的各种软资源,比如方法、技术、标准、规范、制度和法规等,它们控制和管理着参与信息处理的计算机、通信网络、数据库等实体平台以及人的活动,实现信息的采集、传输、加工、存储和利用等处理功能。

3.1.2 管理系统信息处理基础平台的发展

1. 计算机平台的发展概况

人们对信息的处理在人类社会的初期就已经开始了。最基本的信息处理工具就是人的大脑,其对客观世界认识和思考的过程就是信息处理的过程。而现代社会信息处理基础平台的发展历史实际上就是以计算机为代表的信息技术发展的历史。

从1946年世界上第一台电子计算机ENIAC诞生,人类由此开始进入计算机社会,从此信息处理的深度和广度都发生了革命性的改变。最初的计算机体积庞大,价格昂贵,并且只能进行简单的运算,而随着半导体技术的快速发展,计算机的体积变得越来越小,运算和处理能力越来越强,应用领域也逐渐扩大到工业生产、办公自动化、科学计算等方面。

社会需求的旺盛又推进了计算机研究和生产的发展,新技术、新产品、新应用不断诞生,计算机的价格也变得越来越便宜。20世纪80年代初,IBM公司推出了体积更小,价格更便宜的个人电脑产品IBM PC,从而使计算机开始走进成千上万的家庭,并成为人们工作和生活中离不开的必备工具。

在计算机发展和普及的道路上有两大推动力量,一是以Intel公司为代表的硬件制造厂商,他们不断设计出更高性能的中央处理器(CPU)使得计算机运算速度更快,处理能力更强;另一方面,以微软公司为代表的软件企业开发出功能逐渐强大的一代又一代的操作系统,使用户能更方便地使用计算机来实现更多的应用。目前,作为信息处理基础平台核心部分的计算机系统,其发展呈现出高性能化、网络化、大众化和智能化的特点,在生产力变革和社会进步中所起的作用越来越重要。

2. 通信网络平台的发展概况

通信网络平台的出现使得信息处理由孤立的、离散的方式向互联互通的方向发展,其形式包括了局域网、广域网、城域网和互联网。而覆盖范围最广、应用最广泛的通信网络平台就是国际互联网——因特网,它对于信息处理的发展有着决定性的意义。

因特网是数据通信技术和计算机技术结合的产物,起源于20世纪60年代末美国国防部组建的ARPAnet。最初的网络只包含了4台主机,随着大学和研究机构的计算机系统不断加入,ARPAnet的网络规模越来越大,到了1976年,ARPAnet已经发展到57个节点,连接了100多台不同类型的计算机,网络中的用户达到2 000多个。1983年,美国国防部研发出以实现不同网络互联互通为目标的TCP/IP协议体系,并将之运用于ARPAnet上,从而形成了向全社会开放的共享网络 Internet。

进入 20 世纪 90 年代,因特网开始进入商业化阶段,并向全世界范围内扩展。随着各种新技术和新应用的出现,因特网呈现出爆炸式的发展,已经覆盖了世界上绝大部分的国家和地区。截至 2021 年 1 月,全球因特网用户数量达到 48 亿,应用领域涉及工业、商业、教育、金融、娱乐、新闻、文化等社会生活的各个方面,人们的工作和日常生活中已经无法离开因特网。

未来的通信网络平台将是融合了计算机网络、电信网络和广播电视网络的综合网络系统,即通常所说的“三网融合”,能够提供丰富的数据、语音、图像和视频等多媒体业务,并朝着宽带、高速和移动的方向发展。

3. C/S 与 B/S 模式

通信网络平台进行信息处理的模式有两种:Client/Server(客户端/服务器)模式(简称 C/S 模式)和 Browser/Server(浏览器/服务器)模式(简称 B/S 模式)。

在早期的网络中,计算机根据功能和地位分为 Client(客户端)和 Server(服务器)两大类,而需要进行的应用任务被分解成多个子任务,由 Client 和 Server 分工完成。Client 的任务是将用户的要求提交给 Server,再将 Server 程序返回的结果以特定的形式显示给用户;Server 的任务是接收客户端提出的服务请求,进行相应的处理,再将结果返回给客户程序。这种客户端请求服务、服务器提供服务的处理方式被称为 C/S 模式。C/S 模式的优点是能充分发挥客户端 PC 的处理能力,很多工作可以在客户端处理后再提交给服务器,具有较高的客户端响应速度。而缺点在于无论是 Client 还是 Server 都还需要特定的软件支持,对于不同的操作系统需要开发不同版本的客户端和服务器软件,在安装、维护、升级的过程中费用十分高昂。

随着因特网和万维网的流行,C/S 的网络信息处理模式已经无法满足全球网络开放、互联、信息随处可见和信息共享的新要求,于是就出现了 B/S 模式,即浏览器/服务器结构。必须强调的是 C/S 和 B/S 并没有本质的区别,B/S 是基于特定通信协议(HTTP)的 C/S 架构,是一种特殊的 C/S 架构。B/S 模式最大特点是:用户可以通过万维网浏览器(如 Internet Explorer)访问因特网上的文本、数据、图像、动画、视频和声音信息,这些信息的产生和保存是在网络中的 Web 服务器以及与之相连的数据库服务器上,客户端除了万维网浏览器,一般无须安装任何其他程序,这样就会大大减轻系统维护与升级的成本利工作量。此外,B/S 模式与传统的 C/S 模式相比,还具有许多优点,如用户使用起来非常灵活,任何一台安装了浏览器的上网计算机都可以随时随地访问服务器;业务扩展简单,通过增加网页即可增加服务器功能;维护方便,只需要改变网页,即可实现所有用户的同步更新;等等。

4. 数据库系统的发展概况

计算机的出现使得信息处理的速度和规模大大超过了手工方式或机械方式,而随着信息处理量的增长,就需要有一种专门的技术来管理计算机中承载着信息的数据。数据管理技术的发展,与计算机软硬件、应用范围和网络技术有着密切的联系,在发展过程中主要经历了人工管理、文件系统、数据库几个阶段。

人工管理阶段出现在计算机诞生的初期,数据不保存在计算机内,也没有专用的软件对数据进行管理,数据与具体的程序结合在一起,在执行时才输入计算机。

到了20世纪60年代,随着数据量的增加,数据存储、检索和维护的需求日益迫切,此时出现了文件系统的思想。在文件系统阶段,数据以文件的形式存在,可以长期保存在计算机的外部存储器中,而不再依赖某一特定的程序,可以被重复地使用。文件系统是对数据管理技术的一次重要变革,但仍然存在着一些问题,如文件间缺乏联系,有可能造成相同的数据在多个文件中重复存储,形成数据冗余(redundancy);另外,在进行修改和更新时,有可能造成同样的数据在不同文件中显示的结果不一样,形成数据的不一致性(inconsistency);还有文件之间相对独立,缺乏有效的联系,造成数据的联系性弱,无法实现复杂的关联数据的处理。为了解决这些问题,人们研究了新的数据管理技术。

从20世纪60年代末开始,基于关系模型的数据库技术逐渐成熟并得到推广,数据管理进入数据库阶段。数据库是按照一定的结构将数据组织起来进行处理和维护,并保证数据的共享性、独立性、完整性和安全性的数据管理工具。其中共享性是指数据库中数据不再是面向某个特定的应用,而是面向整个应用系统,减少了数据的冗余;独立性是指数据的结构与应用软件之间相互独立,当数据的逻辑结构或物理结构发生改变时无须改变应用软件。在数据库中保存的数据应始终是正确的,并有相应的机制进行保护,不被丢失、窃取和破坏。目前,数据库系统已经深入人类社会生活的各个行业,如金融、电信、商业、交通、电力、军事、政务管理等,发挥着巨大的作用。

数据库技术在发展过程中,与许多计算机软件、硬件及网络的新技术和新应用进行了有效结合,使得数据管理技术正向着高级阶段发展,在这一阶段,面向对象的数据库系统、基于Web的数据库系统、数据仓库技术、数据挖掘技术的出现和推广使得数据库系统的功能更强大,应用领域更广泛,在信息社会的发展过程中的作用也更加重要。

3.1.3 集中式平台与分布式平台

随着因特网的普及,分布在不同空间的各种信息(数据)处理软、硬件设备被通信网络广泛地联系起来,从而实现了信息(数据)处理资源的共享,并大大提高了信息(数据)处理的能力和效率。在网络环境下,根据资源分布结构和处理过程的不同,信息(数据)处理平台可以分为集中式信息处理平台(简称集中式平台)和分布式信息处理平台(简称分布式平台)两种基本类型。

1. 集中式平台

在集中式平台中,存在一个由若干信息处理设备组成,具有比较强的处理能力和一定存储容量的中央系统(通常是一台或一组服务器),平台中的其他设备均为客户机终端。在这种结构中,需要处理的数据全部存储在中央系统,由数据库管理系统进行管理,所有的处理和操作均由该中央系统完成,终端只用来进行数据的输入和输出,实现人机交互的功能。

在集中式平台中,所有数据保存在同一台服务器上,分布在不同地方的远程终端通过光缆、微波及双绞线或同轴电缆等传输介质与服务器相连,这种结构保证了每个终端使用的都是同一信息,能够保持数据的一致性;同时数据的备份也只需要在服务器上执行,操作方便、可靠。由于终端没有任何数据,不进行事务的处理,因此感染计算机病毒的可能性很低，信息安全策略只需要在服务器端进行。目前国内的银行系统大多采用的就是集中式平台，窗口处理业务的台式机、自动提款机等均属于终端客户机，只实现输入输出功能，而数据的处理和存储都由设在各银行总部数据中心的高性能计算机设备实现。此外，在很多大型企业、科研单位、军队、政府等中也有广泛的应用。

集中式平台的优点在于，终端可以使用功能简单而便宜的微机和其他终端设备，网络的规模越大，整体费用就越低。

集中式平台的缺点主要有两点：一是由于所有终端的运算和处理都在中央系统完成，必须通过网络进行结果的读取，而网络速度的瓶颈会制约信息处理的速度；二是每个终端用户的信息处理需求是不一样的，要使中央系统能满足所有用户的需求，就要配置各种应用程序和资源，这就会造成系统效率不高。

2. 分布式平台

个人计算机性能的提高及其使用的普及，使信息处理分布到网络上的所有计算机成为可能。分布式平台是和集中式平台相对的概念。在分布式网络中，数据的存储和处理都是由独立的计算机设备（PC、工作站、移动终端等）共同完成，用户感觉就像使用一台计算机一样。数据本身及其处理的结果可以被这些独立计算机设备的用户所使用，也可以根据需要与其他用户分享，而网络的作用就是实现快捷的数据访问和共享。

由于每台计算机都能够存储和处理数据，所以不要求服务器功能十分强大，其价格也不必过于昂贵。分布式平台可以适应用户的各种需要，同时允许他们共享网络的数据、资源和服务。在分布式平台中使用的计算机既能够作为独立的系统使用，也可以把它们连接在一起得到更强的网络功能。万维网就是一个典型的分布式平台例子。

分布式平台的优点是系统设计灵活，用户使用方便，很多个性化的需求可以在用户计算机上满足，不必占用服务器的资源；每台计算机都可以拥有和保持本地所需要的数据和文件，从而减少了数据传输的成本和风险；在分布式数据库中，数据存储于许多存储单元中，但任何用户都可以进行访问，局部发生故障时不会影响到全局。

分布式平台的缺点主要包括：对病毒比较敏感，任何用户都可能引入被病毒感染的文件，并将病毒扩散到整个网络；由于数据可以存储在用户各自的系统上，而不是统一在中央系统之中，有可能造成数据的不一致性，需要设计专门的数据存取方案来解决；此外，分布式平台对于用户端的维护和管理提出了比较高的要求。

3.2　计算机系统平台

3.2.1　计算机系统

1. 计算机

计算机是电子数字计算机的简称，它是一种能够自动、高速、精确地进行信息处理的现代化的数字电子设备，能够实现高速数据运算和大量数据的存储。

电子计算机最初仅仅是作为一种计算工具而问世的，但是随着科学技术的不断发展，现在计算机已经广泛应用于人类生产和生活的各个方面。计算机科学日益成为与人们生活、生产密切相关的重要学科。

在人类历史上,曾有过算盘、机械式计算器等计算工具。它们的一个共同特点是在人的直接操作下进行计算,但是电子计算机的重要特点是能够自动进行计算。人们预先将计算的程序存储在计算机内部存储器中,计算机就能够根据程序对输入的数据进行指定的计算。

20 世纪中期,新兴的电子学和深入发展的数学造就了第一台电子数字计算机的诞生。在此后半个多世纪的时间里,计算机技术及产品经历了迅速的发展,性能不断提高,价格不断下降,应用领域不断扩展。科学计算、数据处理、过程控制和人工智能成为计算机的主要功能。如今的计算机已经成为一个复杂的智能系统,由多种软硬件设备所组成。

2. 计算机的体系结构

美籍匈牙利科学家约翰·冯·诺伊曼(John Von Neumann)被称为计算机之父,他首先提出了“程序存储”的思想以及采用二进制作为数字计算机的数制基础,使计算机按照人预先编制的程序进行工作。这一思想被成功运用到计算机的设计之中,根据这一思想设计出的计算机被称为冯·诺伊曼结构计算机,世界上第一台冯·诺伊曼机是 1946 年研制的 ENIAC。虽然经过了几十年的发展,计算机也已经更新了几代。但是当前使用的计算机仍然是基于冯·诺伊曼体系结构,这种体系结构如图 3-1 所示。

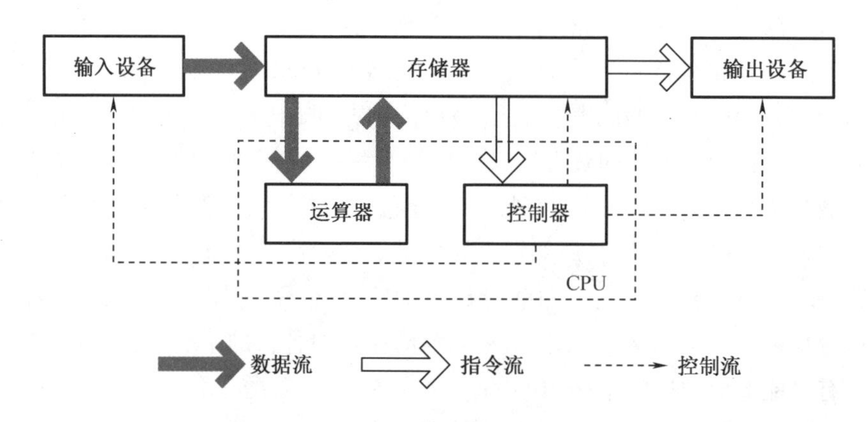

图 3-1 冯·诺伊曼的“程序存储”结构

(1)功能

根据冯·诺伊曼体系结构构成的计算机必须具有如下功能。

①把需要的程序和数据送至计算机中;

②必须具有长期记忆程序、数据、中间结果及最终运算结果的能力;

③完成各种算术、逻辑运算和数据传送等数据加工处理的能力;

④能够根据需要控制程序走向,并能根据指令控制机器的各部件协调操作;

⑤能够按照要求将处理结果输出给用户。

(2)组件

为了完成上述的功能,计算机必须具备如下五大基本组成部件,如图3-1所示。

①输入数据和程序的输入设备;

②记忆程序和数据的存储器;

③完成数据加工处理的运算器;

④控制程序执行的控制器;

⑤输出处理结果的输出设备。

程序存储的体系结构在几十年的时间里也在不断发展和改进,如增加了浮点数、字符串等新的数据类型;采用了虚拟存储器,方便了高级语言编程;引入堆栈,支持过程调用、递归机制;支持多处理机;采用自定义数据表示;使程序和数据空间分开等,使得计算机的功能和性能都有了巨大的提高。

3. 计算机系统

一个完整的计算机系统分为硬件和软件两大部分。硬件(hardware)是组成计算机系统的各物理部件的总称,主要包括各种电子器件和机电装置。硬件系统是计算机系统快速、可靠、自动工作的物质基础,是计算机系统的执行部分。根据冯·诺伊曼体系结构,计算机硬件系统主要包括中央处理机、存储器和外部设备。软件(software)是一系列按照特定顺序组织的计算机数据和指令的集合,是用户与硬件之间的接口,用户通过软件与计算机进行交流。软件通常可分为计算机系统软件(主要包括计算机语言处理程序及操作系统)和应用软件。计算机语言处理程序的功能是将程序员用高级语言编写的程序,翻译解释成计算机能够识别和执行的机器语言程序;操作系统是计算机厂家预先设计好,用于组织管理计算机系统的所有硬件和软件资源,使之协调一致、高效运行的软件工具,常见的操作系统有Windows、Unix、Linux等;应用软件是为满足某种特定的用户需求而编写的软件,处于计算机系统的最外层,直接面对用户,应用软件包含的内容非常丰富,办公自动化、多媒体处理、数据管理、游戏娱乐、网络工具等都属于应用软件的范畴。

3.2.2 多媒体计算机

计算机最初的功能是进行科学计算,而现在的计算机功能被大大丰富了,其中多媒体处理和应用就是最重要的一个方面。可以说提供更加强大的多媒体服务是当前计算机软硬件设计的核心任务。

1. 多媒体计算机的定义

"多媒体"一词源自英文Multimedia。媒体在计算机领域中有两个含义,一个是指用来存储信息的实体,如软盘、硬盘和光盘等;另一个是指信息的载体,如文本、图形、图像、动画、音频和视频等。

多媒体的实质是将自然形式存在的各种媒体数字化,然后利用计算机对这些数字信息进行加工或处理,并以一种最友好的方式提供给用户使用。因此,多媒体是一个丰富多彩的感官世界,它能使人的眼睛、耳朵、手指、大脑充分活跃起来。

多媒体技术是一种发展迅速的综合性电子信息技术,它给传统的计算机系统、音频和视频设备带来了方向性的变革,并对大众传播媒介产生了深远影响。

多媒体技术的实现是将文本、图形、图像、动画、音频和视频等多种媒体信息通过计算机进行数字化采集、获取、压缩或解压缩、编辑、存储等加工处理,使多种媒体信息建立逻辑连接,集成为一个具有交互性的系统。从研究和发展的角度来看,多媒体技术具有以下特征。

①多样性。多样性是指综合处理多种媒体信息,包括文本、图形、图像、动画、音频和视频等。

②集成性。集成性是指将不同的媒体信息有机地组合在一起,形成一个完整的整体以及与这些媒体相关的设备集成。

③交互性。交互性是指人可以介入到各种媒体加工、处理的过程中,从而使用户更有效地控制和应用各种媒体信息。

④实时性。实时性是指当多种媒体集成时,其中的音频信息和视频信息是与时间密切相关的,甚至是实时的。在加工、存储和播放它们时,需要考虑时间特性,存取数据的速度、解压缩的速度以及最后播放速度的实时处理。

总之,多媒体技术是一种基于计算机技术的综合技术,它包括信号处理技术、音频和视频技术、计算机硬件和软件技术、通信技术、图像压缩技术、人工智能和模式识别技术等,是处于发展过程中的一门跨学科的综合性高新技术。

2. 多媒体计算机的关键技术

(1)数据压缩与编码技术

数据压缩与编码技术是多媒体技术的关键技术之一。在处理音频及视频信号时,如果每一幅图像都不经过任何压缩直接进行数字化编码,那么其容量是非常巨大的,现有计算机的存储空间和总线的传输速度都是很难适应的。要把音频和视频信号存储在有限的空间上,或在电脑总线上正确传输,必须采用数据压缩与编码技术。数据压缩是利用了现实世界的信息普遍具有统计冗余而实现的,这种技术是多媒体计算机发展的关键技术。

目前所采用的多媒体数字信息图像压缩标准分为静态图像信息压缩标准 JPEG 和动态图像信息压缩标准 MPEG,这两个标准是由国际标准化组织(ISO)和国际电报电话咨询委员会(CCITT)于 1986 年成立的联合图像专家组 JPEG(Joint Photographic Expert Group)、运动图像专家组 MPEG(Moving Picture Experts Group)建立的。

①静态图像信息压缩标准 JPEG。联合图像专家组的主要任务是研究静态图像压缩算法的标准化,到 1992 年正式完成了用于各种分辨率和格式的连续色调图像的 ISO/IEC10918 标准,简称 JPEG 标准。JPEG 是用于静态图像压缩的标准算法,可用于灰度图像和彩色图像的压缩。JPEG 算法广泛地应用于彩色图像传真、多媒体 CD - ROM、图文档案管理等领域。JPEG 算法可用硬件、软件或两者相结合的方法实现。

②动态图像信息压缩标准 MPEG。运动图像专家组的主要任务是制定各种动态图像及其伴音信号的数字压缩编码国际标准。目前已颁布了 4 个国际标准,即 MPEG - 1、MPEG - 2、MPEG - 4 和 MPEG - 7。每个标准都有其特定的应用背景,如 MPEG - 1 用于多媒体存储和 VHS 质量的广播电视,使得 VCD 取代了传统的录像带,MPEG - 1 标准的压缩比规定为

50：1；MPEG－2 用于常规数字电视和高清晰度电视，使人们逐渐迈进数字或高清晰度电视时代，同时高品质的 DVD 取代了 VCD；MPEG－4 用于无线窄带多媒体通信和可视电话，并将基于内容的检索与编码结合起来；而 MPEG－7 用于建立多媒体数据库和相应的搜索引擎之间的接口。

(2)数字图像技术

在图像、文字和声音这三种形式的媒体中，图像所包含的信息量是最大的。人们的知识绝大部分是通过视觉获得的。图像的特点是只能通过人的视觉感受，并且非常依赖于人的视觉器官。数字图像技术就是对图像进行计算处理，使其更适合人眼或仪器分辨，并获取其中的信息。

数字图像处理的过程包括输入、处理和输出。输入即图像采集和数字化，是对模拟图像信号进行抽样、量化处理后得到数字图像信号，并将其存储到计算机中以待进一步处理。处理是按一定的要求对数字图像进行诸如滤波、锐化、复原、重现和矫正等一系列处理，以提取图像中的主要信息。输出则是将处理后的数字图像通过显示、打印等方式表现出来。

(3)数字音频技术

多媒体技术中的数字音频技术包括声音采集及回放技术、声音识别技术和声音合成技术三个方面。三个方面的技术在计算机的硬件上都是通过“声卡”实现的。声卡具有将模拟的声音信号数字化的功能。数字化后的信号可作为计算机文件进行存储或处理。同时声卡还具有将数字化音频信号转换成模拟音频信号而回放出来的功能。而数字声音处理、声音识别和声音合成则是通过计算机软件来实现的。

(4)数字视频技术

数字视频技术与数字声频技术相似，只是视频的带宽更高，大于 6 MHz，而声频的带宽只有 20 kHz。数字视频技术一般应包括视频采集及回放、视频编辑和三维动画视频制作。视频采集及回放与音频采集及回放类似，需要有图像采集卡和相应软件的支持。视频采集数据在磁盘上存放时的文件格式多为 AVI 和 MPG。其中 MPG 文件的存储量大约为 AVI 文件的 1/5～1/10。

(5)多媒体通信技术

多媒体通信技术突破了计算机、通信、广播和出版的界限，使它们融为一体，利用通信网络综合性地完成文本、图片、动画、音频、视频等多媒体信息的传输和交换。这些媒体对通信网各有不同的要求。

文本和图片要求的平均速率较低，但对准确性要求很高，即不能容忍数据的丢失；而音频和视频则需要很高的传输速率，实时性要求高，对数据丢失不敏感。分析多媒体业务的特点，为各种业务提供不同的服务是目前网络技术研究的重点。

(6)多媒体数据库技术

多媒体数据库是一种包括文本、图形、图像、动画、声音、视频等多种媒体信息的数据库。由于一般的数据库管理系统处理的是字符、数值等结构化的信息，无法处理图形、图像、声音等大量非结构化的多媒体信息，因而这就需要一种新的数据库管理系统对多媒体数据进行管理。这种多媒体数据库管理系统 MDBMS 能对多媒体数据进行有效的组织、管

理和存取。

(7)虚拟现实技术

虚拟现实 VR(Virtual Reality)又称人工现实或灵境技术,它是在许多相关技术(如仿真、计算机图形学、多媒体等)的基础上发展起来的一门综合技术,是多媒体技术发展的更高境界。虚拟现实技术提供了一种完全沉浸式的人机交互界面,用户处在计算机产生的虚拟世界中,无论是看到的、听到的,还是感觉到的,都像在真实的世界里一样,并通过输入和输出设备可以同虚拟现实环境进行交互。虚拟现实的本质是人与计算机之间或人与人借助计算机进行交流的一种方式,这种方式具有相当逼真的三维虚拟世界:即具有三维交互接口。虚拟现实技术推动了通用计算机中多媒体设备的发展,在输入输出方面也由普通的键盘和二维鼠标器发展为三维球、三维鼠标器、数据手套、数据衣服以及头盔显示器等。虚拟现实技术在科研、医疗、文化娱乐等领域正在逐步被推广。

3.2.3 计算机的发展历程及方向

1. 发展历程

从世界第一台计算机 ENIAC 诞生到现在,计算机经历了五个发展阶段,或者说已经发展了五代。这五代是按照计算机核心运算部分所采用的基本器件来划分的,每一代的计算机在体系结构、软件技术、产品类型等方面都有着明显的特征。计算机发展的五个阶段及其特点见表 3-1。

表 3-1 计算机发展的五个阶段及其特点

发展阶段	基本器件	体系结构	软件特点	代表产品
第一代(1945—1954)	电子管和继电器	存储程序计算机、程序控制 I/O	机器语言和汇编语言	普林斯顿 ISA、ENIAC、IBM701
第二代(1955—1964)	晶体管、磁芯、印刷电路	浮点数据表示、寻址技术、中断、I/O 处理机	高级语言和编译、批处理监控系统	Univac LARC、CDC1604、IBM7030
第三代(1965—1974)	中小规模集成电路、多层印刷电路	流水线、Cache、先行处理、系列计算机	多道程序和分时操作系统	IBM360/370、CDC6600/7600、DEC PDP-8
第四代(1975—1990)	大规模集成电路、半导体存储器	向量处理、分布式存储器	并行与分布处理	Cray-1、IBM3090, DEC VAX9000、Convax-1
第五代(1991 至今)	高性能微处理器、高密度电路	超标量、超流水、SMP、MP、MPP	大规模、可扩展并行与分布处理	SGI Cray T3E、IBM SP2、DEC Alpha Server8400

计算机系统设计中的软硬件所占比重也是计算机发展的一个重要标志。许多实际问题既可以用软件的方法又可以用硬件的方法解决。软件速度较慢,硬件速度要快一些。

随着计算机装配的软硬成本的变化,由于过去硬件成本过高,所以计算机很多功能的实现主要依靠软件来实现,但随着计算机技术的发展,硬件成本降低,硬件功能不断提高,因此,采用硬件实现计算机功能也逐渐成为主要的设计思想。很多实际功能可以嵌入硬件设备里,从而产生了大量的专用芯片。如数字信号处理芯片 DSP 等,可用于诸如电子产品、工业机械、交通工具等各种设备中。而随着软件系统的不断复杂,开发成本也大大提高,所以在很多领域都采用硬件实现代替。这种软硬件成本的对比可以从图 3-2 中看出。

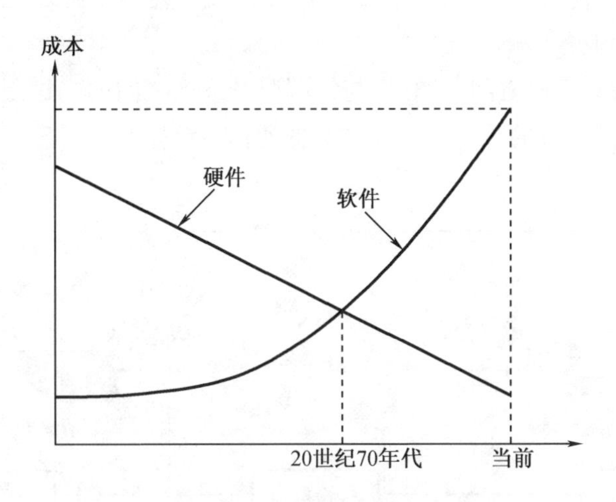

图 3-2 计算机软硬件成本的变化情况

2. 发展方向

早期的计算机根据体积和成本通常被分为巨型机、大型机、中型机、小型机和微型机,而现在这种划分已经很难反映计算机的实际情况。今后计算机技术将朝着高性能化、微型化、大众化、智能化与人性化、功能综合化的方向发展,处理器速度将继续提升,个人电脑将具有原来的巨型机和大型机所具有的处理能力,一台计算机将使用多个处理器进行并行运算;同时,计算机的体积将进一步减小,携带使用起来将更加方便,笔记本、PDA、智能手机等都是新的计算机产品形式。计算机的存储将采用更先进的介质和技术(如光学、永久性半导体、磁性存储等),容量和速度将大大提高;外设将越来越高性能、网络化和集成化并且更易于携带;输出输入技术将更加智能化、人性化,随着手写输入、语音识别、生物测定、光学识别等技术的不断发展和完善,人与计算机的交流将更加便捷。

3.3 通信系统平台

从 20 世纪后期开始,计算机科学与数据通信技术逐渐融合,在技术、产品和应用等方面都出现了新的特点。首先,数据处理设备和数据通信设备之间不再有本质的区别。其次,数据通信、语音通信和视频通信之间也不再存在本质的区别;同时局域网、城域网和广域网之间的区别,有线网络和无线网络的区别也日趋模糊。这些趋势导致了新的计算机通信系统变得更加集成化和标准化,能够传输和处理分布在世界各地的各种类型的数据和信息,为用户提供的服务也越来越丰富和完善。

3.3.1 数据通信系统

1. 数据通信的概念

数据通信(Data Communication)的概念是相对于电报通信、电话通信等传统的通信形式而提出的,它是依照一定的通信协议,利用数据传输技术在两个终端之间传递数据信息的一种通信方式和通信业务。

数据通信可实现计算机之间、计算机与终端以及终端之间的二进制数据信息(如字符、文本、图片、多媒体文件等)的传递。典型的数据通信系统模型如图 3 -3 所示。

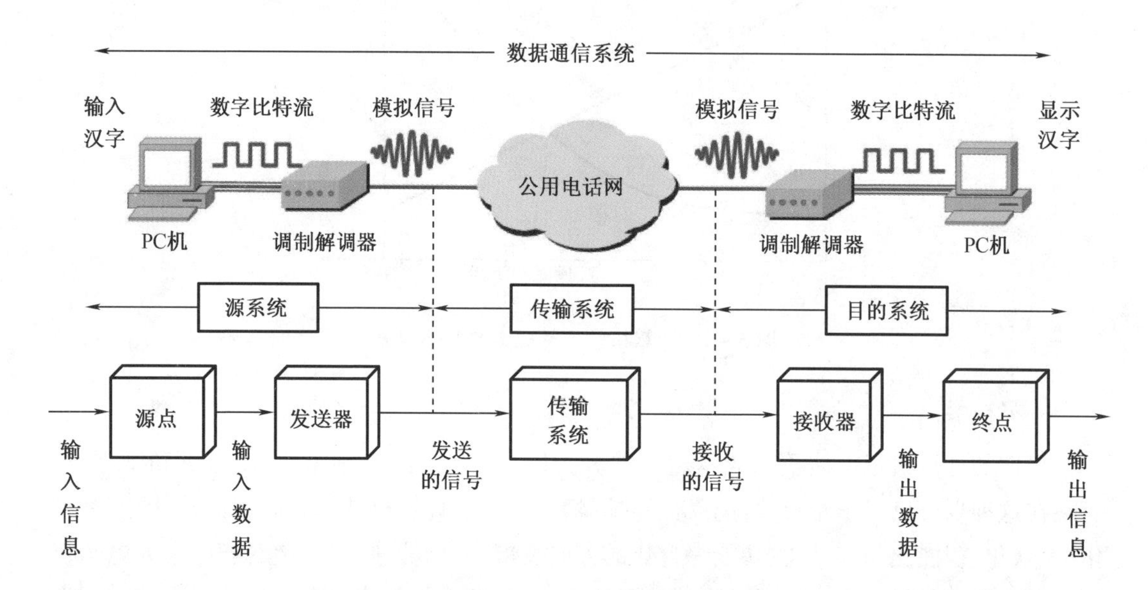

图 3 -3 典型的数据通信系统模型

该模型中包含以下要素。

(1)源点

源点设备如个人电脑、工作站等数字设备生成传输的数据。

(2)发送器

通常源点设备生成的数据不会以它最初生成时的格式直接传输,而是通过一个发送器将这些信息转化并编码成为能够在某些传输系统中进行传输的其他形式的信号,如电磁信号、光信号等。

(3)传输系统

源点与终点之间的数据传输通道,可以是一根单独的传输线,也可以是复杂的网络系统。

(4)接收器

接收来自传输系统的信号,并将其转化为能够被终点处理的信息。

(5)终点

获取来自接收器的数据。

2. 数据通信方式

(1)按通信双方的信息交互方式分。

图3－3所示的是单向数据通信系统的模型。但是从通信双方的信息交互方式来看,可以有3种不同的方式。

①单向通信。又称单工通信,即只能有一个方向的通信,而没有反方向的交互。无线电广播就属于这种类型。

②双向交替通信。又称半双工通信,即通信的双方都可以发送信息,但不能双方同时发送(或同时接收),这种通信方式往往是一方发送另一方接收,如无线对讲机系统。

③双向同时通信。又称全双工通信,即通信双方可以同时发送和接收信息,电话网、计算机网络均属于全双工通信系统。

(2)按传输二进制数时的时空顺序分

计算机所能识别和处理的是以字节(byte)为最小单位的二进制数据,1个字节由8位(bit)二进制数构成,在计算机内部各部件之间、计算机与各种外部设备之间、计算机与计算机之间,按传输二进制数时的时空顺序不同,存在着并行通信和串行通信两种通信方式。

①并行通信。并行通信是为一个字节的每一个bit(位)都设置一个传输通道,全部bit(位)同时进行传送。并行通信模式传输速度快,但消耗材料多,造价高,所以不适用于长距离传输。一般只在计算机内部元器件之间采用并行传输方式,如计算机存储器的总线传输。

②串行通信。串行通信只为信息传输设置一条通道,数据的一个字节中每一个bit(位)依次在这条通道上传输。串行通信节省设备线路开销,但速度相对并行通信慢,一般应用于长距离数据传输。如计算机与键盘、鼠标、打印机等外围设备间数据传送,以及更远距离的通信。在计算机设备中常用的RS232接口和USB接口就属于串行通信的接口方式。串行通信还可以细分为异步串行通信和同步串行通信两种形式。

3. 数据通信系统的功能

完整的数据通信系统必须完成的一些关键任务,详见表3－2。

表3－2 数据通信系统的必要功能

数据通信系统的任务	解释
传输系统的利用	传输设施通常会被多个通信设备共享,需要有某种技术或机制为多个用户合理分配传输系统的总传输能力,充分利用传输设施。如复用技术、拥塞控制机制等
接口及信号产生	保证终端与传输系统间的信息交互,产生能在传输系统中传播,并能被接收器转换还原成数据的信号
同步	发送器和接收器之间达成约定,接收器能够正确判断信号到达和结束的时间点,同时知道每个信号单元的持续时间
差错检测与纠正	能够发现通信系统中各种原因造成的信号失真,并纠正由此引起的数据差错

表 3－2(续)

数据通信系统的任务	解释
寻址与路由	当两个以上设备共享传输系统时，终点系统必须有独立的地址标识，传输系统能够保证终点系统唯一地收到具有该标识信息的数据；如果传输系统本身是具有多条路径的网络，那么该系统能够选择出某条特定的路径进行数据传输
网络管理	数据通信设施作为非常复杂的系统，不能自动创建和运行，需要各种管理功能来规划、设置、监控、调度和维护
安全保证	数据能够在源点和终点间不被改变地传输，且不被其他非法用户获取

3.3.2 数据传输的基础知识

1. 数据传输的信号

数据在数据通信系统中传输，首先要变成适宜在传输系统中传播的信号（signal）。信号中包含了所要传递的消息，通常以电磁或光的形式存在。信号一般以时间为自变量，以表示数据信息的某个参量（振幅、频率或相位）为因变量。信号按其因变量的取值是否连续可分为模拟信号和数字信号。

（1）模拟信号

模拟信号是指因变量完全随连续消息的变化而变化的信号。模拟信号的自变量可以是连续的，也可以是离散的；但其因变量一定是连续的，如图 3－4(a) 所示。传统的电视图像信号、电话语音信号、各种传感器的输出信号以及许多遥感遥测信号都是模拟信号。

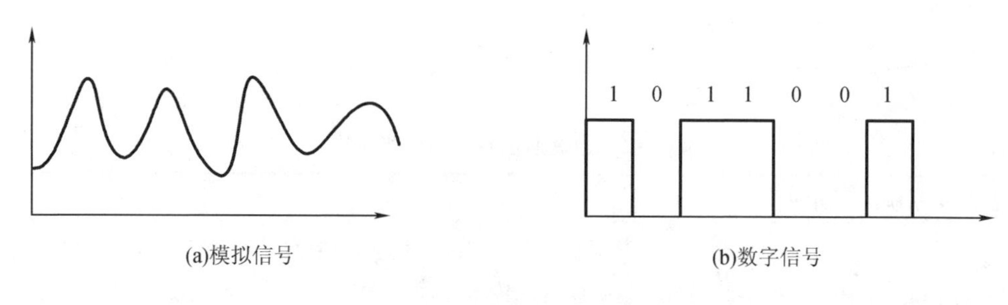

图 3－4 模拟信号与数字信号

（2）数字信号

数字信号是指表示消息的因变量是离散的，自变量时间的取值也是离散的信号，如图 3－4(b) 所示，数字信号的因变量的状态是有限的。计算机数据、数字电话和数字电视等都是数字信号。虽然模拟信号与数字信号有着明显的差别，但两者之间并不存在不可逾越的鸿沟，在一定条件下它们是可以相互转化的。模拟信号可以通过采样、编码等步骤变成数字信号，而数字信号也可以通过解码、平滑等步骤恢复为模拟信号。

2. 编码方式

数字通信系统的任务是在源点和终点间传递数字数据，而在传输系统中传输的既可以是模拟信号，也可以是数字信号。由数据转换成信号的过程称为编码(Coding)。编码方式的选择以如何优化使用传输媒体为原则，比如节省带宽、减小差错率、充分利用已有网络等。

通信系统的编码方式共有以下4种：①模拟数据的模拟信号编码；②模拟数据的数字信号编码；③数字数据的模拟信号编码；④数字数据的数字信号编码。我们只简单介绍数字数据的模拟信号编码方式。在数据通信系统诞生前，公用电话网络已经形成非常大的规模。所以建立通信系统首先想到的就是利用这种现有的资源，但是电话网的设计是为了传输300～3 400 Hz的模拟话音信号，不能直接传输数字信号。

为了充分利用已有的模拟电话网进行数字通信，数字设备就需要通过调制器和解调器与通信网络相连。在源点，调制器将数字数据转换成模拟信号，称之为调制；调制后载有数字信息的模拟形式信号通过电话网传送；在终点，解调器将模拟信号再转换成数字数据，称之为解调。

数字数据的模拟信号编码也就是调制的过程，是利用作为数据载体的模拟信号(载波)的三个属性，即振幅、频率及相位来实现的。所以相应的编码方案也就有幅移键控(ASK)、频移键控(FSK)和相移键控(PSK)三种类型。

(1)幅移键控

将数字数据的二进制码1和0分别用载波信号振幅的保持和中止来表示，数字1保持载波，数字0中止载波，如图3－5所示。

(2)频移键控

由载波信号不同的两个频率分别表示0和1。数字为1时提高载波频率，数字为0时降低载波频率，如图3－6所示。

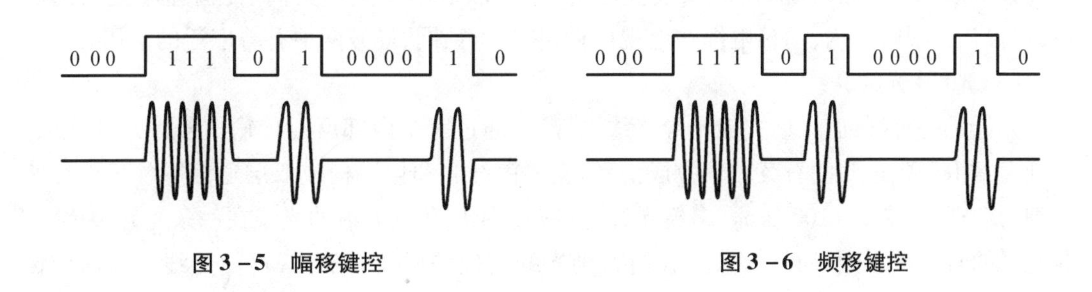

图3－5 幅移键控

图3－6 频移键控

(3)相移键控

由载波信号不同的相位偏移来表示0和1。以数字由0变成1时，相位角移动180°实现调制，如图3－7所示。

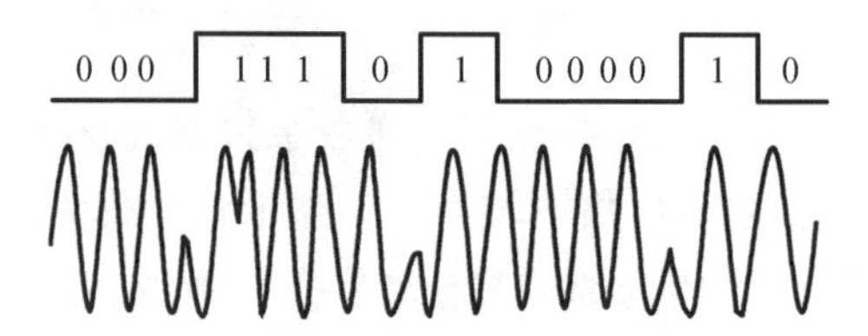

图 3-7 相移键控

3. 传输媒体

传输媒体指的是数据传输系统中发送器和接收器之间的物理信道，可分为导向和非导向两类。在这两种情况下，通信都是以电磁波的形式进行的。对于导向媒体，电磁波由导线引导沿某一物理路径前进，如双绞线、同轴电缆和光纤等；非导向媒体主要指无线传播，不限定电磁波的传播方向，如空气、真空和海水的传播等。这里仅仅从物理特性、应用领域两方面对常用的几种传输媒体进行介绍。

(1) 双绞线

双绞线由两根彼此绝缘的铜线组成，按规则的螺旋状绞合在一起成为一对线，作为一条通信链路使用。双绞线既可以传输模拟信号，如电话网上的语音信号传输；也可以传输数字信号，如局域网中用于个人电脑间的传输。

双绞线的优点在于价格低廉，使用方便；但在传输距离、带宽及数据的传输速率上有很大的局限性，通常适用于距离较短，速率要求不高的网络。双绞线分无屏蔽双绞线(Unshielded Twisted Pair, UTP)和屏蔽双绞线(Shielded Twisted Pair, STP)两种类型。其中无屏蔽双绞线就是现在大量使用的普通电话线，无屏蔽双绞线容易受到外部电磁场的干扰；屏蔽双绞线有金属网罩或护皮保护，可以减少电磁干扰，相对价格比较高，使用不方便。

(2) 同轴电缆

同轴电缆由一根空心的圆柱形外导体和柱体内的一根内导线组成。内导线由规则相间的绝缘环或不导电物质固定；外导线由保护罩或屏蔽罩覆盖。同轴电缆可以用于模拟信号及数字信号的传输，性能比双绞线优越得多，可以适用于频率更高、传输速率更快的环境，在很长一段时间内，同轴电缆在电视广播、长途电话网、局域网中有着广泛的应用。

(3) 光纤(光缆)

光纤是一种纤细、柔韧并能传导光线的媒体，通过完全内部反射传输信号编码的光束。光纤通常由非常透明的石英玻璃拉成细丝，主要由纤芯和包层构成双层通信圆柱体。纤芯很细，其直径只有 8 ~ 100 μm。多模光纤允许多条不同角度入射的光线在一条光纤中传输；若光纤的直径减小到只有一个光的波长，则光纤就像一根波导那样，可使光线一直向前传播，而不会产生多次反射，这样的光纤就称为单模光纤。单模光纤不存在多模光纤传播时产生的失真，具有更好的传输性能。相对于双绞线和同轴电缆，光纤具有的主要优势如下。

①容量更大。光纤的带宽和数据传输速率提高的潜能巨大，可以数百 Gbps 的速率传输几十千米的距离；同轴电缆在传输距离为 1 km 时的最大实际速率为几百 Mbps，而双绞线只有几 Mbps。

②体积更小，质量更轻。在传输容量大致相同的条件下，光纤比另两种媒体至少细一个数量级，质量也小得多。

③衰减更小。与同轴电缆和双绞线相比,光纤中信号的衰减大大降低,且在相当距离内保持恒定。

④隔绝电磁场。光纤系统不受电磁场的影响,因此不怕冲击噪声和串扰等干扰;同时,光纤也不辐射能量,对其他设备几乎没有干扰。光纤很难被搭线窃听,信息不容易泄露。

⑤成本低廉。光纤的成分为二氧化硅,储量丰富,相对于宝贵的铜资源,取材要便宜得多。

随着光纤及光通信设备制造成本的不断降低,光纤的应用越来越广,从长途干线传输、市内干线传输一直到用户环路、局域网中,光纤凭借其巨大的优势,正在逐步取代金属材质的传输媒体。

(4)无线传输介质

无线通信新技术和新应用的不断出现,是现代通信系统的发展趋势。在无线传输中,主要使用三个频率范围内的电磁波。

①无线电波(radio)。包括的频率范围 300 kHz ~ 30 GHz,方向为全向性,一般的电视和无线电广播、手机等的波段就是用这种波。

②微波(microware)。波长范围 1mm ~ 1m,这一波长范围的电磁波具有比较好的方向性,适用于点对点通信。微波有地面微波通信和卫星微波通信两种形式。地面微波系统可用于长途电信业务,作为光纤通信的备用,移动蜂窝系统也使用微波频率的电磁波。卫星微波通信利用通信卫星作为微波接力站,将多个地面微波通信传送器或接收器连接起来,主要的应用有电视广播、长途电话传输、全球定位系统(GPS)及各种专用商业网络。

③红外线。波长为 760 nm ~ 1 mm 的红外线,适用于短距离的点对点通信。红外线只能直线传输或反射,不能穿透不透明的障碍物,各种家用电子产品的遥控设备普遍使用红外线传输控制信号。

④蓝牙(bluetooth)。蓝牙是一种低功率短距离的无线连接技术标准的代称,其目标是实现最大传输距离 10 m,最高数据传输速度 1 Mbps(有效传输速度为 721 kbps)的无线传输服务。

蓝牙技术从本质上讲是使用微波作为无线传输介质,它工作在频率为 2.4 GHz 的微波频段。这一频段的特点是无须通过各国的无线电管理委员会进行分配,专门供工业、科学、医学等领域自由使用。

蓝牙技术是由五家世界著名的计算机和通信公司:爱立信公司(ericsson)、国际商用机器公司(iBM)、英特尔公司(iIntel)、诺基亚公司(nokia)和东芝公司(toshiba)最早倡导提出的。蓝牙技术能够有效地简化掌上电脑、笔记本电脑和手机等移动通信终端设备之间的通信,也能够成功地简化这些设备与因特网之间的通信,从而使这些现代通信设备与因特网之间的数据传输变得更加迅速高效,为无线通信拓宽道路。目前,除了笔记本电脑和手机等通信终端,蓝牙技术的应用已经拓展到更多的消费电子产品中,如数码相机、摄像机、打印机、电子钥匙等,为人们的生活带来了更大的方便。

4. 带宽的概念

在研究通信系统时经常会遇到"带宽"(bandwidth)这一性能指标,但"带宽"的单位有时用赫兹(Hz)表示,有时却用比特/秒(bit/s)表示,所以需要对“带宽”的概念给出一个更加明确的解释。

早期的电子通信系统都是模拟系统,为了能够定义数据在频域系统中的传递性能,便引进了“带宽”的概念。简单说就是信号可以使用的最高频率和最低频率间的差值就代表了这个通信系统的通频带宽,其单位为赫兹(Hz)。比如在传统的固定电话系统中,从话机终端到交换中心的双绞线,所能提供的通信带宽可以达到2 MHz以上,而需要传送的语音通信信号所使用的是从300~3 400 Hz的频段,所以通信信号使用的带宽约为3 400 Hz - 300 Hz = 3100 Hz = 3.1 kHz。

数字通信系统中“带宽”的含义完全不同于模拟系统,它通常是指数字系统中数据的传输速率,单位为比特/秒(bit/s)或波特/秒(Baud/s)。带宽越大,表示单位时间内的数字信息流量也越大,反之则越小。衡量二进制码流的基本单位称为“比特”,若传输速率为每秒64 000比特,就表示二进制信息的流量是每秒64 000比特。

数据信号是通过相应的信道来发送和接收的,信道传输数字信号的能力是固定的,是由传输媒质的本身特性所决定。信道的带宽是指信道容量,即信道中传递信息的最值,单位为“比特/秒”。由于数字系统中的信道多指逻辑信道,而信道容量又是理论上的最大值(不可能达到),所以平时我们使用的“带宽”一词,是指信道中数据实际传输的最高速率。

5. 多路复用技术

在现有的通信系统中,一般来说,正在通信的两个站点不会完全用尽数据链路的带宽,为了提高效率,通常可以让多个通信的双方共享数据链路的带宽容量,这样的技术称之为“复用”(multiplexing)。复用的常见形式主要有频分复用、时分复用和码分复用三种。

(1)频分多路复用 (Frequency Division Multiplexing, FDM)

用于模拟信号传输。通过把多个信号调制在不同的载波频率上,每路信号只占据一个频段,从而形成许多个子信道(图3-8)。在接收端用适当的滤波器将多路信号分开,分别进行解调和终端处理,这种技术称为频分多路复用。FDM最常见的应用实例就是有线电视系统。

对于光纤通信,不同频率(波长)的多路光线在同一根光纤上传输,也是频分复用的一种形式,但通常称之为波分复用(WDM)。

(2)时分多路复用(Time Division Multiplexing, TDM)

可用于模拟传输和数字传输。时分多路复用是将一条物理信道的传输时长分成若干个时隙,把这些时隙轮流地分给多个信号源使用,每个时隙仅被一路信号占用(图3-9)。

这样,当多路信号准备传输时,一个信道就能在不同的时隙传输多路信号。时分多路复用实现的条件是,信道能达到的最高传输速率必须超过待传输的各路信号的传输速率之和。时分多路复用又可分为固定时分多路复用和统计时分多路复用两种。

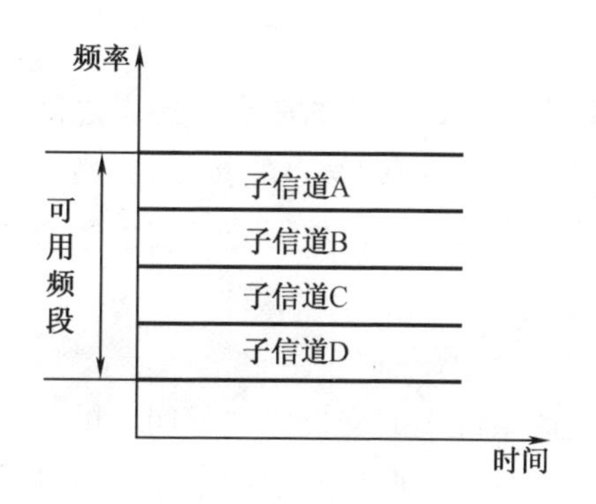

图 3－8　频分多路复用示意图

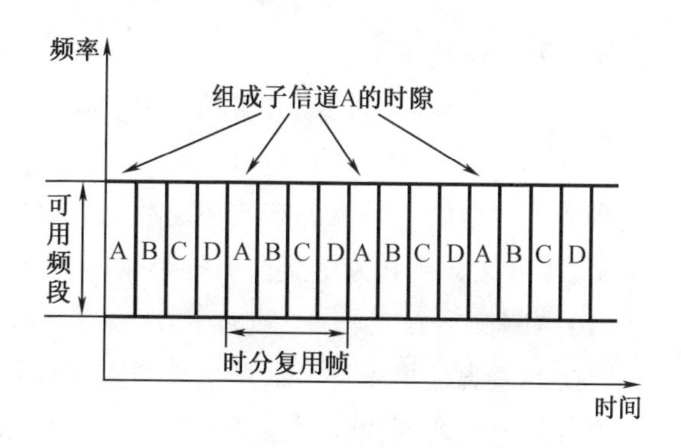

图 3－9　时分多路复用示意图

(3)码分多路复用(Code Division Multiplexing,CDM)

靠不同的编码来区分各路原始信号的多路复用方式,叫作码分多路复用。需要为每个用户分配一个互不重叠的地址码,以区分每个用户,而信道的频率和时间资源均为各用户共享。因此,在频率和时间资源紧缺的情况下,CDM 技术的优势突现,非常适合在多路通信、无线计算机网络以及移动计算机联网中使用。新一代移动通信技术标准 CDMA 采用的就是这种复用方式。

6. 异步传输和同步传输

数据通信系统能否可靠而有效地工作,在很大程度上依赖于是否能很好实现同步。同步技术是指通信系统中实现收发两端动作统一、保持收发步调一致的过程。就是接收方按照发送方发送信息的重复频率和起止时间来接收数据。

常用数据传输的同步方式有异步式同步(简称异步传输)和同步式同步(简称同步传输)。由此可见通常所说的异步和同步本质上都属于同步技术。两者的区别在于发送端和接收端的时钟是独立的还是同步的。

(1)异步数据传输

异步数据传输是以字符为单位独立进行发送,一次传输一个字符,每个字符用 5 ~8 比特来表示,在每个字符前面加一个起始码,以指明字符的开始,每个字符后面增加一个停止码,以指明字符的结束;无字符发送时,发送方就一直发送停止码。接收方根据起始码和停止码判断字符的开始和结束,并以字符为单位接收数据。异步传输不需要在收发两端建立传输时钟信号,所以实现起来比较简单,但是传输效率较低,只适用于低速系统。

(2)同步数据传输

同步数据传输以数据块为单位进行发送。每个数据块内包含多个字符,每个字符可用 5 ~8 比特表示;在每个数据块的前面加一个起始标志,以指明数据块的开始,在其后面增加一个结束标志,以指明数据块的结束。接收方根据起始标志和结束标志以数据块为单位进行接收。同步传输方式的传输效率高,开销小,但收发双方需建立同步时钟,实现和控制比较复杂;在传输的数据中有一位出错,就必须重新传输整个数据块。同步传输方式适合于高速系统。

7. 数据交换技术

如同人们长途旅行往往会途经多个中转站一样，数据在通信系统的源点和终点之间传送，通常信道也不是单一的一条；传送信号往往需要经过若干个中间结点的转接，并通过这些中间结点用存储—转发的方式传送数据，这就涉及数据交换技术。数据交换技术主要有电路交换、报文交换和分组交换三种类型。

(1) 电路交换

交换的概念最早来自电话系统。当用户拨号时，电话系统中的交换机在呼叫者的电话与接收者的电话之间建立了一条实际的物理线路，即通话链路。此后两端的电话拥有该专用线路，直到通话结束。假如一次电话呼叫要经过若干交换机，则所有的交换机都要完成同样的工作。这种电话系统的交换方式称为电路交换(circuit switching)技术。

在电路交换网中，一旦一次通话建立，在两部电话之间就有一条物理通路存在，直到这次通话结束自动拆除该物理通路。电路交换技术有两大优点，第一是传输延迟小，唯一的延迟是物理信号的传播延迟；第二是一旦线路建立，就为一对用户独占不会发生用户冲突。电路交换的缺点首先是建立物理线路所需的时间比较长。在数据开始传输之前，呼叫信号必须经过若干个交换机，得到各交换机的认可，并最终传到被呼叫方。这个过程常常需要10秒甚至更长的时间(呼叫市内电话、国内长途和国际长途所需要的时间是不同的)。对于许多应用(如信用卡消费确认)来说，过长的电路建立时间是不合适的。而且，物理线路的带宽是预先分配好的。对于已经预先分配好的线路，即使通信双方都没有数据要交换，线路带宽也不能为其他用户所使用，从而造成带宽的浪费。

(2) 报文交换

报文交换(message switching)又称为包交换。报文交换不需要事先建立物理线路，当发送方有数据要发送时，先将数据作为一个整体发送给中间交换设备；中间交换设备会将数据存储起来，然后选择一条合适的空闲输出线路将数据转发给下一个交换设备，如此循环往复直至将所有数据发送到目的结点。采用这种技术的网络就是存储转发网络，传统的电报系统使用的就是报文交换技术。

在报文交换中，一般不限制报文的大小，这就要求各个中间结点必须使用磁盘等外设来缓存较大的数据块。同时某一块数据可能会长时间占用线路，导致报文在中间结点的延迟非常大(一个报文在每个结点的延迟时间等于接收整个报文的时间加上报文在结点等待输出线路所需的排队延迟时间)，这使得报文交换不适合交互式数据通信。

(3) 分组交换

分组交换(packet switching)技术是报文交换技术的改进。在分组交换网中，用户的数据被划分成一个个分组(packet)，而且分组的大小有严格的上限，这样使得分组可以被缓存在交换设备的内存中而不需要存放在磁盘中。同时由于分组交换网能够保证任何用户都不能长时间独占某传输线路，因而它非常适合于速率要求高的交互式通信。分组交换已经逐渐取代电路交换和报文交换成为当前数据通信系统中最主要的交换方式。

3.4 计算机网络平台

3.4.1 计算机网络的构成

计算机网络是数据通信技术与计算机系统相结合的产物。自20世纪60年代末诞生以来,计算机网络发展速度异常迅猛,已经成为人类社会新文明的代表。

1. 主要特点

计算机网络的主要特点包括如下几个方面。

(1)信息传递

现代社会海量的信息以数据的形式通过计算机网络在全世界范围内迅捷地传递,而数据的类型也从最初的电子邮件等文本数据扩展到视频、音频等多媒体数据。传统的电话网、电视网和计算机网络正在逐步融合,形成一个覆盖范围更广,信息容量更丰富的综合业务网络。

(2)资源共享

在计算机网络中,许多昂贵的资源(如大型数据库)都可以实现共享。资源共享包括硬件资源的共享,如打印机、大容量磁盘等;也包括软件资源的共享,如程序、数据等。资源共享的结果是避免重复投资和劳动,从而提高了资源的利用率。

(3)增加可靠性

在一个系统内,单个部件或计算机的暂时失效必须通过替换资源的办法来维持系统的继续运行。但在计算机网络中,每种资源(尤其是程序和数据)可以存放在多个地点,而用户可以通过多种途径来访问网内的某个资源,从而避免了单点失效对用户产生的影响。

(4)提高系统处理能力

单机的处理能力总是有限的,且由于种种原因(如时差),计算机之间的忙闲程度是不均衡的。从理论上讲,在同一网内的多台计算机可以通过协同操作和并行处理来提高整体系统的处理能力,并使网内各计算机负载均衡。

2. 计算机网络的体系结构

计算机网络系统是一个非常庞大而复杂的精密系统,相互通信的计算机必须高度协调工作。为了降低网络设计的复杂性,在网络发展的初期,设计者们就提出了层次模型的概念。通过分层设计的方法,庞大而复杂的问题转化为若干较小且容易处理的子问题。各大公司(如IBM、DEC等)纷纷根据分层的思想研制出自己的计算机系统网络体系结构。

有了网络体系结构,一个公司所生产的各种机器和网络设备可以非常容易地被连接起来。但由于各个公司的网络体系结构是各不相同的,所以不同公司之间的网络产品和设备还不能互联互通。针对上述情况,国际标准化组织(International Standard Organization,ISO)于1977年提出了一个使各种计算机能够互联的标准框架——开放式系统互联参考模型(Open System Interconnection/Reference Model,OSI/RM),简称OSI。OSI模型是一个开放体系结构,它垂直地将网络分为7层,每一层完成独立的功能,设计者可以根据每一层特定的功能进行软硬件的开发,如图 3 - 10 所示。OSI 模型的出现,标志着网络的发展走向了标准化的道路。

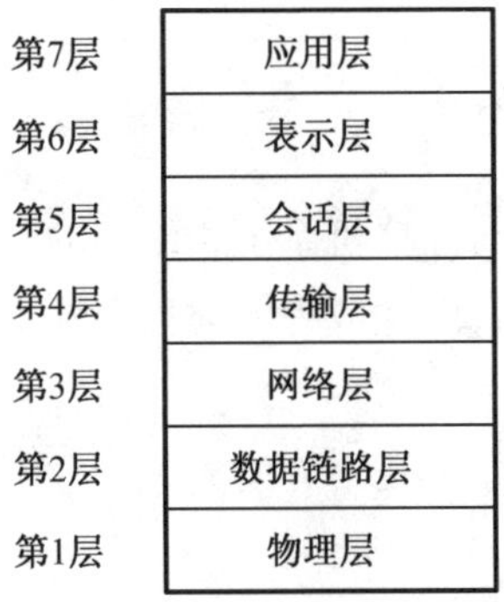

第7层	应用层
第6层	表示层
第5层	会话层
第4层	传输层
第3层	网络层
第2层	数据链路层
第1层	物理层

图 3 - 10　OSI 7 层参考模型

3. 网络协议

任何两台计算机要进行通信,必须使它们采用相同的信息交换规则。人们把在计算机网络中,用于规定信息的格式以及如何发送和接收信息的一系列规则称为网络协议(network protocol)。网络协议是计算机网络设计、开发、运行的基础。

网络协议同样采用了分层的思想,通信问题被划分为许多个小问题,然后为每个小问题设计一个单独的协议。这样做使得每个协议的设计、分析、编码和测试都比较容易。网络协议有以下 3 个关键要素:

①语法。定义协议中所使用数据块的格式。

②语义。规定各数据块格式的作用。

③定时。规定数据块的交换顺序和定时器的使用。

IP、TCP、UDP 协议等就是常见的网络协议。

4. 计算机网络的分类

计算机网络的分类标准很多,如按拓扑结构可分为总线网、环形网、星形网等;按传输媒体可分为有线网、无线网;按交换方式可分为电路交换网、分组交换网;按数据传输率可分为高速网、低速网等,但这些分类标准只给出了网络某一方面的特征,并不能反映网络技术的本质。事实上,确实存在一种能反映网络技术本质的网络划分标准,那就是计算机网络的覆盖范围。按网络覆盖范围的大小,可以将计算机网络分为局域网(LAN)、城域网(MAN)、广域网(WAN)和互联网,分类情况见表 3 - 3。

表 3 - 3　计算机网络按覆盖范围的分类

分布距离	覆盖范围	网络种类
10 m	房间	
100 m	建筑物	局域网
1 km	校园	

表3－3(续)

分布距离	覆盖范围	网络种类
10 km	城市	城域网
100 km	国家	广域网
1 000 km	洲或洲际	互联网

网络覆盖的地理范围是网络分类的一个非常重要的度量参数,因为不同规模的网络将采用不同的技术。下面简要介绍上述几种网络。

(1)局域网

局域网(Local Area Network,LAN)是指范围在几百米到十几千米内办公楼群或校园内的计算机相互连接所构成的计算机网络。计算机局域网被广泛应用于连接校园、工厂以及机关的个人计算机或工作站以及各种外围设备,以利于个人计算机或工作站之间资源共享(如打印机、服务器)和数据通信。局域网区别于其他网络主要体现在下面3个方面:

①网络所覆盖的物理范围;

②网络所使用的传输技术;

③网络的拓扑结构。

局域网中最常使用的是共享信道,即所有的设备都连接在同一条传输线路上。传统局域网具有高数据传输率(10 Mbps或100 Mbps)、低延迟和低误码率的特点。新型局域网的数据传输率可达每秒千兆位甚至更高。局域网主要有总线结构和环形结构两种拓扑结构,如图3－11所示。

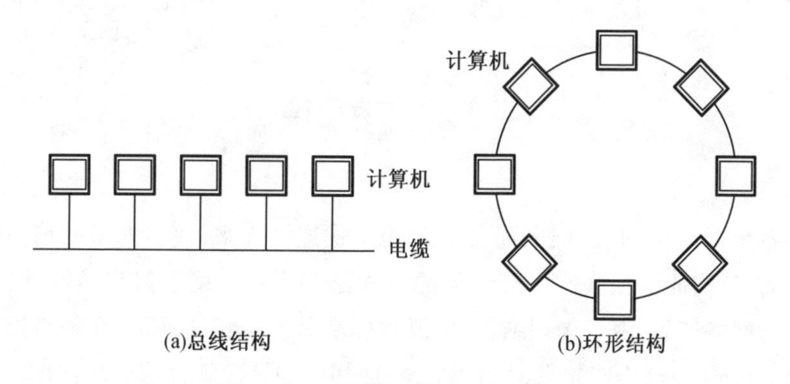

图3－11 局域网的两种拓扑结构

目前市场上最常见的以太网(IEEE 802.3)属于总线结构,而IBM公司的令牌环网(IEEE 802.5)属于环形结构。此外,无线局域网(IEEE 802.11)正在逐步取代有线局域网,满足人们对移动、布局变动和自组网络的需求。

(2)城域网

城域网(Metropolitan Area Network,MAN)所采用的技术基本上与局域网相类似,只是规模上要大一些。城域网既可以覆盖相距不远的几栋办公楼,也可以覆盖一个城市;既可以是私人网,也可以是公用网。城域网既可以支持数据和话音传输,也可以与有线电视相连。

城域网一般只包含 1 ~2 根电缆,以总线形式存在,没有交换设备,因而其设计比较简单,其标准已由 IEEE 802.6 协议所规定,工作范围一般是 160 km,数据传输率为 44.736 Mbps。

(3)广域网

广域网(Wide Area Network,WAN)通常跨接很大的物理范围,如一个或几个国家。与局域网的共享方式不同,广域网采用交换技术,通过若干相互连接的交换结点(称之为通信子网),将分布在各地的主机或局域网连接起来。图 3 – 12 所示的就是广域网的模型。数据的交换是广域网最为关心的问题,主要的交换技术有 X.25,帧中继和 ATM 等。而担任交换结点的设备通常是路由器或交换机。在这些结点上,能够根据不同协议要求实现数据的交换、路由、流量控制、拥塞控制等各种管理功能。

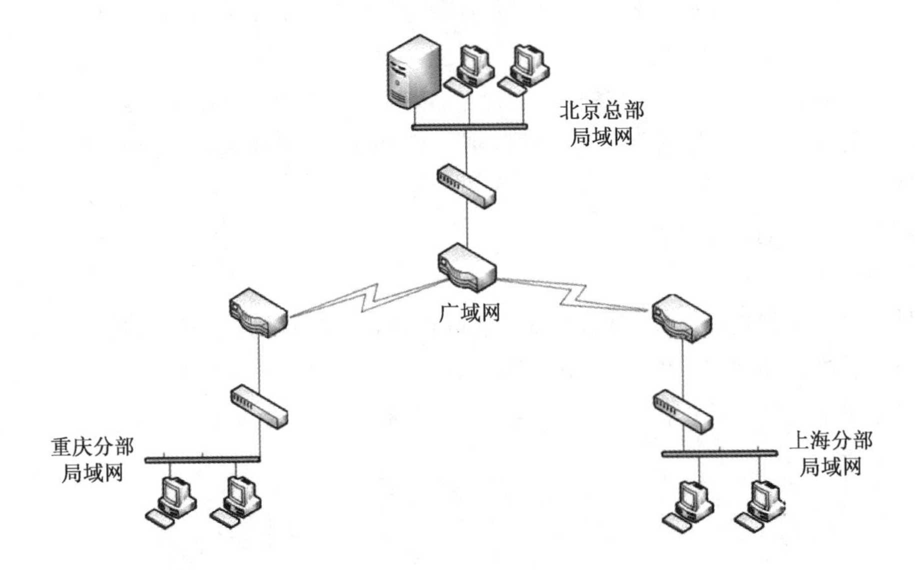

图 3 – 12　广域网模型

(4)互联网

将世界各地的局域网、广域网通过一定的方式连接起来,使得海量的信息能在更广阔的范围内传播,就构成了互联网。最常见的形式是多个局域网通过广域网连接起来;而不同厂家生产的网络产品,由于物理结构、协议和标准都各不相同,所以必须将这些不兼容的网络通过网关(gateway)连接起来,并由网关完成相应的转换。目前广泛使用的因特网就是最常用的互联网形式。

3.4.2　互联网协议

1. TCP/IP 协议体系

因特网已经为全球数十亿人所熟知和使用,人们的生活以及工作已经越来越离不开因特网。

因特网发展的基础框架是传输控制协议/网际协议(TCP/IP)的协议簇。TCP/IP 是一组协议,并根据其中最重要的两个协议(传输控制协议和网际协议)而命名。

TCP/IP 的目的是为异构的物理网络提供统一的数据通信服务,使得在不同网络上相距很远的主机相互通信成为可能。与大多数网络软件一样,TCP/IP 按分层思想来给网络建模,共包括应用层、传输层、网络层和网络接口层四个层次。TCP/IP 的结构及各层所包含的主要协议如图 3-13 所示。

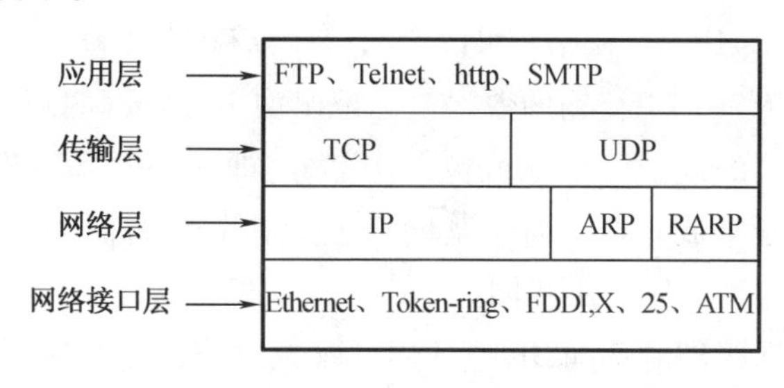

图 3-13 TCP/IP 协议层次

(1)应用层

应用层是面向用户的通信应用程序统称。TCP/IP 协议簇在这一层有很多协议来支持不同的应用,许多大家所熟悉的基于因特网应用的实现都离不开这些协议。如进行网页浏览用到的 HTTP 协议、文件传输用到的 FTP 协议、电子邮件发送用到的 SMTP 协议、远程登录用到的 Telnet 协议等,都属于 TCP/IP 应用层。就用户而言,看到的是由一个个软件所构筑的大多为图形化的操作界面,而实际后台运行的便是上述协议。

(2)传输层

传输层提供端到端的数据传输,把数据从一个应用传输到它的远程对等实体。最常用的传输层协议是传输控制协议,它提供了面向连接的可靠数据传送、流量控制以及拥塞控制。另一种传输协议是用户数据报协议(User Datagram Protocol,UDP),它提供的是一种无连接、不可靠的、尽力而为的传输方式。

(3)网络层

网络层解决的是网际间的通信问题,而不是同一网段内部的事。网络层的主要功能就是提供路由,即选择到达目标主机的最佳路径,并沿该路径传送数据包。除此之外,网络层还要能够消除网络拥挤,具有流量控制和拥挤控制的能力。网际协议是这一层中最重要的协议,它为每个网络中的计算机定义了能唯一识别的 IP 地址,从而使得不同应用类型的数据能够在因特网上顺畅地传输。网络层还包括 ARP、RARP、ICMP 等协议。

(4)网络接口层

网络接口层也叫数据链路层,将网络层的 IP 数据报变成独立的网络信息传输单元(称为帧),负责帧在物理线路上的发送与接收。TCP/IP 协议的网络接口层支持多种接口协议,如 IEEE 802.2、Token-ring、FDDI、X.25、ATM 等。

2. IP 协议

(1) IP 地址

TCP/IP 协议簇网络层的核心,是因特网能够有效运行的基础。IP 协议最本质的功能是实现 IP 编址。就像每个人必须有独一无二的邮政地址以保证安全可靠地收寄信件一样,基于TCP/IP的网络上每台设备的每个网络接口都必须有唯一的IP地址,这样才能保证数据准确传输。如果没有IP地址,数据不可能在网络和设备间流动。有的网络结点(如路由器),有多个网络接口,则每一个网络接口分配一个IP地址。传统的IP地址(IPv4)表示为一个32位的无符号二进制数,通常用以圆点连接的四个十进制数表示,如129.2.7.9就是一个合法的IP地址,如果用二进制格式可以表示为:10000000 00000010 00000111 00001001。

IP层给每个要在互联网中传输的数据包标记出源IP地址和目的IP地址,经过路由选择可以发送到通信的目的地。每个地址包含两部分,即网络号和主机号,就像电话号码由区号和本地号码两部分组成一样。对于某网络上所有节点而言,网络地址部分是相同的,而每个设备的主机部分地址则各不相同。

根据用途和安全性级别的不同,IP地址还可以大致分为公共地址和私有地址两类。公共地址在因特网中使用,可以在因特网中随意访问。私有地址只能在内部网络中使用,只有通过代理服务器才能与因特网通信。一个机构网络要连入因特网,必须申请公共IP地址。

(2) IP路由

IP路由是IP协议所规定的另一项重要功能,IP路由(routing)是指在不同网络间的数据收发选择路径连接,如同人们出行要选择一条合适的道路到达目的地一样。完成这种功能的设备称之为IP路由器(router)。

当一个数据要被发送到远程目的主机时,发送端首先把数据包传递到一个本地路由器。路由器根据数据包所携带的目的IP地址信息,再根据相应的规则,将数据包传输到与之相连的另一个路由器,称之为下一跳;直到数据包到达与目的主机所在网段相连的路由器。路由器根据IP路由表在网段之间转发数据包,这个表包含了与路由器相连的网络配置信息,如接口带宽、链路延迟时间、相邻路由器地址等。路由表的建立和管理是由路由算法实现的,在网络拓扑结构发生变化时,能够动态地更新路由表信息。

(3) IP协议的版本

随着电子技术及网络技术的发展,计算机网络将更加深入人们的日常生活,越来越多的设备有必要也有可能被接入因特网,如各种家用电器、传感器、交通工具等。而目前采用的IP协议版本IPv4的最大问题是网络地址资源有限,从理论上讲,IPv4技术可使用的IP地址有43亿个,目前已经使用了绝大部分,而且地址分配不均,其中北美占有3/4,约30亿个,世界其他国家和地区只占1/4。为了解决这一问题,新的IP协议版本IPv6由互联网工程任务组(Internet Engineering Task Force,IETF)设计提出,用于替代现行的IPv4。

IPv6中IP地址的长度为128位,能够提供$2^{128}-1$个地址,这是一个巨大的数字,如果说IPv4大约能为地球上每个人提供一个IP地址的话,IPv6则能给地球上每一个生物提供一个IP地址。

IPv6正处在不断发展和完善的过程中,我国的IPv6网络的研究和开发工作在世界上处于领先的地位,并建立起了基于IPv6的骨干网络——第二代中国教育和科研计算机网(CERNET2)。

3. TCP 与 UDP

(1)面向连接或非连接

TCP/IP 协议体系的传输层包括两个重要的协议,即 TCP 和 UDP。在讨论这两个协议之前,首先要明白“面向连接”和“面向非连接”两个概念,它们的关系可以形象的用打电话和写信来比喻。两个人如果要通话,首先要建立连接(打电话时的拨号),等待响应后(接听电话后),才能相互传递信息,最后还要断开连接(挂电话)。而写信就比较简单,填写好收信人的地址后将信投入邮筒,发信人的工作就完成了。

从以上的分析可以看出,所谓面向连接是先在需要通信的双方之间建立一个传递信息的通道,再由发送方发送请求连接信息,当接收方响应后才开始传递信息。由于信息是在一个通道中传送,因此接收方能比较完整地收到发送方发出的信息,所以这种信息传递方式的可靠性比较高。但也正因为需要先建立连接,使资源的开销较大。因为在建立连接前必须等待接收方响应,传输信息过程中必须确认信息是否传到及断开连接时发出相应的信号,因为是独占一个通道,在断开连接前不能建立另一个连接,即不允许第三方打入电话。

面向非连接是一开始就发送信息(严格说来,这里没有开始、结束的区分),只是一次性的传递,事先不需要接收方的响应,因而在一定程度上也无法保证信息传递的可靠性了,就像写信一样,我们只是将信寄出去,却不能保证收信人一定可以收到。

(2) TCP 与 UDP 的区别

TCP 协议是面向连接的传输协议,而且提供的是可靠的传输服务,即在传输数据发生丢失时,重新传递该数据,适用于要求比较高的业务,如电子邮件、网页浏览、文件传输等,这些业务都要求数据要完好无缺的进行通信。而 UDP 是面向非连接的,没有差错重传机制,适用于对速率要求高但能容忍部分丢包的业务,如视频会议、在线播放等实时多媒体业务。

(3)端口

在研究 TCP 和 UDP 传输协议时,端口(port)也是必须要解释的概念。在网络技术中,端口概念有两种含义,第一种是指主机、集线器、交换机、路由器与其他网络设备相连的接口,如 RJ-45 端口、Serial 端口等,是物理意义上的端口;另一种特指 TCP/IP 协议中逻辑意义上的端口,与 TCP/IP 协议簇中应用层协议紧密联系,是区分不同应用类型的标识号。一个端口对应一个特定的因特网应用或服务,由端口号加以区分。如传输文件服务 FTP 的端口号是 21,远程登录服务 Telnet 的端口号是 23,网页浏览服务 HTTP 的端口号是 80,端口号的范围是介于 0 到 65 535 的整数。

3.4.3 物联网与云计算

互联网是 20 世纪最重大的科技发明,它的发展和普及引发了前所未有的信息革命和产业升级,已经成为经济发展的重要引擎,尤其是进入 21 世纪之后,互联网技术的发展日新月异,一大批新思想和新技术不断地涌现出来,并逐渐发展为成熟的商业模式,其中以物联网和云计算最具代表性。

1. 物联网

(1)物联网

物联网(internet of things)是通过传感器、射频识别(RFID)技术、全球定位系统、红外感应器、激光扫描器、气体感应器等信息传感设备,并按照一定的协议,将各种物品与互联网连接起来进行信息交换和通信,以实现对物品进行识别、定位、跟踪、监控和管理的一种网络形式。简单说,物联网就是"物物相连"的互联网。汽车、家用电器、日用百货、农副产品等,都可以成为物联网中的元素。物联网中的"物"要相连必须满足一定的条件。

①具有信息接收和发送器件;

②具有一定的存储功能;

③具有中央处理器;

④具有操作系统;

⑤有可被识别的唯一标号;

⑥遵循物联网的通信协议。

(2)物联网与互联网

物联网是互联网的拓展和延伸,其技术的基础和核心仍然是互联网,因此物联网必须能支持现有互联网中的基本协议。此外,物联网的另一个重要特征是纳入物联网的"物",即物联网中的结点必须具有智能处理能力,能够对物品实施智能控制,并分析、加工和处理由各种传感设备采集到的海量信息。

(3)物联网的发展

物联网的实践最早可以追溯到1990年施乐公司的网络可乐贩售机,而"物联网"的概念是1999年在美国召开的移动计算和网络国际会议上首先提出的,其最初的思想是通过射频识别技术和无线数据通信技术,构造一个实现全球商品信息实时共享的实物互联网。在21世纪的第一个十年,物联网技术得到了飞速的发展,其定义和范围都发生了变化。2005年国际电信联盟(ITU)发布的年度互联网报告指出,物联网技术信息产业的一次革命性创新,是各种感知技术、网络技术和人工智能与自动化技术的集成应用。

在物联网时代,通过在各种各样的日常用品上嵌入短距离的移动收发器,人类在信息与通信世界里将获得一个新的沟通维度,从任何时间,任何地点的人与人之间的沟通连接扩展到人与物和物与物之间的沟通连接。世界各国对于物联网给予了极大的重视,美国将物联网与新能源并列为振兴其经济的两大重点。在我国,物联网于2009年作为国家五大新兴战略性产业之一正式写入政府工作报告。

(4)物联网的层次构架

物联网在技术构架上可分为三层:感知层、网络层和应用层。

①感知层。由各种传感器以及其数据处理设备构成,主要包括各种温度传感器、浓度传感器、湿度传感器、二维码标签及其读写器、RFID标签及其读写器、摄像头、GPS等感知终端。感知层的作用主要有两个:采集各种有用信息,对物体进行识别和标记识别。

②网络层。由能实现信息处理和通信,并能进行网络连接和管理的软硬件构成。网络层将感知层获取的信息转化成能在各种私有网络或互联网上传送的数据格式,并遵循一定

的网络协议，保证数据能准确地到达指定的目的地。

③应用层。提供物联网和用户之间的接口，将各行业对物联网的需求转化为具体的应用。

(5)物联网的用途

物联网的技术特点决定了其在食品安全、工业监控、公共安全、城市管理、远程医疗、智能家居、智能交通、邮政物流和环境监测等各个行业均有着广阔的应用前景。例如，在蔬菜、肉类等农产品上打上 RFID 标签，能够记录每一件农产品在种植(养殖)、加工、保存、运输过程中的各种信息，有助于加强对于食品安全的管理；在煤矿生产中，工人们佩戴安装有物联网设备的头盔下井工作，能够在井下形成一个自组网络，采集瓦斯浓度、温度、工人位置等各种安全数据，实时传输回地面的监控中心，对于预防事故和在事故发生后有效救援有着重要的意义；在城市交通中，道路上行驶的车辆可以组成一个巨大的物联网，每辆车实时地采集并发送自己的位置，同时接收其他车辆的位置信息，可以计算出当前道路的拥堵情况，并能得到去往目的地的最佳动态路径等。总之，物联网的推广和使用将使人们的生活更方便、更安全、更高效。

2. 云计算

(1)云计算的定义

云计算(cloud computing)是一种基于因特网的超级计算模式，它是分布式计算(distributed computing)、并行计算(parallel computing)和网格计算(grid computing)等计算机技术的发展和商业化的产物。云计算的原理是将大量由互联网连接的计算资源进行统一的管理和调度，构成一个计算资源池，根据用户的需求提供服务。

提供资源的网络被称为“云”，通常由大量的计算机和服务器构成。用户只需要配备价格低廉的个人电脑，就可以通过互联网从“云”中获取强大的运算和存储能力。就像每个家庭无须安装发电机，而只需要从电力公司购买日常生活所需的电力资源一样。在云计算的世界里，由巨型的、专业的网络公司来搭建计算机存储和运算的“云”，任何一个用户通过台式机、笔记本、手机等各种终端就可以很方便地访问，获取“云”所提供的各种应用和存储服务。

在过去，像经济数据的统计计算、大型工程的模拟实验、气象信息的处理预测这样需要强大运算能力的应用，需要很高的投入来配备高性能计算机及其附属设备，而有了云计算后，普通的个人用户都可以随时随地通过“云”来实现这样的应用。

(2)云计算的特点

云计算作为一种新的互联网应用和服务模式，与传统的应用模式比，其特点主要包括以下几方面。

①虚拟化技术。云计算平台利用软件技术来实现硬件资源的虚拟化管理、分配和应用。用户在分享云计算所提供的网络资源、计算资源、数据库资源、硬件资源和存储资源时，就像在操作自己本地的计算机一样。从总体的角度看，云计算的虚拟化技术可以大大降低整个社会对信息设备的维护成本，提高资源的利用率。

②安全性和可靠性。一方面，云计算服务器提供了最可靠、最安全的数据存储中心，并

由专业的技术团队进行信息的维护和管理,严格的安全策略和技术手段使用户不用再担心数据丢失、病毒破坏等安全问题的发生。另一方面,用户数据被复制在云端的多个服务器节点上,即使意外删除或硬件崩溃都不会影响数据的完整和可靠。

③灵活方便地获取服务。在云计算时代,用户可以根据自己的需要和喜好来定制相应的服务、应用和资源。云计算作为一个通用的平台,可以按照用户的需求部署和分配相应的资源、计算能力、服务及应用。用户不必关心资源在哪里,需要哪些配置,只需要把自己的需求告诉云,由“云”来完成后面的工作。

④高性价比。用户可以随时随地利用各种设备登录到“云”中进行计算服务,用户端的硬件设备要求很低,软件也不需要购买和升级,只需要向“云”提出定制需求即可,而获得的却是有成千上万台服务器组成的集群所提供的海量存储空间和运算能力。

(3)云计算与科技创新

云计算模式非常适合中小型高科技企业和众多的创业者,他们常常拥有新技术和新创意,却苦于没有资金支付高额的 IT 硬件和软件费用。而云计算可以以很低的成本让他们拥有大企业级的 IT 技术资源的支持,从而极大促进了中小型高科技企业和创业者的发展,鼓励了更多的创新。

(4)云计算服务模式

目前,云计算的商业应用正在全球范围内迅速地发展,许多世界著名的 IT 企业都推出了自己的云计算产品和服务,如微软、IBM、Google、亚马孙、中国移动、浪潮等,主要的云计算服务模式有 3 种:

①IaaS(Infrastructure-as-a-Service):基础设施服务。用户通过因特网获得所需要的计算机基础设施服务,如存储空间和运算能力。

②PaaS(Platform-as-a-Service):平台服务。将软件研发的平台作为一种服务,通过“云”让多个用户共享。

③SaaS(Software-as-a-Service):软件服务。由云计算的运营商提供软件应用,用户无须自己购买软件,而是通过因特网租用基于 Web 的软件,来实现数据库管理、数据处理、科学计算、游戏娱乐等各种服务。

3.5 数据库平台

3.5.1 数据处理技术的发展

在当今的信息社会里,信息资源已经成为最重要的社会资源之一。人们的全部社会活动(生产、交流、生活等)都离不开数据信息。对数据的采集、储存、分析加工、检索使用和维护管理更是普遍的日常工作。例如,每天的工作、活动日程安排,个人(或家庭)的收支账目、股票的升落变化等,还有生产管理、办公管理中大量的数据处理和管理工作。

计算机的应用为高效率、低成本进行数据处理提供了有利的条件,建立相应的信息处理系统便成为社会、企业、部门,甚至是家庭或个人生存和发展的重要支柱。

所谓数据处理实际上包括对各种类型数据进行加工的处理操作,以及把处理过的数据合理组织、存储,随时为用户服务的管理操作。数据处理包括对数据采集、整理、存储、加工、传输等;数据管理包括对数据分类、编码、组织、存储、检索、维护等。数据处理的目的不但要从大量原始的数据中获得所需要的资料并提取有用的数据成分,而且要管理好这些数据信息,以便人们能够随时提取和使用它们。所以数据处理是基础,数据管理是核心。

随着计算机软件和硬件技术的发展,数据的处理发生了划时代的变革,而数据库技术的发展,又使数据处理跨入了一个崭新的阶段。一般认为数据处理技术的发展经历了3个阶段。

1. 人工管理阶段

在20世纪50年代以前,计算机主要用于数值计算,因为要处理的数据量小,所以没有专门的软件对数据进行管理,在程序中既要考虑处理过程,又要考虑数据的定义和组织,程序和数据总是联系在一起,并且数据随着计算处理的结束而退出计算机。其中程序与数据之间的关系如图3-14所示。

由于每个应用程序都有属于自己的一组数据,各应用程序之间不能互相调用,所以必须在处理同一批数据的多个应用程序中重复存放这些数据,从而造成大量的数据冗余,不但加大了存储的容量,还容易造成数据的不一致性。

2. 文件系统阶段

20世纪60年代中期,由于大容量数据存储器的出现,为了科学计算及简单数据管理的需要,人们将数据从程序中分离出来,组成相互独立的数据文件。文件系统建立了数据文件内部的数据结构,每个程序都通过自己的文件系统和相应的数据联系,每个文件系统都管理着某个程序需要的数据。其中程序与数据的关系如图3-15所示。

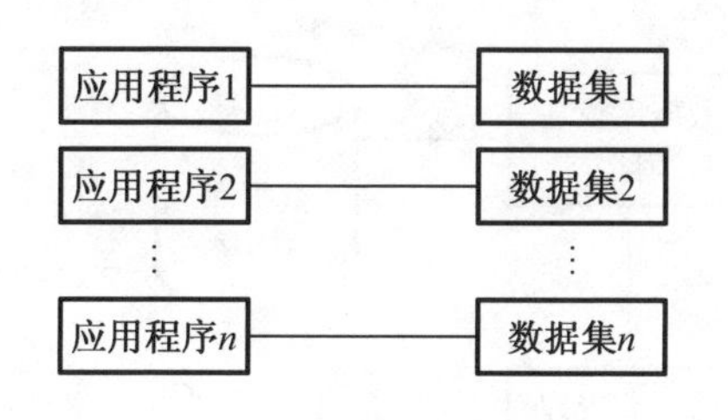

图3-14 人工管理阶段程序与数据的关系

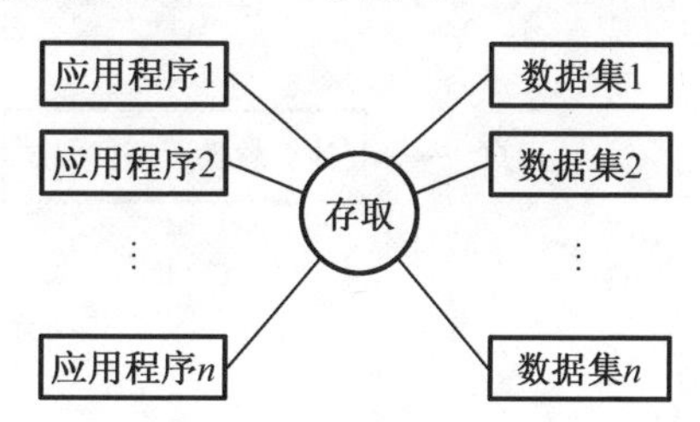

图3-15 文件系统阶段程序与数据的关系

但是各数据文件之间没有联系,或者说文件系统在整体上是无结构的。如果需要这种联系,只能通过建立专门的程序来实现。

3. 数据库系统阶段

20世纪60年代后期,随着计算机在管理领域的应用,数据处理的规模急剧增长,并且对数据处理的精度、速度也不断提出更高的要求。为了满足这种不断增长的要求,人们不但需要更先进的计算机,而且还需要更先进的数据组织与管理技术。于是一种新的数据处理方法——数据库技术出现了。

数据库技术一方面实现了数据与程序的完全独立,另一方面又实现了数据的统一管理。众多程序或应用需要的各种数据,全部交给数据库系统管理,大大压缩了冗余数据,实现了多用户、多应用数据的共享。其中程序与数据的关系如图 3－16 所示。

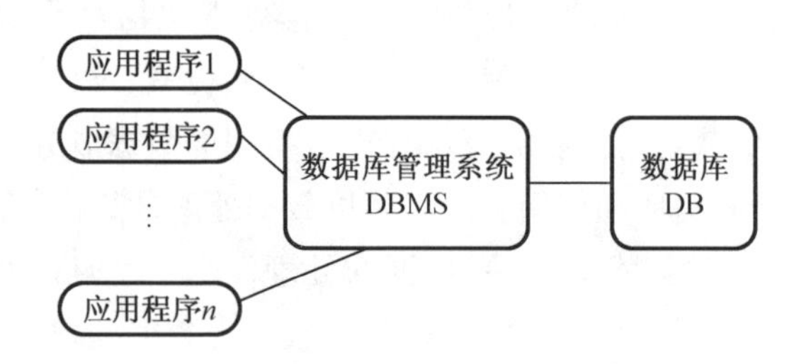

图 3－16　数据库系统阶段程序与数据的关系

数据库系统是在文件系统的基础上发展起来的。由于数据库具有数据结构化、高度共享、冗余度低、程序与数据相互独立、易于扩充、易于编制应用程序等优点，所以得到了迅速的发展。目前国内开发使用的企业管理信息系统都是以数据库为基础的。同时，数据库的应用范围已经从一般的事务处理扩展到计算机辅助设计、人工智能、软件工程、电子设计自动化（EDA）、办公室自动化、多媒体等计算机应用的各个领域。

3.5.2　数据库系统的组成

数据库系统（Data Base System）是指以计算机系统为基础，以数据库方式管理大量共享数据的综合系统。它一般由用户（最终用户、应用程序设计员）、计算机软硬件系统、数据库管理系统、数据库管理员和数据库五个部分构成。人们习惯上把数据库系统简称为数据库，但是应当注意和仅有相关数据集合的数据库概念相区别。数据库系统各部分的层次结构可以用图 3－17 表示。

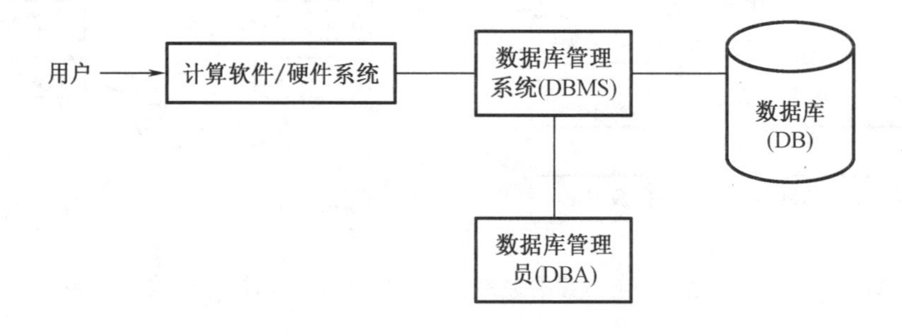

图 3－17　数据库系统组成结构

1. 数据库

数据库（Data Base，简称 DB）可以定义为：以一定的组织方式将特定组织各项应用相关的全部数据组织在一起并存储在外存储器上所形成的、能为多个用户共享的、与应用程序彼此独立的一组相互关联的数据集合。数据库不是根据某个用户的需要，而是按照信息的自然联系构造数据；它能以最佳的方式，最少的冗余，为多个用户或多个应用共享服务。

数据库的主体是相关应用所需的全部业务数据的集合，称为物理数据库；另外还用一个数据字典系统存放各级数据结构的描述，称为描述数据库。

2. 硬件支持系统

计算机硬件是数据库赖以存在的物理设备，特别是必须有足够大的内存储器、大容量的磁盘和光盘等直接存取设备，以及较高的传输数据的设备等。

3. 软件支持系统

软件支持系统最主要的是数据库管理系统（DBMS）软件，它是在计算机操作系统支持下运行的庞大的系统软件。用户利用这个软件可以实现数据库的创建、操作使用和维护，它是数据库系统的核心。

当然，任何软件都必须在计算机操作系统的支持下才能够运行，所以数据库系统还必须选择与数据库管理系统软件相适应的操作系统。

一般的数据库管理系统软件都自含程序开发设计语言，否则就必须使用其他的程序设计语言及软件开发工具。

4. 数据库管理员

对于较大规模的数据库系统来说，必须有专人全面负责建立、维护和管理，承担这项任务的人员称为数据库管理员（DBA）。数据库管理员负责保护和控制数据，是使得数据能够被任何有权限使用的人有效利用。其职责是：定义并存储数据库的内容，监督和控制数据库的使用，负责数据库的日常维护，必要时重新组织和改进数据库。

5. 用户

数据库系统的用户主要有两类：一是对数据库进行联机查询和通过数据库应用系统提供的界面（菜单、表格、窗口、报表等）使用数据库的最终用户；另一种是负责应用程序模块设计和数据库操作的应用系统开发设计人员。

3.5.3　数据库系统的结构

数据库系统具有严谨的体系结构，根据美国国家标准学会（ANSI）所属的标准计划与需求委员会（SPARC）1975 年公布的数据库标准报告，提出了数据库的三级组织结构：这是一个从内到外分三个层次描述的三级模式结构，可以用图 3－18 所示的示意图来表示。

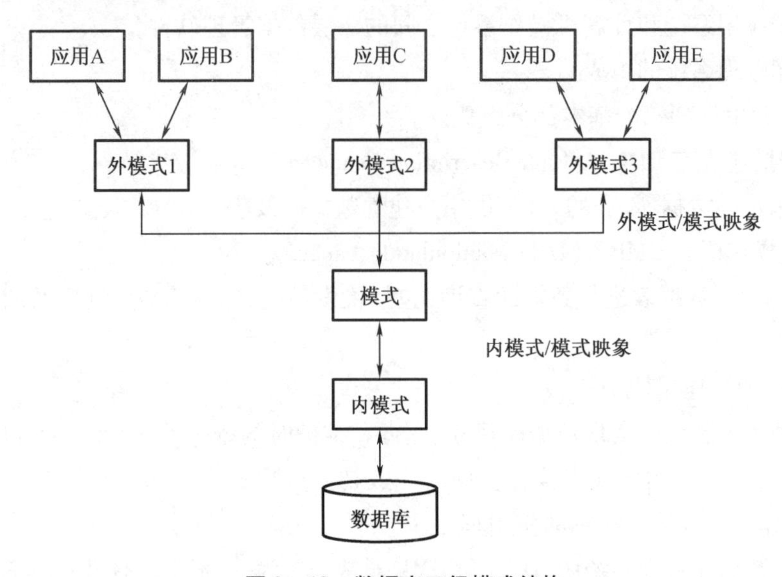

图 3－18　数据库三级模式结构

可以看出,三级模式主要分为物理结构和逻辑结构两个方面。描述物理结构的称为物理模式(内模式),它直接通过操作系统与硬件联系。一个数据库系统只能有一个内模式。

描述逻辑结构的称为模式(概念模式、逻辑模式),它是数据库数据结构的完整表示,是所有用户的公共数据视图。一个数据库系统只有一个模式,它总是以某一种数据模型为基础,统一考虑所有用户的要求,并有机地综合成一个逻辑整体。模式仅仅是对数据型的描述,不涉及具体数据值。

针对每一个用户或应用,又由模式导出若干个子模式(外模式、用户模式)。子模式是直接面向用户的,是用户能够看见并使用的局部数据的逻辑结构描述。每一个子模式都是模式的一个子集,也可以把它看成是模式的一个窗口。一个数据库系统可以有多个子模式。

数据库系统的三级模式中还提供了两个映射功能(模式)。一个是在物理模式与模式之间的映射(转换)功能;另一个是在模式与子模式之间的映射(转换)功能。

第一种映射使得数据物理存储结构(内模式)改变时,只需修改模式与内模式之间的映射关系,而逻辑结构(模式)不变,因而相应的程序也不需改变,这就是数据库的物理独立性。

第二种映射使得逻辑结构(模式)改变时,只需修改模式与模式之间的映射关系,而用户结构(外模式)不需改变,所以应用程序也不用改变,这就是数据和程序的逻辑独立性。

通过这两种映射,数据库实现了物理独立性和逻辑独立性。一方面使得数据的定义和描述可以从应用程序中分离出去,另一方面使得应用程序的编写再不用考虑数据的 j 取路径等细节问题,从而大大减少了应用程序的修改和维护工作量。

3.5.4 数据库管理系统

数据库管理系统是指帮助用户建立、使用和管理数据库的软件系统,简称为 DBMS (Data Base Management System)。数据库管理系统是数据库系统的核心,从图 3 - 17 中可以看出它是位于应用系统和计算机操作系统之间的一层数据管理软件。

1. 数据库管理系统的组成

DBMS 通常由下列三个基本部分组成。

(1)数据描述语言 DDL (Data Description Language)

DDL 用来描述数据库、表的结构,供用户建立数据库及表。

(2)数据操作语言 DML (Data Manipulation Language)

DML 供用户对数据表进行数据的查询(包括检索与统计)和存储(包括增加、删除与修改)等操作。

(3)其他管理和控制程序

其他管理和控制程序实现数据库建立、运行和维护时的统一管理、统一控制,从而保证数据的安全、完整及多用户并发操作。同时完成初始数据的输入、转换、转存、恢复、监控、通讯,以及工作日志等管理控制的实用程序。

在小型的数据库管理系统中,DDL 和 DML 通常合二为一,成为一体化的语言。

2. 数据库管理系统的功能

不同的数据库管理系统由于对应的硬件资源和软件环境不同,所以具体功能也有所不同。但是基本功能应当有如下几点。

(1)数据定义功能

所谓数据定义就是对数据库中数据对象的描述。其中包括定义数据库各模式及模式之间的映射关系,以及相关的约束条件等,并最终形成数据库的框架。这些是通过数据描述语言 DDL 实现的。这些描述存放在数据字典中,作为数据库管理系统存取和管理数据的基本依据。

(2)数据操纵功能

数据操纵功能是直接面向用户的功能,它将接收、分析和执行用户对数据库提出的各种操作要求,并且完成数据库数据的检索、插入、删除和更新等数据处理任务。这些是通过数据操纵语言 DML 实现的。

(3)数据库的运行管理功能

数据库管理系统的核心工作是对数据库的运行进行管理,主要是执行访问数据库时的安全性检查、完整性约束条件的检查和执行、数据共享的并发控制、发生故障后的系统恢复,以及数据库内部维护等。

(4)数据库的建立和维护功能

数据库的建立和维护功能主要是实现数据库初始数据的输入、转换工作,数据库的转储、恢复工作,数据库的组织和性能监视、分析工作等。

3.5.5　数据库技术的新发展

前面介绍的传统数据库系统仅是数据库大家族中的一员,当然,它是最成熟和应用最广泛的一员。它的核心理论、应用经验和设计方法等是整个数据库技术和应用开发的先导和基础。

传统数据库技术主要应用于商业领域并且取得了巨大成功,这种成功也刺激了其他领域对数据库技术的需求。但是数据库技术在计算机辅助设计与管理、计算机集成制造、办公信息系统、地理信息系统、知识库系统和实时系统等新领域的应用中,却发现很多必需的数据管理功能是传统数据库系统无法支持的。正是这些新的需求直接推动了数据库新技术的研究和发展,这种研究和发展主要表现在三个方面。

1. 面向对象的方法和技术对数据库的发展

面向对象的方法和技术不但在程序设计语言、软件工程、信息系统设计和计算机硬件设计方面产生了极大的影响,而且也为面临新挑战的数据库技术带来了机会和希望。数据库研究人员借鉴和吸收了面向对象的方法和技术,提出了面向对象数据模型。面向对象数据模型是用面向对象观点来描述现实世界实体(对象)的逻辑组织、对象之间限制、联系等的模型。面向对象数据模型吸收了面向对象程序设计方法的核心概念和基本思想,一系列面向对象核心概念构成了面向对象数据模型的基础。

不同于层次、网状、关系这些传统的数据模型,面向对象数据模型是非传统的数据模型,面向对象数据库系统(OODBS)是面向对象程序设计方法与数据库技术相结合的产物。

面向对象数据库系统支持面向对象数据模型,面向对象数据模型定义的对象集合体就是一个对象库,而面向对象数据库系统是一个持久的、可共享的对象库的存储和管理者。由于到目前为止还缺乏对面向对象数据模型统一严格的定义,所以面向对象数据库系统还缺少一个清晰的规范说明。虽然面向对象数据库技术还是一项比较新的技术,但是它仍然是数据库技术发展的必然趋势。

2. 数据库技术与多学科技术有机结合的发展

在计算机领域中层出不穷的新兴技术对数据库技术的发展产生了重大的影响,传统的数据库技术也在不断地与其他计算机新技术互相结合、互相渗透,使得数据库的许多概念、技术内容和应用领域都有了重大的发展和变化。先后出现了如分布式数据库系统、并行数据库系统、演绎数据库系统、知识库系统、Web 数据库和多媒体数据库系统等一系列新型数据库系统。下面简要介绍其中几种。

(1)分布式数据库系统

分布式数据库系统是数据库技术与计算机网络技术相结合的产物,它不同于传统的数据库系统以集中的方式局限于一台大型计算机上处理数据。分布式数据库系统是逻辑上统一而地域上分布的数据集合,是在分布式数据库管理系统的控制和管理下,实现将计算机网络环境中分布在各节点局部数据库中数据的逻辑集合。

分布式数据库系统按照全局的需要把数据分成具有一定结构的数据子集,并将数据子集分别存储在处于不同地点的计算机中。每个节点计算机的数据库系统都有独立处理本地事务的能力,充分体现出数据库系统的分布性特点。同时数据库系统还具有数据协调性的特点,在逻辑上各节点上的数据仍然是一个整体,对用户来说具有高度的透明性,各节点之间可以随时互相访问传递数据,虽然用户不知道数据究竟存放在什么位置,但是使用起来就像集中式数据库系统一样方便。可以说分布式数据库系统是由许多数据库逻辑组成的、针对全体用户的全局数据库系统。

分布式数据库系统主要使用在地域上很分散的组织或部门的事务处理系统中。例如,银行业务处理、航空公司的订票业务等。

(2)并行数据库系统

并行数据库系统是在并行计算机上运行的,具有并行处理能力的数据库系统。并行数据库系统是数据库技术与并行计算机技术相结合的产物。并行数据库系统充分利用了多处理器平台的并行处理产生的规模效益,通过查询间并行、查询内并行和操作内并行等多种并行性,在联机事务处理与决策支持应用环境中提供快速的响应时间和较高的事务吞吐量。

数据库管理系统进程结构的最新发展为数据库的并行处理奠定了基础,多线程技术、虚拟服务技术是并行数据库技术实现中采用的重要技术。

(3)多媒体数据库系统

传统的数据库系统主要处理的是文字、数据等结构化数据,多媒体数据库系统除了能够处理结构化数据,还能够方便地处理图形、图像和声音等非结构化的多媒体数据。非结构化数据量大且结构复杂，处理起来要复杂困难得多。

多媒体数据库系统的主要特点如下。

①特点。

a. 成性。多媒体是数字、图形、图像、声音和文字等多种媒体的有机结合。

b. 独立性。多媒体中的单媒体具有独立性，可单独对某一媒体操作而不影响其他媒体。

c. 数据量大。视频和声音信息的数据量特别大，使得多媒体文件比文档文件大得多。

d. 实时性。多媒体系统在很多场合是要求能够实时处理的。

e. 交互性。各种多媒体信息往往都采用交互方式操作。

②建立数据模型的途径。

为了能够实现多媒体数据库的这些特点，必须建立合适的数据模型，而建立数据模型的途径一般有以下四种。

a. 基于关系模型。就是在关系数据库的基础上扩充，以支持多媒体数据类型。

b. 基于面向对象模型。在面向对象语言中加入对多媒体数据的存储管理功能形成多媒体数据库。

c. 基于超文本、超媒体模型。在超文本、超媒体模型的基础上发展而成。

d. 开发全新的数据模型。就是要从底层开发，实现多媒体数据库系统。

3. 面向应用领域的数据库新技术——数据仓库

随着市场竞争的加剧和对深层数据的综合处理的需求，传统数据库系统已经远远不能满足需要。在传统数据库系统中存放的是单一数据资源，而要它完成的却是从事务处理、批处理到决策分析的各类数据处理工作。对于传统的数据库系统来说，要完成这样任务显然是非常困难的，其效果也是非常不理想的。为了适应这些特定的应用领域，必须研制符合其要求的特定数据库系统。于是出现了数据仓库、工程数据库、统计数据库、空间数据库、科学数据库等多种不同形式的数据库系统，其中最重要的就是数据仓库。

要完成从事务处理、批处理到决策分析的各类数据处理工作，对于传统的数据库系统来说，必须借助前台软件（如电子表格、图表等）来实现查询和分析。这就要求最终用户具有使用前台处理软件的能力，而且分析处理的数据不能很复杂。显然在多数情况下，这种操作方式是不够有效、灵活和顺畅的，有时甚至是不可能的。因为这是两类不同的处理操作，事务处理、批处理属于操作型处理，决策分析属于分析型处理。

事务处理是对数据库的日常联机操作，是操作型处理。它通常是对一个或一组记录的查询和修改操作，关心的是响应时间和数据的安全性、完整性。管理人员的决策分析工作属于分析型处理。这种处理需要经常访问大量的历史数据，通过分析处理制定出市场策略的决策信息。传统数据库系统适合完成事务类操作型处理，而实现数据分析型处理操作的最好办法就是数据仓库。

首先必须划清数据处理的分析型环境与操作型环境之间的界限，将原来以单一数据库为中心的数据环境变为由操作型环境和分析型环境两部分构成的体系化环境。数据仓库就是这个体系化环境的核心，数据仓库架构如图 3－19 所示。

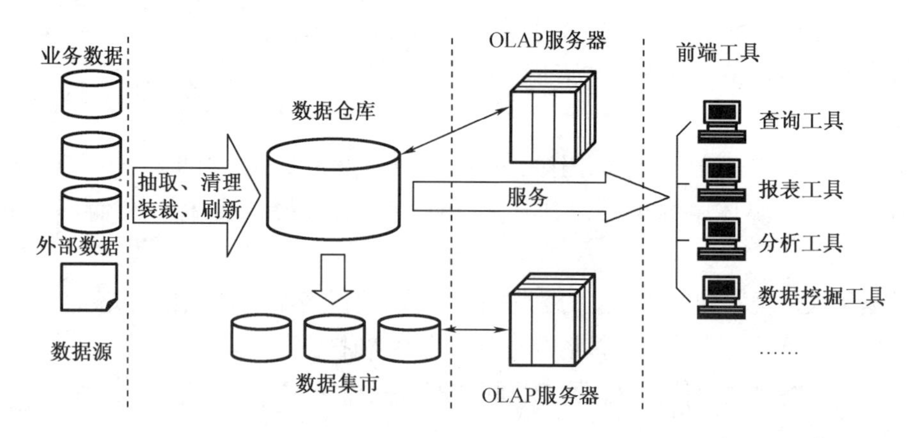

图 3－19　数据仓库架构示意图

(1)数据仓库组成

从图上可以看出数据仓库应当由下面几部分组成。

①数据仓库数据库。

数据仓库数据库是整个数据仓库环境的核心,是数据存放地方并提供对数据检索的支持。相对于操作型数据库来说其突出的特点是对海量数据的支持和快速的检索技术。

②数据抽取工具。

数据抽取工具可以把数据从各种各样的存储方式中拿出来,进行必要的转化、整理,并按主题组织起来,再存放到数据仓库内。

具有对各种不同数据存储方式的访问能力是数据抽取工具的关键,并且应当能够生成COBOL 程序、MVS 作业控制语言(JCL)、UNIX 脚本和 SQL 语句等,以便访问不同的数据。

数据转换包括删除对决策应用没有意义的数据段,转换到统一的数据名称和定义,计算统计和衍生数据,给缺值数据赋予缺省值,把不同的数据定义方式统一。

③元数据。

元数据是描述数据仓库内数据的结构和建立方法的数据。可将其按用途的不同分为两类,即技术元数据和商业元数据。

技术元数据是数据仓库的设计和管理人员用于开发和日常管理数据仓库时用的数据。包括数据源信息,数据转换的描述,数据仓库内对象和数据结构的定义,数据清理和数据更新时用的规则,源数据到目的数据的映射,用户访问权限,数据备份历史记录,数据导入历史记录,信息发布历史记录等。

商业元数据从商业业务的角度描述了数据仓库中的数据。包括业务主题的描述,包含的数据、查询、报表等。

数据为访问数据仓库提供了一个信息目录,这个目录全面描述了数据仓库中都有什么数据、这些数据怎么得到的和怎么访问这些数据,它是数据仓库运行和维护的中心,数据仓库服务器利用它来存储和更新数据,用户通过它来了解和访问数据。

④访问工具。

访问工具为用户访问数据仓库提供手段。有数据查询和报表工具、应用开发工具、经理信息系统(EIS)工具、联机分析处理(OLAP)工具、数据挖掘工具等。

⑤数据集市(data marts)

为了特定的应用目的或应用范围,而从数据仓库中独立出来的一部分数据,也可称为部门数据或主题数据。实际上数据集市就是为一个战略业务单元或部门服务的,低成本、小规模的数据仓库。

在数据仓库的实施过程中往往可以从一个部门的数据集市着手,以后再用几个数据集市组成一个完整的数据仓库。需要注意的就是在实施不同的数据集市时,同一含义的字段定义一定要相容,这样在以后实施数据仓库时才不会造成大麻烦。

(2)数据仓库的特点

数据仓库是一个对历史数据进行收集和分类处理的集成化系统。数据仓库不是面向操作性数据的即时处理,而是面向特定主题的数据处理。数据仓库中的数据来自操作性环境的输入,但是不进行任何编辑处理,只是输入、删除和整理,并将当前详细数据最终浓缩成高度概括的数据,长期保存(5~10年以上)以供决策支持使用。

所以数据仓库指的是一个面向主题的、集成的、相对稳定的、反映历史变化的数据集合,用于支持企业或组织的决策分析处理。数据仓库的特点如下。

①面向主题。

操作型数据库的数据组织面向事务处理任务,各个业务系统之间各自分离,而数据仓库中的数据是按照一定的主题域(如客户、供应商、产品、价格、职能领域等)进行组织的,只包含对决策有帮助的信息。

②集成。

数据仓库中的数据是在对原有分散的数据库数据抽取、清理的基础上经过系统加工、汇总和整理得到的,必须消除源数据中的不一致性,以保证数据仓库内的信息是关于整个企业一致的全局信息。

③相对稳定。

数据仓库的数据主要供企业决策分析用,所涉及的数据操作主要是数据查询,一旦某个数据进入数据仓库以后,一般情况下将被长期保留,也就是数据仓库中一般有大量的查询操作,但修改和删除操作很少,通常只需要定期地加载、刷新。

④反映历史变化。

数据仓库中的数据通常包含历史信息,系统记录了企业从过去某一时间点(如开始应用数据仓库的时点)到目前的各个阶段的信息,通过这些信息,可以对企业的发展历程和未来趋势做出定量分析和预测。

随着计算机技术特别是网络技术的发展和用户对数据库应用系统要求的变化,以网络为基础的计算机体系结构——Client/Server(客户端/服务器)体系结构已经使用的越来越普遍了。这是一种由网络联结的多台硬件组成的协同工作环境。该系统巧妙地将硬件做了分工,服务器专门用来存储共享数据及事务处理过程,客户机用来实现用户的应用程序,这种分工充分发挥了不同硬件的特点,有助于用户利用微机系统建立一个分布式的、既支持联机事务处理又具有友好用户图形界面和可扩充性良好的应用系统。数据仓库主要使用这种结构，通过因特网用户就能够实现数据的整合和快捷访问。

本 章 小 结

通过本章的学习，我们可以知道，各种企业管理信息系统的运行都需要特定的环境支持，这个特定的技术支持环境可以称为信息化或信息处理的基础平台。

本章首先对管理系统信息处理基础平台的概念及其发展进行了概括性总结，其后分别对计算机系统平台、通信网络平台、计算机网络平台、数据库平台等，进行了更为详细的介绍，包括产生的历史情况、构成以及发展演变等。

通过本章的学习，可以使读者初步了解信息处理基础平台的构成要素，熟悉与平台相关的技术内容及技术进步的相关情况。

[思考题]

1. 简述信息处理软资源包含的内容及作用。
2. 冯·诺伊曼结构计算机所包含的五大组成部分是什么？
3. 简述计算机发展的五个阶段及其所采用的基本器件。
4. 从通信双方的信息交互方式来看，通信系统可以分为哪三种方式？
5. 相对于双绞线和同轴电缆，光纤具有哪些优势？
6. 简述计算机网络的主要功能。
7. 写出 FTP、Telnet 和 http 协议的端口号。
8. TCP/IP 协议簇所包含的层次有哪些？
9. 构成物联网的“物”所必须具备的条件有哪些？
10. 物联网的感知层有哪些感知终端？RFID 技术与物联网有什么关系？
11. 请写出云计算的意义。
12. 为什么说云计算特别适合中小科技企业的发展？
13. 简述数据处理技术发展的三个阶段。
14. 数据库系统是由哪几部分组成的？各有什么作用？
15. 简述数据库系统的三级模式结构及两种映射。
16. 试述数据与程序的物理独立性和逻辑独立性。
17. 为什么数据库系统具有数据与程序的独立性？
18. 数据库管理系统与数据库系统有何区别？
19. 简述数据库管理系统的组成与功能。
20. 数据库新技术的发展主要表现在哪些方面？
21. 试述面向对象模型与面向对象数据库。
22. 简述分布数据库的含义与特点。
23. 简述数据仓库的定义与特点。
24. 简述多媒体数据库的特点。

第4章　管理信息系统开发的方法与规划

[学习目标]

1. 掌握管理信息系统结构化系统开发方法与原型化系统开发方法的思路、步骤以及两者的区别；

2. 了解面向对象的系统开发方法和计算机辅助软件工程；

3. 了解管理信息系统开发的组织机构设立与开发计划；

4. 了解企业管理信息系统规划的原因和意义；

5. 熟悉系统的初步调查方法和步骤；

6. 了解企业系统规划法、关键成功因素法和战略集转化法；

7. 熟悉管理信息系统可行性分析的内容。

4.1　管理信息系统开发的基本方法

管理信息系统的开发是企业从战略目标出发，在企业管理中引入信息技术，按照科学的方法和步骤，建立管理信息系统并使之有效运行，实现数据实时处理和信息快速获取的过程。管理信息系统的开发方法是指导开发者按照科学规范的思想、方式和步骤，开发管理信息系统的有效手段和工具。

4.1.1　管理信息系统开发方法概述

根据系统开发过程的不同特点，管理信息系统开发的基本方法主要有：结构化系统开发方法、原型化系统开发方法、面向对象的系统开发方法以及计算机辅助软件工程。

1. 结构化系统开发方法

结构化系统开发方法（Structured System Development Methodology，SSDM），又称结构化分析设计技术（Structured Analysis and Design Technology，SADT），或结构化系统分析与设计（Struc－Tured System Analysis and Design，SSAD）方法，它是系统工程思想和工程化方法在管理信息系统开发中的具体应用。它将管理信息系统看作一个工程项目，对整个系统进行分解和抽象，按照规定的步骤，遵循自顶向下、结构化和模块化的原则进行系统的分析与设计。它的特点是在管理信息系统的生命周期内，后一阶段的工作严格地建立在前一阶段工作成果的基础上。结构化分析设计技术是基于自顶向下的结构化生命周期思想的系统开发方法，是管理信息系统开发方法中应用最普遍、最成熟的一种。它也是本书的重点介绍内容。

2. 原型化系统开发方法

原型化系统开发方法(Prototyping System Development Methodology,PSDM)是20世纪80年代伴随着计算机软件技术的发展,特别是在关系数据库管理系统(Relational Data Basemanagement System,RDBMS)、第四代程序生成语言(4 th generation language,4GLs)和各种系统开发生成环境产生的基础上,提出的一种从设计思想、工具、手段都全新的系统开发方法。与结构化系统分析和设计方法相比,它扬弃了那种先进行周密细致的调查分析,然后整理出文档资料,最后才让用户看到结果的烦琐做法。它是在系统开发之初就凭借系统开发人员对用户要求的理解,在强有力的软件环境支持下,给出一个实实在在的系统原型,然后利用原型引导、提炼用户需求,并与用户反复协商修改原型,最终形成一个完整的运行原型(图4-1)。运行原型可能成为一个新的应用系统,也可作为应用系统开发的基础。

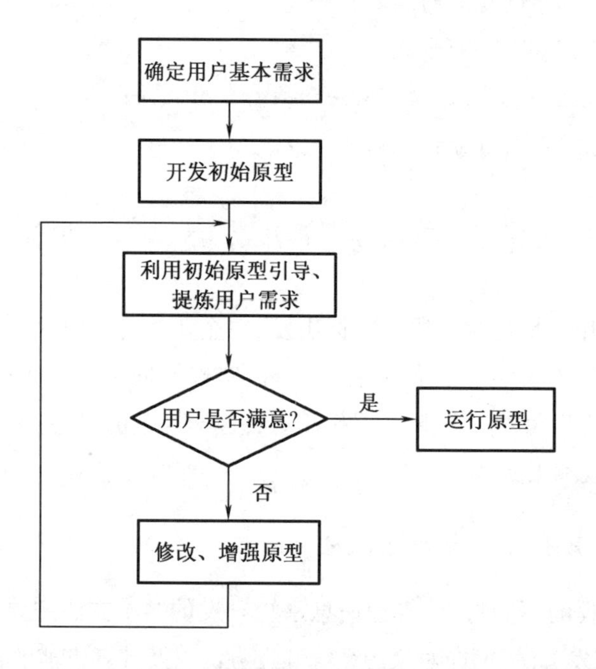

图4-1　原型化系统开发方法的管理信息系统开发流程

利用原型化系统开发方法的过程中,需要有高性能的开发工具辅助原型的快速构造和修改。与结构化分析与设计相比,原型化系统开发方法具有开发周期短、开发费用少、用户培训时间短的特点,但开发过程的管理困难,对于复杂的大系统也较难使用原型化系统开发方法。因此原型化系统开发方法比较适用于用户需求不明确,管理业务处理不稳定,系统规模小并且较为简单,系统要求在短期内运行的信息系统开发工作。

3. 面向对象的系统开发方法

面向对象的系统开发方法(Object Oriented System Development Methodology,OOSDM)是20世纪80年代中后期在面向对象程序设计语言(如C++)的基础上逐步形成的一种方法。C++具有丰富的库函数,程序是由一个个相互嵌套的函数构成,程序通过函数的调用实现功能。受C++结构的启发,便产生了面向对象的系统开发思想。即将常用的信息处理功能统一开发成一个个库函数,在系统开发时首先将管理业务进行分类划分,使其成为可以直接由一个或多个函数完成的功能模块,通过函数的调用实现功能。因此,面向对象的系统开发方法的主要思路是:开发工作围绕对象展开,在系统分析中抽象地确定系统的各个对象以及相关属性,在系统设计中对对象做进一步的归类、规范和整理,再将分析的结果映射到某种实现工具的结构上,最终产生应用软件系统。也就是说,面向对象的系统开发方法是在系统调查和需求分析的基础上,通过面向对象分析(Object Oriented Analysis,OOA)、面向对象设计(Object Oriented Design, OOD)和面向对象程序实现(Object Oriented Programming,OOP)等步骤来完成系统开发任务。

面向对象的系统开发方法解决了传统的结构化方法中客观世界描述工具与软件结构的不一致性问题,简化了从分析、设计到软件模块结构之间的多次转换映射的繁杂过程,缩短了开发周期。但面向对象的系统开发方法也是建立在对系统进行全面调查分析的基础上的,因此与结构化方法相互依存、不可替代。

4. 计算机辅助软件工程

管理信息系统的开发是一项大型的软件工程。传统的系统开发方法主要依靠手工进行系统的分析、设计和程序设计,因此开发周期长,工作效率低,系统维护工作量大,文档资料不规范。为提高系统开发的自动化水平,20 世纪 80 年代产生了计算机辅助软件工程(Computer Aided Software Engineering,CASE)开发环境。CASE 是在计算机辅助编程工具、4GLs 以及绘图工具的基础上发展起来的大型的、综合的软件开发环境。它与结构化系统开发方法、原型化系统开发方法等具体的开发方法结合,可辅助系统开发人员进行需求分析、功能分析,并可生成各种结构化图表(如数据流程图、数据字典、功能结构图等)、应用程序和说明性文档。

CASE 技术减轻了开发系统的手工工作量,提高了系统开发的效率和质量,可以保证数据的协调和统一,使系统容易扩充和维护,并可确保开发文档的规范化和标准化,从而使系统开发成为一个工程化的软件项目。

目前,市场上比较有影响的 CASE 产品有:Rational Rose、Visio、VSS、Together 等。

严格来说,计算机辅助软件工程不是一种开发方法,而是为辅助管理信息系统开发而提供的集成化环境和技术。

综上所述,管理信息系统开发的基本方法各有特点。结构化分析与设计方法能全面支持系统开发的整个过程,其他方法尽管各有许多优点,但目前只能作为结构化系统开发方法在局部开发环节上的补充,暂时不能居于系统开发的主导地位。

管理信息系统开发方法通过可视化、软件复用等技术,在计算机辅助软件工程(CASE)、软件开发工程(Software Development Engineering,SDE)以及集成化项目或程序支持环境(Inte - Grated Project/Programming Support Environment, IPSE)的支持下,形成较为全面的管理信息系统开发方法体系(图 4 - 2),从而更能提高管理信息系统开发的效率和质量。

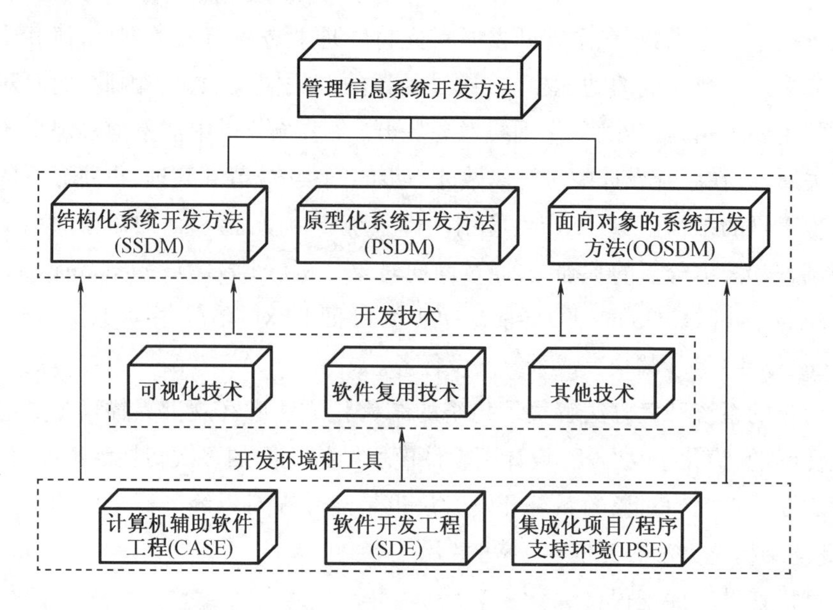

图4－2　管理信息系统开发方法体系结构

4.1.2　结构化系统开发方法

20世纪70年代,一些西方发达国家在总结以往管理信息系统开发的经验和教训之后,逐步形成并提出了结构化分析与设计的思想和方法,简称结构化系统开发方法。该方法要求管理信息系统的开发工作严格按规定的步骤,使用一定的图表工具,在结构化和模块化的基础上进行。该方法将系统作为一个大模块,根据系统分析与设计的不同要求,进行模块的分解和组合工作,并将这一思想贯穿于系统开发的始终。

1.结构化系统开发方法的基本思想

具体来说,结构化系统开发方法的基本思想主要体现在以下几个方面。

(1)严格按阶段开发

将管理信息系统开发的整个过程划分为若干个阶段,每个阶段都有明确的任务、目标和实施步骤。这种做法不仅条理清楚,便于计划和控制,而且,后一阶段的工作以前一阶段的成果为依据,基础扎实,不易返工。

(2)充分考虑情况的变化

管理信息系统的业务内容和所处的环境都有可能发生变化,因此,系统设计时要尽量考虑可能发生的变更,使新系统具有较强的灵活性、可变性和环境适应性。

(3)采用结构化和模块化的方法

管理信息系统的开发要采用结构化、模块化的设计方法,使新系统的各个组成部分独立性强,便于设计、维护和修改。模块划分要自顶向下逐步细化。

(4)建立面向用户的观点

用户的要求是管理信息系统开发的出发点和归宿,系统的成败取决于系统是否符合用户要求,用户对它是否满意。因此,在管理信息系统开发的整个过程中,要一切从用户的利益出发，尽量让企业领导和管理人员参与。要与用户始终保持联系，让他们了解开发的进程。对系统开发过程中出现的问题要及时与用户交流并协商解决。对用户提出的要求，经通盘考虑，尽量予以满足。

(5)加强调查研究和系统分析

为使管理信息系统全面反映科学的企业业务流程，充分满足用户的要求，要对现行系统进行全面深入的调查，提出业务流程重组方案。在调查研究的基础上进一步展开系统分析工作，并提出新系统的最佳方案。

(6)逻辑设计和物理设计分步进行

经过对现行系统的调查分析，开发人员要利用一定的图表工具设计出新系统的逻辑模型，即逻辑设计。逻辑模型如同建筑物的建筑图纸一样，它能全面反映新系统的面貌。逻辑设计完成后，再进行具体的物理设计，使逻辑模型具体化。

(7)工作成果要建立标准化文档

管理信息系统开发是一项复杂的系统工程，参加的人员多，经历的时间长。为保证工作的连续性，每个开发阶段的成果都要用文字、图表表达出来，并且其表达格式一定要标准化。这些文档是系统开发人员之间、开发人员与用户之间交流协调的依据和工具，也是系统维护的重要依据，因此要认真对待，妥善保存。

2. 管理信息系统的生命周期与开发步骤

任何系统都有发生、发展和消亡的过程。新的管理信息系统在旧的系统上产生，它随着运行环境的变化而不断得到维护和修改，最后因老化而被更新型的管理信息系统所取代。这一过程被称为管理信息系统的生命周期。

通常，一个系统的生命周期划分为系统规划、系统分析、系统设计、系统实施以及系统维护与评价 5 个阶段(图 4－3)，每一个阶段可进一步细分为若干个具体步骤(图 4－4)。前 3 个阶段由系统开发人员和用户共同承担，最后一个阶段由用户在管理信息系统的实际运行中完成。

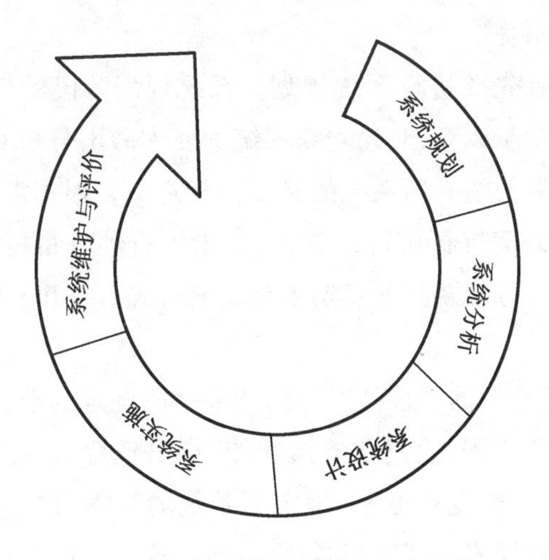

图 4－3　管理信息系统的生命周期

管理信息系统生命周期中的任何一个阶段、步骤都不是孤立的，它们不仅有时间上的继承关系，而且还有内在的逻辑联系。某一步骤的欠缺，问题会在后续步骤中暴露出来，从而导致修正或返工。因此，一定要按照系统生命周期的规律，从事系统的开发和维护工作。

现根据图 4 -4 将管理信息系统生命周期中各阶段的主要工作内容简要介绍一下。

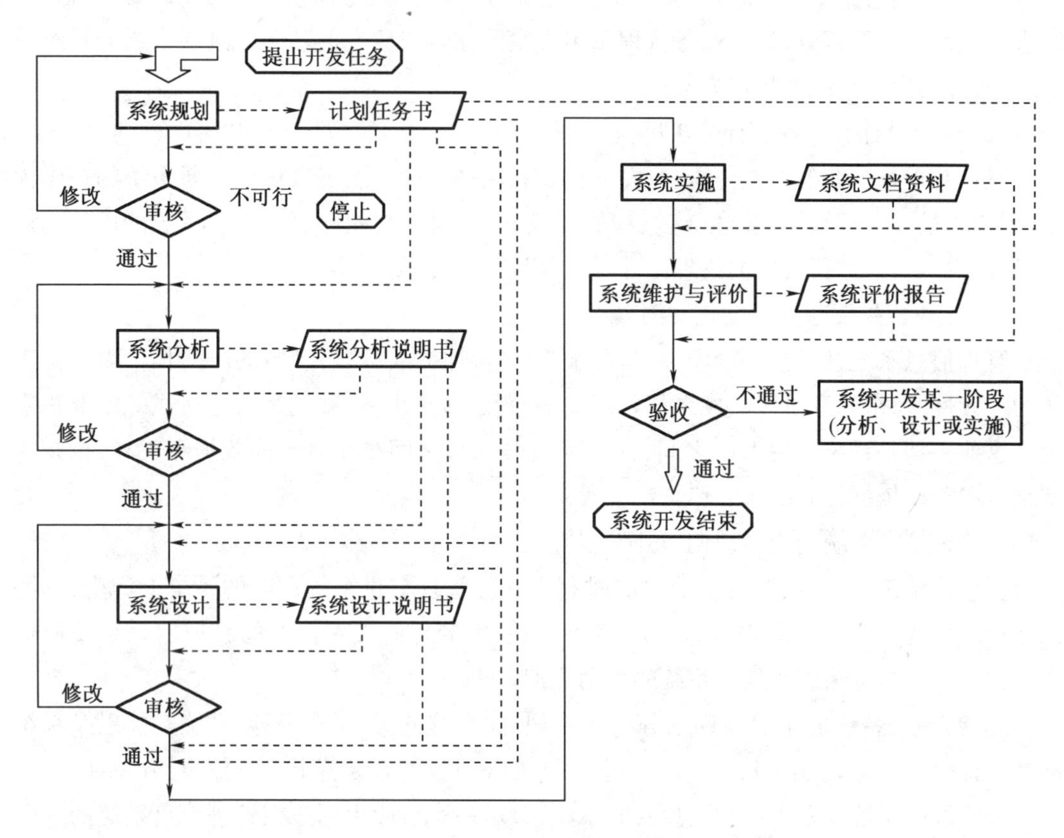

图 4 -4　管理信息系统的生命周期与开发步骤

(1)系统规划阶段

开发管理信息系统，首先要进行系统规划。系统规划阶段的任务是对企业的环境、目标、现行系统的状况进行初步调查，对建立新系统的要求做出分析和预测，同时要考虑建立新系统所受的各种约束，以及建立新系统的必要性和意义。根据需要与可能给出拟建新系统的备选方案，并对这些方案进行可行性分析，写出可行性分析报告。可行性分析报告经审议通过后，将新系统初步方案及其开发实施计划编写成系统开发“计划任务书”。

(2)系统分析阶段

系统分析阶段的任务是根据系统开发计划任务书所确定的范围，对现行系统进行详细调查，描述现行系统的业务流程，绘制业务流程图，指出现行系统的局限性和存在的问题，提交业务流程重组和组织结构变革方案，确定新系统的基本目标和逻辑功能要求，即提出新系统的逻辑模型，绘制数据流程图，编制数据字典。这个阶段又称为逻辑设计阶段，它是整个系统开发的关键阶段，也是信息系统建设与一般工程项目的重要区别所在。

系统分析完成后要编写系统分析说明书。系统分析说明书是系统开发的必备文件,是系统设计和系统验收的依据。

(3)系统设计阶段

系统分析阶段的任务是回答"系统做什么",系统设计阶段要解决的问题则是"系统怎么做"。即要根据系统分析说明书的要求,考虑实际条件,具体设计实现逻辑模型的技术方案,也就是设计系统的物理模型。因此该阶段又称为系统的物理设计阶段。

系统设计阶段要根据模块化的要求实施系统细分,并要进行代码设计、输出设计、输入设计、数据库设计、人机界面设计和安全保密设计等具体物理设计。该阶段的成果要编入系统设计说明书。

(4)系统实施阶段

系统实施阶段的主要任务是设备的购置、安装和调试,程序设计语言的选择,程序设计,程序的输入和调试,系统测试,人员培训,系统切换等。该阶段要编写程序设计说明书、系统测试报告、系统使用说明书等文件。

(5)系统维护与评价阶段

系统在企业切换完成后,需要进行维护和修改。在系统运行和维护过程中要做好记录,并编写系统维护说明书。系统运行正常后,要对系统的工作质量和需要做出评价,并编写系统评价报告。系统评价报告是系统验收的依据。

4.2 管理信息系统开发的组织管理

管理信息系统的开发是一项周期长、耗资大、涉及人员多的系统工程,因此开发过程中的组织与管理是确保开发项目保质保量完成的必要手段。

4.2.1 管理信息系统开发的组织管理机构

建立管理信息系统开发的组织机构是有效管理系统开发过程的前提,组织管理机构的组成形式和规模应根据项目的大小而定。管理信息系统开发的实践证明,企业最高领导的重视和参与是管理信息系统开发成功的关键因素,因此成立由企业最高领导负责的管理信息系统开发委员会是一种理想的系统开发组织管理形式。系统开发委员会是系统开发的最高决策机构,其主要职能是确定系统开发的目标,审核和批准可行性分析报告、系统规划方案、系统分析说明书、系统设计说明书等文档资料,编制系统开发计划,制订系统开发技术方案,负责系统开发期间人、财、物的调配,聘请上级领导和有关专家验收系统。系统开发委员会的成员应包括企业信息主管(如果没有信息主管,则应按照具有丰富的企业管理经验,了解管理信息系统的基本知识,并富有组织管理能力的原则选定主管,信息主管是系统开发完成和系统开发委员会解散后整个管理信息系统的最高负责人)、各有关部门的负责人、各有关部门今后使用信息系统的代表(一般一个部门一人)、外聘的企业信息化专家、系统开发的技术人员等。企业信息主管是系统开发委员会的召集人,直接向企业最高领导负责并贯彻有关政策。系统开发委员会下设系统开发部。系统开发部是系统开发的具体工作机构,受企业信息主管直接领导,可以设立系统分析组、系统设计组、程序设计组、系统硬件组、人员培训组、计划控制组、文档管理组、管理规范组等开发小组。系统开发部下设开发小组的性质、数量及其规模可根据信息化项目的具体情况而定,小组成员也可跨小组兼职。

管理信息系统开发的组织管理机构可参考图4-5。

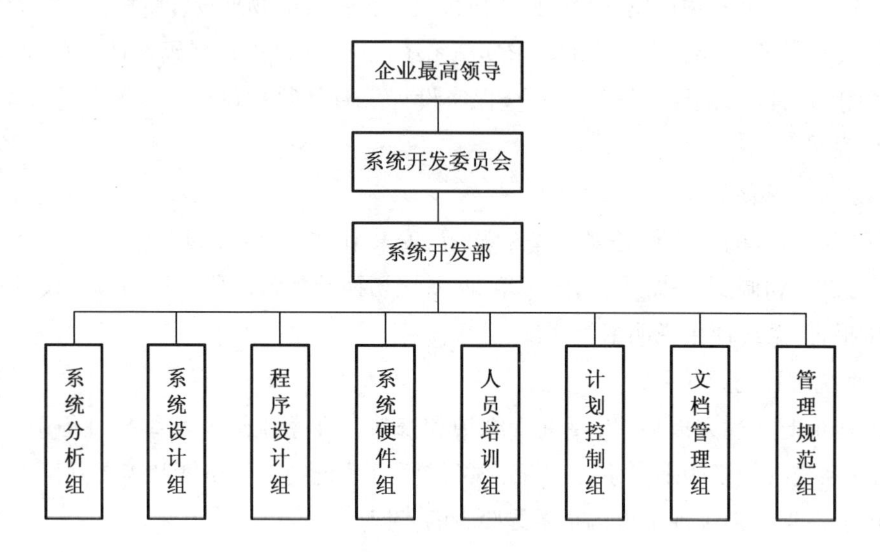

图4-5　管理信息系统开发的组织管理机构

管理信息系统开发部下设开发小组的职责要求可参考表4-1。

表4-1　管理信息系统开发小组的职责要求

开发小组	职责要求
系统分析组	系统调查分析、业务流程重组、组织结构变革、目标系统逻辑设计、编写系统分析说明书等
系统设计组	系统机构设计、代码设计、输入输出设计、数据库设计、系统安全保密设计、编写系统设计说明书等
程序设计组	设计、调试应用程序等
系统硬件组	物理系统设计、设备选型、设备购买、设备安装与调试等
人员培训组	对用户实施计算机基础知识、管理信息系统理论、系统操作、网络管理等方面的培训等
计划控制组	编制和控制管理信息系统开发计划、协调各小组工作、对外(包括用户)联系等
文档管理组	编制和管理信息系统开发中的各类文档
管理规范组	对用户各部门的管理业务、数据格式等提出规范要求,并实施监督;制定管理信息系统运行管理的各种规章制度

4.2.2 管理信息系统开发的计划与控制

对管理信息系统进行开发的计划与控制的目的是确保开发项目在一定的资源条件下，能够保质保量按期完成。系统开发计划与控制的内容一般有以下几个方面。

(1)资源保证

人、财、物等方面的资源是完成系统开发计划的基础，因此各项资源的按期提供是系统开发组织与管理的首要任务。

(2)进度控制

在计划执行过程中，要制定具体的办法和措施，对各个阶段的进度进行监督和检查。当某个阶段的任务不能如期完成时应设法补救，如果按时完成确有困难，应及时调整计划。为便于进度的控制与检查，可绘制进度图表，明确进度与责任。图4－6为某管理信息系统的开发进度图，各阶段可再绘制分进度图。

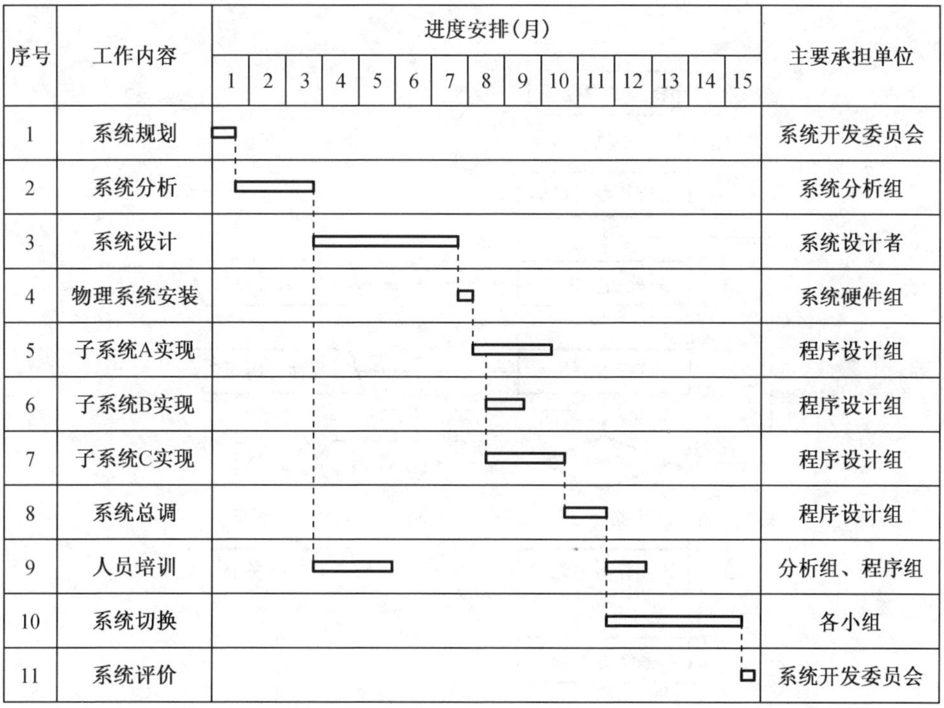

序号	工作内容	进度安排(月)															主要承担单位
		1	2	3	4	5	6	7	8	9	10	11	12	13	14	15	
1	系统规划																系统开发委员会
2	系统分析																系统分析组
3	系统设计																系统设计者
4	物理系统安装																系统硬件组
5	子系统A实现																程序设计组
6	子系统B实现																程序设计组
7	子系统C实现																程序设计组
8	系统总调																程序设计组
9	人员培训																分析组、程序组
10	系统切换																各小组
11	系统评价																系统开发委员会

图4－6 某管理信息系统开发进度安排

(3)检查审核

每个阶段的任务完成后，应及时检查和审核，以确保每个阶段的工作质量，避免对后期开发造成影响，防止事后返工。

(4)费用统计

按项目进度及时统计费用支出情况，根据费用开支计划，控制和调整开发费用。

4.3 管理信息系统开发的系统规划

系统规划是对管理信息系统开发必要性和可行性的论证,它指明了系统开发的方向、目标、结构、规模以及计划,它从系统整体的高度,勾画出管理信息系统的开发和建设的战略蓝图,因此系统规划是企业信息化建设的重要环节。

4.3.1 系统规划的内容和步骤

系统规划是管理信息系统开发的准备阶段,它的主要任务是根据企业提出的开发新系统的要求,由专门成立的系统开发委员会组织专人开展初步调查,就管理信息系统开发的必要性和可行性提出分析报告,给出开发新系统的结论性意见。系统开发的可行性分析报告获得系统开发委员会批准后,则制订包括系统开发方案和开发计划在内的系统开发计划任务书,并交由系统开发部进入系统分析阶段,正式进行管理信息系统的开发工作。

根据系统规划的主要任务,系统规划的内容和步骤如图 4 -7 所示。

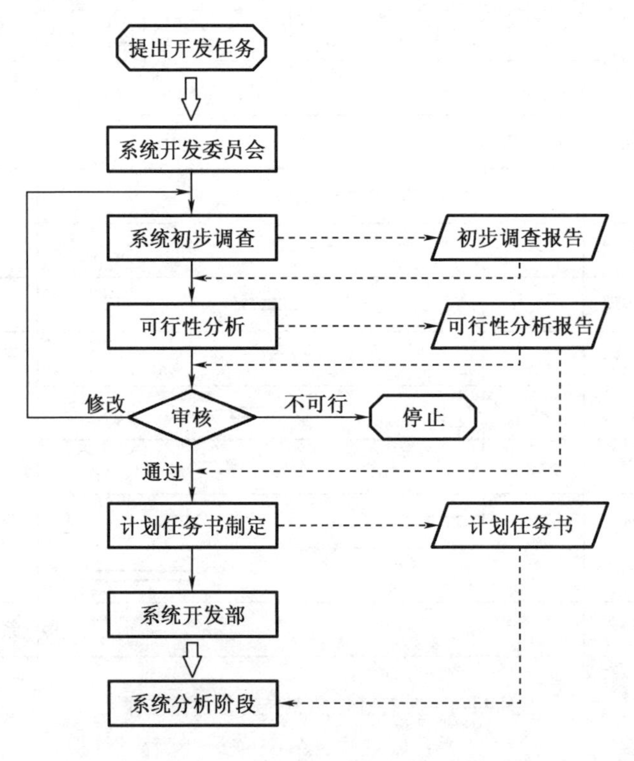

图 4 -7 系统规划的内容与步骤

4.3.2 系统开发任务的提出

企业管理信息系统开发任务的提出一般出于以下几个方面的原因。

(1)管理人员在数据处理过程中遇到了现行系统难以解决的问题和困难。如上级要求报表上报时间提前;负责某项业务的人员减少;业务内容和业务范围突然增加等情况会促使用户萌生开发系统的念头。

(2)业务内容规律性强,但单调、烦琐、重复劳动的现象严重且重复周期短。

(3)因企业规模的扩大,信息处理量猛增。

(4)历史数据的查询工作频繁;为了分析客户与市场,需要经常利用历史数据进行统计分析和预测。

(5)在原有管理信息系统的基础上,实现更大范围内的信息管理自动化。

(6)企业管理上台阶,使其更加规范、科学。

(7)新的信息处理技术的发展,使原来期望开发而在技术上或经济上不可行的系统变为可行。

(8)上级主管部门的要求。

系统开发任务提出以后,企业要组织人员进行初步调查和可行性分析,主要目的是从总体上确定管理信息系统的目标、结构和规模,并对系统开发所需的各种费用进行测算。根据调查结果和预算情况,从技术、经济以及组织实施等方面进行可行性分析后决定是否开发,如需开发系统则应制定计划任务书,如与外单位合作开发则必须签订开发合同。

4.3.3 系统初步调查

系统初步调查的任务是根据新系统开发的请求,企业组织专门的人员和专家开展初步的调查研究,以便决定项目开发是否合理有效,是否可行。

1. 系统初步调查的内容

系统初步调查的内容包括以下几个方面:

①组织结构、业务范围、业务流程;

②计算机应用现状、计算机应用人员的水平;

③用户对系统的功能需求和资源需求(软件资源、硬件资源的需求)。

初步调查的涉及面较广,但并不一定很详细(详细调查是系统分析阶段的任务)。初步调查的方式可以是查阅资料和面谈,面谈对象包括企业的领导、管理人员和当前计算机应用人员。初步调查时企业的需求一般较为概括和简单,因此需要调查人员分析和引导,真正将管理现状和需要解决的问题调查清楚。初步调查完成后,调查人员应针对调查结果进行分析和总结,分析组织结构、业务流程和企业需求的合理性,提出意见和建议。系统初步调查完成后,应拟定合作开发单位,并初步确定应用软件开发费用。

2. 调查报告的内容

作为调查成果,系统初步调查人员应向系统开发委员会提交一份初步调查报告。调查报告的内容包括:

①调查的内容,包括组织结构、业务流程和企业需求;

②存在的问题和解决问题的意见与建议;

③新系统的目标、主要功能以及与现有系统的关系；

④新系统的总体逻辑结构（主要是总体数据流程）和总体物理结构；

⑤需要购买的硬件和系统软件预算，应用软件开发预算；

⑥系统开发的进度计划。

系统初步调查报告是系统可行性研究的主要依据，对系统开发有重要影响。因此应有理有据。

4.3.4 系统规划方法

在系统初步调查过程中，根据企业发展战略和实际情况，确定管理信息系统的目标和战略，进而确定管理信息系统的整体结构和功能体系，是极为关键的一个环节，是系统规划的重要内容。在管理信息系统开发实践中，人们往往通过调查、分析和研讨，实现新系统的整体描述，这对于小型的企业和管理信息系统而言，基本可以完成战略目标的转化任务。但对于大型管理信息系统的开发，则还需要利用一定的方法，辅助制定系统规划。

目前，系统规划的方法主要有：企业系统规划法（Business System Planning，BSP）、关键成功因素法（Critical Success Factor，CSF）以及战略集转化法（Strategy Set Transformation，SST）。在此，简要介绍这些方法。

1. 企业系统规划法

企业系统规划法是IBM公司在20世纪70年代提出的，旨在帮助规划人员根据企业目标制定管理信息系统的规划，以满足企业近期和长期的信息需求。它从企业目标入手，逐步将企业目标转化为管理信息系统的目标和结构，从而更好地支持企业目标的实现。它的基本思想是：先自上而下识别企业目标，识别企业过程，识别数据，然后再自下而上设计系统。企业系统规划法的逻辑思路，如图4－8所示。

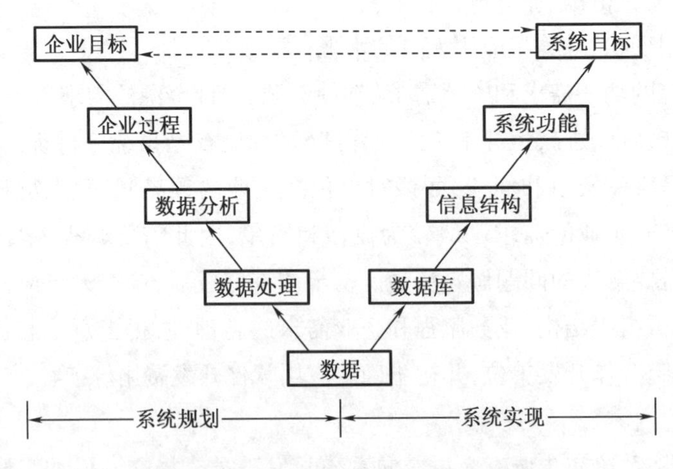

图4－8 企业系统规划法的逻辑思路

从企业战略目标开始，企业系统规划法的工作过程可以归纳为3个阶段：定义企业过程、定义数据类、定义信息系统总体结构。

（1）定义企业过程

定义企业过程是指识别企业逻辑上相关的一组决策和活动的集合。企业管理活动是由许多企业过程组成的，可以归纳为计划与控制、产品和服务、支持资源3个方面。识别企业过程，实际上就是识别这3个方面的过程。

（2）定义数据类

数据类是指支持企业所必需的逻辑上相关的数据。定义数据类是指对能够激发企业管理工作活动所需数据的识别，其目的是了解企业当前的数据状况和数据要求，查明数据共享的关系，并建立数据过程矩阵，为设计信息系统的体系结构提供依据。

（3）定义系统总体结构

BSP方法将企业过程和数据类两者作为定义企业信息系统总体结构的基础，利用过程/数据矩阵（也称U/C矩阵）来表达两者之间的关系。U/C矩阵将数据对照企业过程安排在一个矩阵中，矩阵中的行表示数据类，列表示过程，并以字母U（use）和C（create）来表示过程对数据类的使用和产生。

U/C矩阵所绘出的管理信息系统总体结构图，可以很清楚地表示每个子系统的范围及其产生和使用的数据，由此可以明确各子系统间的数据传递关系以及数据共享情况，也有助于数据管理部门进行有效的数据逻辑结构设计和对分布式数据的处理。

2.关键成功因素法

组织的信息需求分析方法有两大类：一类是全面调查法，另一类是重点突破法。企业系统规划法属于前一种方法，而关键成功因素法则属于后一种方法。1970年哈佛大学教授William Zani在管理信息系统模型中使用了关键成功变量，这些变量是确定管理信息系统成败的因素。10年后，MIT教授约翰·罗卡特把关键成功因素提升为管理信息系统战略的影响因素，用以满足高层管理的信息需求，特别是解决那些被大量报表淹没，却几乎找不到任何有价值的信息的问题。关键成功因素指的是对企业成功起关键作用的因素。关键成功因素法就是通过分析找出使得企业成功的关键因素，然后再围绕这些关键因素来确定信息系统的需求，并进行规划。例如1个超市的良好经营可能受以下4个关键因素：有适当的商品结构、货架上持续有这些商品、有优良的广告吸引顾客上门、合适的定价的影响，建立的超市管理信息系统必须能连续地监测和报告反映这些问题的数据。

关键成功因素的识别，是指与系统目标相关的主要数据类及其关系的识别，常用的识别工具为树枝因果图。关键成功因素法适用于高层领导的决策和规划，因为企业组织的高层领导经常考虑关键的影响因素。

需要指出的是，在不同的业务活动中，关键成功因素有很大的不同，即使在同一类型的业务活动中，在不同时期内，其关键成功因素也不相同，即不同的管理信息系统，其信息需求各不相同，同一个管理信息系统的信息需求在不同的时期也会不同。随着时间的改变，某个时期的关键成功因素可能会变成一般的影响因素，一些很一般的因素可能会成为关键成功因素。制定管理信息系统规划时，弄清规划涉及期内最重要的影响因素是问题的关键。

3. 战略集转化法

战略规划涉及组织的内外环境因素较多,不确定性问题较突出,而战略集转化法(SST)可以充分考虑各种因素,满足企业各方面的要求。战略集转化法是将整个战略目标看成由使命、目标、战略和其他战略变量组成的一个“信息集合”,并通过某种映射,将之转换成一个适当的、与之关联和一致的管理信息系统战略集的过程。这种方法是由 William King 于1978年提出来的,规划过程就是把企业组织的战略目标转化为管理信息系统战略目标的过程。

战略集转法分为两步。第一步是识别组织的战略集。“组织战略集”是指组织的要求和方向等元素,是组织自身战略规划过程的产物,主要包括组织的使命、目标、战略以及一些同管理信息系统有关的战略性组织属性。

第二步是将组织战略集转化成管理信息系统战略集。管理信息系统战略集的元素构成管理信息系统战略规划的要素,由系统目标、系统约束和系统设计战略组成。这个转化的过程应将企业组织的目标、约束、设计原则转化为管理信息系统的目标、约束,并提出一个完整的管理信息系统结构,将其提交给企业负责人审查。

战略集转化法从另一个角度识别企业组织的管理目标,清楚地反映了各类人员的要求,最后将企业的战略目标转化为管理信息系统的战略目标,描述全面,缺点是重点不突出。

战略集的转化过程难以形成规范的形式,因为对于不同的组织,其战略集的内容相差很大。本方法的每一步结束后都应由组织的最高负责人审查,以确定管理信息系统的目标能够有效支持企业战略的实现。

在系统规划的制定过程中,上述三种方法各有优势,也各有不足。关键成功因素法能抓住主要矛盾,使目标的识别重点突出。战略集转化法从另一个角度识别管理目标,它反映不同种人员的要求,而且给出按这种要求的分层,然后转化为信息系统的目标。它能保证表达的管理目标比较全面,遗漏较少,但它不如关键成功因素法突出重点。企业系统规划法虽然也首先强调目标,但它没有明显的目标引出过程。它通过识别企业过程引出系统目标。这样可以定义新的系统以支持企业过程,即把企业的目标转化为系统的目标。

4.3.5 可行性分析

可行性分析(又称可行性研究)是指在对现行系统初步调查研究的基础上,根据企业的要求和新系统的目标,并考虑系统开发所受到的各种制约条件,研究系统开发的意义和可行性。可行性分析是对系统开发的全面论证和把关,因此必须予以高度重视。可行性分析涉及技术、经济和实施等几个方面。

1. 技术上的可行性

技术上的可行性分析指的是根据现有的技术条件并结合信息技术已达到的水平,分析所提出的目标能否实现。技术条件主要包括硬件、软件条件以及从事系统开发的技术人员的数量和水平。

硬件方面主要考虑计算机的内存、处理速度、功能、联网能力、安全保护设施，以及输入、输出设备，外存储器和联网数据通信设备的配置、功能和效率等。软件方面主要考虑操作系统、数据库管理系统等系统软件的功能以及现成可用的应用软件。计算机技术的飞速发展，为管理信息系统的开发提供了强有力的技术保证。

系统开发的技术人员方面不仅要考虑数量，更重要的是要考虑质量，考察其从事网络连接以及应用软件开发的能力。

2. 经济上的可行性

经济上的可行性分析是指将管理信息系统开发所需的费用及将来的运行费用与新系统的收益进行比较，衡量是否有利。

费用主要包括设备费用、开发费用和运行费用3个方面。

(1)费用

①设备费用

设备费用包括计算机硬件，网络连接设备，输入输出设备，电源、空调及其他机房设备，设备的安装和调试，购入的软件等方面的费用。

②开发费用

开发费用包括系统开发(系统分析、设计、实施、维护、培训等)的费用及其他有关费用开支。

③运行费用

运行费用包括保证系统正常运行所需要的人员费用、材料(存储盘、纸张、水、电)费用、设备维护费用及其他与系统运行有关的费用。

在费用估算时，维护费经常容易被忽略。一些单位只考虑购买设备的费用，一次性投资的金额可以通过，但每年的维护费用却没有预算，出现“买得起，养不起”的局面。

(2)收益

收益(或效益)一般是指管理信息系统正常使用后在管理上取得的经济效果。收益难以定量化，因此它的估算比较复杂。收益可以从以下一些方面尽可能地进行定量估计。

①信息系统可以提供以前提供不了的信息；

②信息提供的速度增快；

③所提供的信息的质量(精确度、输出方式)提高；

④完成以前不能做或不能及时做的数据处理工作；

⑤调查和利用信息的方便程度提高；

⑥节省人力，减少费用，减轻劳动强度；

⑦改进薄弱环节，完善科学管理；

⑧为企业领导和各层次管理人员的决策提供帮助；

⑨加强企业与外部环境的联系和数据处理工作；

⑩改善经营管理，减少资金积压，提高计划的准确性。

收益的估算应由系统开发人员、企业领导和有经验的管理人员一起参与。

3. 实施上的可行性

实施方面的可行性分析指的是对管理信息系统开发完成并投入使用后能否正常运行和取得预期的效果展开分析,它不是从系统本身展开研究,而是从以下几个方面进行论证。

(1)是否具有保证系统正常运行和维护的系统操作人员、技术人员和管理人员?如不具备,能否确保在系统开发完成前培养?

(2)现行系统的科学化、规范化管理如何?能否为系统的正常运行及时提供准确的原始数据?

(3)能否合理安排因系统使用而冗余的管理人员?

(4)因系统使用而引起的组织结构、管理方式的变化和对人员素质要求的提高是否会造成人为的抵触和阻力?

实施上的可行性分析非常重要,它会直接影响新系统的正常运行,通过分析研究找出问题并采取措施予以解决,从而为管理信息系统的顺利实施铺平道路。

可行性分析工作完成后,要写出管理信息系统开发的可行性分析报告。如果可行性分析报告通过,则可进入系统分析与设计阶段;如果条件不成熟,则通过调查研究、增加资源、改变新系统目标等方式创造条件,并再次进行可行性论证;如果不可行,则应停止开发。

可行性分析报告是管理信息系统进一步分析与设计的指导性文件,也是系统评价的依据,因此必须认真编制,反复审核。

可行性分析报告通过以后,应编制计划任务书,确定各阶段的开发内容、达到的目标、开发进度、开发费用和人员安排等。企业如与外单位合作,则需要与合作开发单位签订开发合同,明确双方的权利和义务,规定开发计划、开发费用、移交成果、验收标准等内容。

最后,系统开发部根据计划任务书的要求,组织协调开发人员,全面进入管理信息系统的开发阶段。

案例

根据企业的战略和物流中心的实际运作情况,贝斯特工程机械公司完成了物流管理信息系统的可行性分析报告。报告的简要内容如下。

1. 系统名称

贝斯特工程机械有限公司物流管理信息系统。开发工作由公司内部新成立的信息部和外请软件公司共同完成。新系统的用户为公司内部与物流业务有关的部门和人员,主要是物流部门和采购部门。

2. 现行的组织机构、职能分工

此处不再赘述。

3. 现行物流流程简要介绍

如生产物流、供应物流、仓储管理、采购物流等。同时介绍现有的管理信息系统资源情况,如已有系统情况、现有的计算机和网络资源情况、相关人力资源情况、数据积累情况等。

4. 分析贝斯特工程机械有限公司当前存在的问题

这些问题可能是由于流程不合理造成的,也可能是流程效率太低造成的(流程本身合理)。贝斯特工程机械有限公司仓储管理中单据的核对是现有流程中的一个瓶颈环节,效率非常低,而这个流程在现有情况下是合理的,难以提高效率。只有实现信息化管理以后,才可能大幅度提高效率,解决瓶颈问题。

5. 新系统的目标

(1)实现对公司现有内部物流的全面管理,尤其要解决仓储管理中存在的问题。

(2)保证公司内部物流供应的及时性、准确性,缺货率低于1%,供货不及时率低于1.5%。

(3)解决相关业务流程的效率问题,能够在最短的时间内(30分钟内)回应供应商付款的需求。

(4)降低库存成本,在提高管理水平的前提下,使库存成本下降20%。

(5)提高对公司各部门物资使用的管理水平,全面推行预算管理和定额管理制度。

(6)为企业供应商管理提供信息支持,确保决策的科学性。

6. 新系统的建议方案

(1)系统功能模块规划。系统功能模块初步设定为仓储管理、用料定额管理、采购订单管理、供应商管理4个模块。每个模块需要完成的主要业务不再详述。

(2)系统软硬件规划。本系统客户端拟在Windows 2000及以上操作系统上运作,开发工具采用Oracle平台和数据库,网络由公司内部网支持。

7. 新系统开发计划

新系统开发时间定为6个月:前1个月进行需求详细调查;中间4个月进行系统开发;最后1个月完善系统并将其予以实施。

8. 新系统可行性分析

可行性可以从经济、技术、管理以及人员等方面展开,在此不再赘述。

通过以上分析,开发部认为贝斯特工程机械有限公司的内部物流管理信息系统规划可行,具备开发条件。

思考:

你认为贝斯特工程机械有限公司的内部物流管理信息系统可行性分析报告还能从哪些方面加强分析?

本章小结

管理信息系统的开发方法是指导开发者按照科学规范的思想、方式和步骤,开发管理信息系统的有效手段和工具。管理信息系统开发的基本方法主要有:结构化系统开发方法、原型化系统开发方法、面向对象的系统开发方法以及计算机辅助软件工程。结构化系统开发方法具有规定的步骤,并使用一定的图表工具,符合人们分析问题、解决问题的一般思路,是管理信息系统开发的常用方法。

管理信息系统开发过程中的组织与管理是确保开发项目按质按量完成的必要手段,应成立组织管理机构,并实行严格的计划与控制。

管理信息系统规划是企业信息化建设的首要环节,它从系统整体的高度,勾画出管理信息系统的开发和建设的战略蓝图,系统规划的方法主要有:企业系统规划法、关键成功因素法以及战略集转化法。

可行性分析报告和计划任务书是系统规划的主要成果,也是管理信息系统开发后续阶段的主要依据。

[复习题]

1. 简述管理简述管理信息系统结构化系统开发方法、原型化系统开发法和面向对象的系统开发方法的思路。它们各有什么优缺点?

2. 结构化系统开发方法的基本思想是什么?

3. 简述结构化系统开发方法的步骤。

4. 管理信息系统的开发组织包括哪些具体的职能部门?

5. 系统规划的含义是什么?为什么要做管理信息系统规划?

6. 企业管理信息系统开发任务提出的原因有哪些?

7. 系统初步调查的内容包括哪些方面?

8. 什么是系统规划的 BSP 法?它的过程分为哪些步骤?

9. 什么是 U/C 矩阵?其作用是什么?

10. 什么是关键成功因素法?什么是战略目标集转化法?

11. 可行性分析的含义是什么?它包括哪些方面?

12. 经济可行性分析是从哪几个方面展开的?

[思考题]

1. 现在的很多技术类的书籍都强调面向对象的系统开发方法,你认为它与生命周期法和原型化系统开发法有何关联?为什么现在强调面向对象的系统开发方法呢?

2. 面向物联网是管理信息系统未来的一个重要发展方向,你认为在这样的环境下,未来的管理信息系统开发方法应该具有哪些特征?

3. 试讨论管理信息系统规划与可行性分析的关系。

4. 从 CSF 系统规划方法的初衷和在企业中的应用结果中,你能得到哪些启示?

5. 初步调查的目的是什么?其结果应包含哪些主要内容?

第 5 章　系统分析与建模

[学习目标]

1. 掌握系统开发方法及系统开发项目管理;

2. 了解可行性分析的任务和内容,可行性分析报告格式;

3. 掌握系统分析阶段的组织结构和功能分析,业务流程分析;

4. 了解面向对象的概念、对象模型、动态模型和功能模型。

5.1　管理信息系统开发方法概述

5.1.1　系统开发方法

1. 结构化系统开发方法

随着计算机应用领域的不断拓大,各种各样的问题也不断涌现,当问题严重到开发人员无法控制的时候便产生了软件危机。软件危机的出现,促使了软件工程学的形成和发展。随之整合整套技术的软件工程方法学广泛应用,主流之一就是传统的软件工程方法学。传统的软件工程方法学在软件开发过程中占据相当大的比重,因其悠久的历史而为很多软件工程师所青睐。如果说自然语言和编程语言之间有一道难以跨越的鸿沟,传统的软件工程方法学就是跨越这道鸿沟的桥梁。

传统的软件工程方法学又称生命周期方法学或结构化范型。一个软件从开始计划起到废弃不用止,称为软件的生命周期。在传统的软件工程方法中,软件的生命周期分为需求分析、总体设计、详细设计、编程和测试几个阶段。

传统的软件工程方法学使用结构化分析技术来完成需求分析阶段的工作。软件工程学中的需求分析具有两方面的意义。在认识事物方面,它具有一整套分析、认识问题域的方法、原则和策略。这些方法、原则和策略使开发人员对问题域的理解比不遵循软件工程方法更为全面、深刻和有效。在描述事物方面,它具有一套表示体系和文档规范。但是,传统的软件工程方法学中的需求分析在上述两方面都存在不足。它在全局范围内以功能、数据或数据流为中心来进行分析。这些方法的分析结果不能直接地映射问题域,而是经过了不同程度的转化和重新组合。因此,传统的分析方法容易隐蔽一些对问题域的理解偏差,与后续开发阶段的衔接也比较困难。

在总体设计阶段,以需求分析的结果作为出发点构造一个具体的系统设计方案,主要是决定系统的模块结构、模块的划分以及模块间的数据传送及调用关系。详细设计是在总体设计的基础上考虑每个模块的内部结构及算法,最终将产生每个模块的程序流程图。但是传统的软件工程方法中设计文档很难与分析文档对应，原因是二者的表示体系不一致，所谓从分析到设计的转换，实际上并不存在可靠的转换规则，而是带有人为的随意性，从而很容易因理解上的错误而留下隐患。

编程阶段是利用一种编程语言产生一个能够被机器理解和执行的系统，测试的目的是发现和排除程序中的错误，最终产生一个正确的系统。但是由于分析方法的缺陷，很容易产生对问题的错误理解，而分析与设计的差距很容易造成设计人员对分析结果的错误转换，以致在编程时程序员往往需要对分析员和设计人员已经认识过的事物重新进行认识，并产生不同的理解。因此，为了使两个阶段之间能够更好地衔接，测试就变得尤为重要。

软件维护阶段的工作有两个，一是对使用中发生的错误进行修改，二是因需求发生了变化而进行修改。前一种情况需要从程序逆向追溯到发生错误的开发阶段。由于程序不能映射问题以及各个阶段的文档不能对应，每一步追溯都存在许多理解障碍。第二种情况是一个从需求到程序的顺向过程，它也存在初次开发时的那些困难，并且又增加了理解每个阶段原有文档的困难。

传统软件工程方法面向的是过程，它按照数据变换的过程寻找问题的结点，对问题进行分解。由于不同人对过程的理解不同，故面向过程的功能分割出的模块会因人而异。对于问题世界的抽象结论，结构化方法可以用数据流图、系统结构图、数据字典、状态转移图、实体关系图来进行系统逻辑模型的描述，产生一个最终能满足需求且达到工程目标的软件产品所需要的步骤。

传统软件工程方法学强调以模块为中心，采用模块化、自顶向下、逐步求精的设计过程，系统是实现模块功能的函数和过程的集合，结构清晰，可读性好，是提高软件开发质量的一种有效手段。结构化设计从系统的功能入手，按照工程标准，严格规范地将系统分解为若干功能模块，因为系统是实现模块功能的函数和过程的集合。然而，由于用户的需要和软硬件技术的不断发展变化，作为系统基本组成部分的功能模块很容易受到影响，局部修改甚至会引起系统的根本性变化。开发过程前期入手快而后期频繁改动的现象比较常见。

当然，传统的软件工程方法学也存在很多的缺点，主要表现在生产效率非常低，从而导致不能满足用户的需要，复用程度低，软件很难维护等。虽然如此，传统的软件工程方法学仍然是人们在软件开发过程中使用的十分广泛的软件工程方法学，在开发某些类型的软件时也比较有效。因此传统的软件工程方法学的价值并不会因面向对象方法学的出现而减少，并且它还是学习面向对象方法学的基础。

传统的软件工程方法学曾经给软件产业带来巨大进步，部分地缓解了软件危机，使用这种方法学开发的许多中、小规模软件项目都获得了成功。但是，人们也注意到，当把这种方法学应用于大型软件产品的开发时，似乎很少取得成功。

在 20 世纪 60 年代后期出现的面向对象编程语言 Simdla_67 中首次引入了类和对象的概念，自 20 世纪 80 年代中期起，人们开始注重面向对象分析和设计的研究，逐步形成了面向对象方法学。到了 20 世纪 90 年代，面向对象方法学已经成为人们在开发软件时首选的范型。面向对象技术已成为当前最好的软件开发技术。

2. 面向对象方法

面向对象方法学的出发点和基本原则是,尽可能模拟人类习惯的思维方式,使开发软件的方法与过程尽可能接近人类认识世界、解决问题的方法与过程,也就是使描述问题的问题空间(也称为问题域)与实现解法的解空间(也称为求解域)在结构上尽可能一致。

客观世界的问题都是由客观世界中的实体及实体相互间的关系构成的。我们把客观世界中的实体抽象为问题域中的对象(object)。因为所要解决的问题具有特殊性,因此,对象是不固定的。一个雇员可以作为一个对象,一家公司也可以作为一个对象,到底应该把什么抽象为对象,由所要解决的问题决定。

从本质上说,用计算机解决客观世界的问题,是借助于某种程序设计语言的规定,对计算机中的实体施加某种处理,并用处理结果去映射解。我们把计算机中的实体称为解空间对象。显然,解空间对象取决于所使用的程序设计语言。例如,汇编语言提供的对象是存储单元,面向过程的高级语言提供的对象是各种预定义类型的变量、数组、记录和文件等。一旦提供了某种解空间对象,就隐含规定了允许对该类对象施加的操作。

从动态观点看,对对象施加的操作就是该对象的行为。在问题空间中,对象的行为是极其丰富多彩的,然而解空间中的对象的行为却是非常简单呆板的。因此,只有借助于十分复杂的算法,才能操纵解空间对象从而得到解。这就是人们常说的"语义断层",也是长期以来程序设计始终是一门学问的原因。

通常,客观世界中的实体既具有静态的属性又具有动态的行为。然而传统语言提供的解空间对象实质上却仅是描述实体属性的数据,必须在程序中从外部对它施加操作,才能模拟它的行为。

众所周知,软件系统本质上是信息处理系统。数据和处理原本是密切相关的,把数据和处理人为地分离成两个独立的部分,会增加软件开发的难度。与传统方法相反,面向对象方法是一种以数据或信息为主线,把数据和处理相结合的方法。面向对象方法把对象作为由数据及可以施加在这些数据上的操作所构成的统一体。对象与传统的数据有本质区别,它不是被动地等待外界对它施加操作,相反,它是进行处理的主体。必须发消息请求对象主动地执行它的某些操作,处理它的私有数据,而不能从外界直接对它的私有数据进行操作。

面向对象方法学所提供的"对象"概念,是让软件开发者自己定义或选取解空间对象,然后把软件系统作为一系列离散的解空间对象的集合。应该使这些解空间对象与问题空间对象尽可能一致。这些解空间对象彼此间通过发送消息而相互作用,从而得出问题的解。也就是说,面向对象方法是一种新的思维方法,它不是把程序看作是工作在数据上的一系列过程或函数的集合,而是把程序看作是相互协作而又彼此独立的对象的集合。每个对象就像一个微型程序,有自己的数据、操作、功能和目的。这样做就向着减少语义断层的方向迈了一大步,在许多系统中解空间对象都可以直接模拟问题空间的对象,解空间与问题空间的结构十分一致,因此,这样的程序易于理解和维护。

概括地说,面向对象方法具有下述4个要点:

(1)认为客观世界是由各种对象组成的,任何事物都是对象,复杂的对象可以由比较简单的对象以某种方式组合而成。按照这种观点,可以认为整个世界就是一个最复杂的对象。因此,面向对象的软件系统是由对象组成的,软件中的任何元素都是对象,复杂的软件对象由比较简单的对象组合而成。

由此可见,面向对象方法用对象分解取代了传统方法的功能分解。

(2)把所有对象都划分成各种对象类(简称为类,class),每个对象类都定义了一组数据和一组方法。数据用于表示对象的静态属性,是对象的状态信息。因此,每当建立该对象类的一个新实例时,就按照类中对数据的定义为这个新对象生成一组专用的数据,以便描述该对象独特的属性值。例如,荧光屏上不同位置显示的半径不同的几个圆,虽然都是Circle类的对象,但是,各自都有自己专用的数据,以便记录各自的圆心位置、半径等。

类中定义的方法,是允许施加于该类对象上的操作,是该类所有对象共享的,并不需要为每个对象都复制操作的代码。

(3)按照子类(或称为派生类)与父类(或称为基类)的关系,把若干个对象类组成一个层次结构的系统(也称为类等级)。在这种层次结构中,通常下层的派生类具有和上层的基类相同的特性(包括数据和方法),这种现象称为继承(inheritance)。但是,如果在派生类中对某些特性又做了重新描述,则在派生类中的这些特性将以新描述为准,也就是说,低层的特性将屏蔽高层的同名特性。

(4)对象彼此之间仅能通过传递消息互相联系。对象与传统的数据有本质区别,它不是被动地等待外界对它施加操作;相反,它是进行处理的主体,必须发消息请求它执行某个操作,处理自己的私有数据,而不能从外界直接对它的私有数据进行操作。也就是说,一切局部于该对象的私有信息都被封装在该对象类的定义中,就好像装在一个不透明的黑盒子中一样,在外界是看不见的,更不能直接使用,这就是“封装性”。

综上所述,面向对象的方法学可以用下列公式来概括:

面向对象方法=对象+类+继承+通过消息通信

也就是说,面向对象就是既使用对象又使用类和继承等机制,而且对象之间仅能通过传递消息实现彼此通信。

如果仅使用对象和消息,则这种方法可以称为基于对象的(object-based)方法,而不能称为面向对象(object-oriented)的方法;如果进一步要求把所有对象都划分为类,则这种方法可称为基于类的(class-based)方法,但仍然不是面向对象的方法。只有同时使用对象、类、继承和消息的方法,才是真正面向对象的方法。

简言之,面向对象方法就是使用面向对象技术把对象的属性(数据)和处理(方法)封装在一起,通过子类对父类的继承,使得软件便于维护和扩充,提高了软件的可复用性。

其优点是:以对象为基础,利用特定的软件工具直接完成对象客体的描述与软件结构之间的转换,解决了传统结构化开发方法中客观世界描述工具与软件结构不一致的问题,缩短了开发周期,解决了从分析和设计到软件模块多次转换的繁杂过程。

其缺点是:需要有一定的软件基础支持才可以应用,对大型的系统可能会造成系统结构不合理、各部分关系失调等问题。客观世界的对象五花八门,在系统分析阶段用这种方法进行抽象是比较困难的。在某些情况下,纯面向对象的模型不能很好地满足软件系统的要求,其实用性受到影响。

面向对象方法学的优点可以概括为以下几点。

(1)与人类习惯的思维方法一致

传统的程序设计技术是面向过程的设计方法,这种方法以算法为核心,把数据和过程作为相互独立的部分,数据代表问题空间中的客体,程序代码则用于处理这些数据。

把数据和代码作为分离的实体,反映了计算机的观点,因为在计算机内部数据和程序是分开存放的。但是,这样做的时候总存在使用错误的数据调用正确的程序模块,或使用正确的数据调用错误的程序模块的危险。使数据和操作保持一致,是程序员的一个沉重负担,在多人分工合作开发一个大型软件系统的过程中,如果负责设计数据结构的人中途改变了某个数据的结构而又没有及时通知所有人员,则会发生许多不该发生的错误。

传统的程序设计技术忽略了数据和操作之间的内在联系,用这种方法所设计出来的软件系统,其解空间与问题空间并不一致,令人感到难于理解。实际上,用计算机解决的问题都是现实世界中的问题,这些问题无非由一些相互间存在一定联系的事物所组成。每个具体的事物都具有行为和属性两方面的特征。因此,把描述事物静态属性的数据结构和表示事物动态行为的操作放在一起构成一个整体,才能完整、自然地表示客观世界中的实体。

面向对象的软件技术以对象为核心,用这种技术开发出的软件系统由对象组成。对象是对现实世界实体的正确抽象。它是由描述内部状态(表示静态属性)的数据以及可以对这些数据施加的操作(表示对象的动态行为)封装在一起所构成的统一体。对象之间通过传递消息互相联系,以模拟现实世界中不同事物彼此之间的联系。

面向对象的方法与传统的面向过程的方法有本质不同,这种方法的基本原理是,使用现实世界的概念抽象地思考问题从而自然地解决问题。它强调模拟现实世界中的概念而不强调算法,它鼓励开发者在软件开发的绝大部分过程中都用应用领域的概念去思考。在面向对象的设计方法中,计算机的观点是不重要的,现实世界的模型才是最重要的。面向对象的软件开发过程从始至终都围绕着建立问题领域的对象模型来进行:对问题领域进行自然的分解,确定需要使用的对象和类,建立适当的类等级,在对象之间传递消息实现必要的联系,从而按照人们习惯的思维方式建立起问题领域的模型,模拟客观世界。

传统的软件开发方法可以用“瀑布”模型来描述,这种方法强调自顶向下按部就班地完成软件开发工作。事实上,人们认识客观世界、解决现实问题的过程是一个渐进的过程,人的认识需要在继承以前的有关知识的基础上,经过多次反复才能逐步深化。在人的认识深化过程中,既包括了从一般到特殊的演绎思维过程,也包括了从特殊到一般的归纳思维过程。人在认识和解决复杂问题时使用的最强有力的思维工具是抽象,也就是在处理复杂对象时,为了达到某个分析目的,集中研究对象的与此目的有关的实质,忽略该对象的那些与此目的无关的部分。

面向对象方法学的基本原则是按照人类习惯的思维方法建立问题域的模型,开发出尽可能直观、自然地表现求解方法的软件系统。面向对象的软件系统中广泛使用的对象是对客观世界中实体的抽象。对象实际上是抽象数据类型的实例,提供了比较理想的数据抽象机制,同时又具有良好的过程抽象机制(通过发消息使用公有成员函数)。对象类是对一组相似对象的抽象,类等级中的上层类是对下层类的抽象。因此,面向对象的环境提供了强有力的抽象机制,便于用户在利用计算机软件系统解决复杂问题时使用习惯的抽象思维工具。此外,面向对象方法学中普遍进行的对象分类过程支持从特殊到一般的归纳思维过程,通过建立类等级而获得的继承特性支持从一般到特殊的演绎思维过程。

面向对象的软件技术为开发者提供了随着对某个应用系统的认识逐步深入和具体化的过程,而逐步设计和实现该系统的可能性,因为可以先设计出由抽象类构成的系统框架,随着认识的深入和具体化,再逐步派生出更具体的派生类。这样的开发过程符合人们认识客观世界、解决复杂问题时逐步深化的渐进过程。

(2)稳定性好

传统的软件开发方法以算法为核心,开发过程基于功能分析和功能分解。用传统方法所建立起来的软件系统的结构紧密依赖于系统所要完成的功能,当功能需求发生变化时将引起软件结构的整体修改。事实上,用户需求变化大部分是针对功能的,因此,这样的软件系统是不稳定的。

面向对象方法基于构造问题领域的对象模型,以对象为中心构造软件系统。它的基本做法是用对象模拟问题领域中的实体,以对象间的联系刻画实体间的联系。因为面向对象的软件系统的结构是根据问题领域的模型建立起来的,而不是基于对系统应完成的功能的分解,所以,当对系统的功能需求变化时并不会引起软件结构的整体变化,往往仅需要做一些局部性的修改。例如,从已有类派生出一些新的子类以实现功能扩充或修改,增加或删除某些对象等。总之,由于现实世界中的实体是相对稳定的,因此,以对象为中心构造的软件系统也是比较稳定的。

(3)可重用性好

用已有的零部件装配新的产品,是典型的重用技术。例如,可以用已有的预制件建筑一幢结构和外形都不同于从前的新大楼。重用是提高生产率最主要的方法。

传统的软件重用技术是利用标准函数库,也就是试图用标准函数库中的函数作为“预制件”来建造新的软件系统。但是,标准函数缺乏必要的“柔性”,不能适应不同应用场合的不同需要,并不是理想的可重用的软件成分。实际的库函数往往仅提供最基本、最常用的功能,在开发一个新的软件系统时,通常多数函数是开发者自己编写的,甚至绝大多数函数都是新编的。

使用传统方法学开发软件时,人们认为具有功能内聚性的模块是理想的模块,也就是说,如果一个模块完成一个且只完成一个相对独立的子功能,那么这个模块就是理想的可重用模块。基于这种认识,通常尽量把标准函数库中的函数做成功能内聚的。但是,即使是具有功能内聚性的模块也并不是自含的和独立的,相反,它必须运行在相应的数据结构上。如果要重用这样的模块,则相应的数据也必须重用。如果新产品中的数据与最初产品中的数据不同,则要么修改数据,要么修改这个模块。

事实上,离开了操作便无法处理数据,而脱离了数据的操作也是毫无意义的,我们应该对数据和操作同样重视。在面向对象方法所使用的对象中,数据和操作是作为平等伙伴出现的。因此,对象具有很强的自含性。此外,对象固有的封装性和信息隐藏机制使得对象的内部实现了与外界隔离,具有较强的独立性。由此可见,对象是比较理想的模块和可重用的软件成分。

面向对象的软件技术在利用可重用的软件成分构造新的软件系统时有很大的灵活性。有两种方法可以重复使用一个对象类:一种方法是创建该类的实例,从而直接使用它;另一种方法是从它派生出一个满足当前需要的新类。继承性机制使得子类不仅可以重用其父类的数据结构和程序代码,而且可以在父类代码的基础上方便地修改和扩充,这种修改并不影响对原有类的使用。由于可以像使用集成电路(IC)构造计算机硬件那样比较方便地重用对象类来构造软件系统,因此,有人把对象类称为“软件 IC”。

面向对象的软件技术所实现的可重用性是自然的和准确的,在软件重用技术中它是最成功的一个。

(4)较易开发大型软件产品

在开发大型软件产品时,组织开发人员的方法不恰当往往是出现问题的主要原因。用面向对象方法学开发软件时,构成软件系统的每个对象就像一个微型程序,有自己的数据、操作、功能和用途。因此,可以把一个大型软件产品分解成一系列本质上相互独立的小产品来处理,这就不仅降低了开发的技术难度,而且也使得对开发工作的管理变得容易多了。这就是为什么对于大型软件产品来说,面向对象范型优于结构化范型的原因之一。许多软件开发公司的经验都表明,当把面向对象方法学用于大型软件的开发时,软件成本明显地降低了,软件的整体质量也提高了。

(5)可维护性好

用传统方法和面向过程语言开发出来的软件很难维护,是长期困扰人们的一个严重问题,是软件危机的突出表现。

由于下述因素的存在,使得用面向对象方法所开发的软件可维护性好。

①面向对象的软件稳定性比较好。

如前所述,当对软件的功能或性能的要求发生变化时,通常不会引起软件的整体变化,往往只需对局部做一些修改。由于对软件所需做的改动较小且限于局部,自然比较容易实现。

②面向对象的软件比较容易修改。

如前所述,类是理想的模块机制,它的独立性好,修改一个类通常很少会牵扯到其他类。如果仅修改一个类的内部实现部分(私有数据成员或成员函数的算法),而不修改该类的对外接口,则可以完全不影响软件的其他部分。

面向对象软件技术特有的继承机制使得对软件的修改和扩充比较容易实现,通常只需从已有类派生出一些新类,无须修改软件原有成分。

面向对象软件技术的多态性机制使得当扩充软件功能时对原有代码所需做的修改进一步减少,需要增加的新代码也比较少。

③面向对象的软件比较容易理解。

在维护已有软件的时候,首先需要对原有软件与此次修改有关的部分有深入理解,才能正确地完成维护工作。传统软件之所以难于维护,在很大程度上是因为修改所涉及的部分分散在软件的各个地方,需要了解的面很广,内容很多,而且传统软件的解空间与问题空间的结构很不一致,更增加了理解原有软件的难度和工作量。

面向对象的软件技术符合人们习惯的思维方式,用这种方法所建立的软件系统的结构与问题空间的结构基本一致。因此,面向对象的软件系统比较容易理解。

对面向对象软件系统所做的修改和扩充通常通过在原有类的基础上派生出一些新类来实现。由于对象类有很强的独立性,当派生新类的时候通常不需要详细了解基类中操作的实现算法。因此,了解原有系统的工作量可以大幅度下降。

④面向对象的软件易于测试和调试。

为了保证软件质量,对软件进行维护之后必须进行必要的测试,以确保要求修改或扩充的功能按照要求正确地实现了,而且没有影响到软件不该修改的部分。如果测试过程中发现了错误,还必须通过调试改正过来。显然,软件是否易于测试和调试,是影响软件可维护性的一个重要因素。

对面向对象的软件进行维护,主要通过从已有类派生出一些新类来实现。因此,维护后的测试和调试工作也主要围绕这些新派生出来的类进行。类是独立性很强的模块,向类的实例发消息即可运行它,观察它是否能正确地完成要求它做的工作,对类的测试通常比较容易实现,如果发现错误也往往集中在类的内部,比较容易调试。

3. 计算机辅助软件工程法

计算机辅助软件工程(Computer Aided Software Engineering,CASE)是一套方法和工具,可使系统开发商规定应用规则,并由计算机自动生成合适的计算机程序。CASE 工具分成高级和低级两类。高级 CASE 工具用来绘制企业模型以及规定应用要求,低级 CASE 工具用来生成实际的程序代码。CASE 工具和技术可提高系统分析和程序员的工作效率。其重要的技术包括应用生成程序、前端开发过程面向图形的自动化、配置和管理以及寿命周期分析工具。

4. 基本概念

采用 CASE 工具辅助开发并不是一种真正意义上的方法,它必须依赖于某一种具体的开发方法,如结构化方法、原型方法、面向对象方法等,一般大型的 CASE 工具都可以支持。

CASE 方法是一种支持整个软件开发生命周期的软件开发自动化技术,是一种从开发者的角度支持信息系统开发的计算机技术。CASE 方法是为了提高软件开发效率、支持开发人员工作的工具。CASE 只是一种开发环境,它是对整个开发过程进行支持的一种技术。

CASE 工具(CASE Toolkits)是指 CASE 的最外层(用户)使用 CASE 开发一个应用系统

时所接触到的所有软件工具。一般包括以下几个部分:

①图形工具:绘制结构图、系统专用图。

②屏幕显示和报告生成的各种专用系统:可支持生成一个原型。

③专用检测工具:用以测试错误或不一致的专用工具。

④代码生成器:从原型系统的工具中自动产生可执行代码。

⑤文件生成器:产生结构化方法和其他方法所需要的用户系统文件。

5. CASE 工作台

一个 CASE 工作台是一组工具集,支持设计、实现或测试等特定的软件开发阶段。将 CASE 工具组装成一个工作台后,工具能协调工作,可提供比单一工具更好的支持。可实现通用服务程序,这些程序能被其他工具调用。工作台工具能通过共享文件、共享仓库或共享数据结构来集成。

(1)程序设计工作台

程序设计工作台由支持程序开发过程的一组工具组成。将编译器、编辑器和调试器这样的软件工具一起放在一个宿主机上,该机器是专门为程序开发设计的。组成程序设计工作台的工具可以包括如下几个部分。

①语言编译器:将源代码程序转换成目标码。

②结构化编辑器:结合嵌入的程序设计语言知识。

③连接器。

④加载器。

⑤交叉引用。

⑥按格式打印。

⑦静态分析器。

⑧动态分析器。

⑨交互式调试器。

(2)分析和设计工作台

分析和设计工作台支持软件过程的分析和设计阶段,在这一阶段,系统模型已建立(例如一个数据库模型、一个实体关系模型等)。这些工作台通常支持 UML 方法中所用的图形符号。支持分析和设计的工作台有时称为上游 CASE 工具。它们支持软件开发的早期过程。程序设计工作台则称为下游 CASE 工具。

(3)测试工作台

测试是软件开发过程中较为昂贵和费力的阶段。测试工作台永远应为开放系统,可以不断演化以适应被测试系统的需要。

5.1.2 系统开发项目管理

1. 系统开发的组织机构与分工

系统开发领导小组:负责新系统开发的行政组织和领导工作。

系统开发工作小组:负责组织与实施系统开发的具体工作。

系统开发的人员由信息主管、项目主管、系统分析员、系统设计员、程序设计员、系统维护人员和企业管理人员组成,不同的人员有各自的职责,对系统开发人员有良好的组织管理与合理的分工才能保证系统开发顺利进行。

2. 系统开发的项目管理

为了使系统开发能够按照预定的计划顺利进行,需要对成本、人员、质量、风险等方面进行分析和管理,这就是项目管理。项目管理的内容包括计划管理、经费管理、质量管理和资源管理。

3. 系统开发的方式

系统开发可以采用以下4种方式。

(1)自行开发方式。用户依靠自己的力量独立完成系统开发的各项任务。

(2)委托开发方式。企业将开发项目完全委托给开发单位,系统建成后再交付企业使用,这种委托系统集成商按照用户的需求承担开发任务的方式称为委托开发方式。

(3)联合开发方式。由用户中精通管理业务和计算机技术的人员与有丰富的系统开发经验的机构或专业MIS开发人员共同完成开发。

(4)购买商品化软件方式。

5.1.3 系统需求调查

1. 需求调查的内容

需求调查是管理信息系统开发的一个重要步骤,其内容主要包括用户需求、现行系统的组织结构、现行系统运行状况等几个方面。

(1)用户需求的调查

用户需求是指用户对新系统应具有的全部功能和特性的要求。主要包括以下几方面:

①功能要求。确定新系统要做什么,这是最主要的需求。

②性能要求。给出所开发新系统的技术性能指标,包括存储容量限制、运行时间限制、安全保密要求等。

③环境需求。系统运行以及所处环境的要求。

用户需求既包括用户明确表达出来的需求,也包括用户没有明确提出的需求。

用户虽然对自己的业务工作非常熟悉,但要清楚地表达需求非常困难。系统分析员虽然是系统开发方面的专家,却由于缺乏专门领域的业务知识,使得系统分析员和用户之间由于缺乏共同语言而无法进行良好的沟通。这就要求系统分析员在调查时要认真、仔细地确认用户的要求,这样才能保证开发的管理信息系统的与用户提出的要求相吻合。

(2)现行系统组织结构的调查

要了解现行系统的整个活动状况,首先应从组织结构调查入手,了解现行系统概况。现行系统组织结构调查的主要目的是了解现行系统组织机构的划分及其相互关系。调查结果可用组织结构图的形式表示,具体内容将在本书5.4.1节中讲述。

对组织结构的调查要掌握现行系统中信息处理的具体情况和系统内部的功能结构，以便设计出一个结构合理的新系统逻辑模型，为新系统的设计工作打好基础，保证整个系统开发的质量。

(3)现行系统运行状况的调查

新系统的开发是在现行系统的基础上进行的，因此必须对现行系统运行情况进行详细的调查。系统运行现状调查主要包括以下几点。

①收集并整理各部门使用的票据、表格。

②调查这些部门信息的产生过程和处理过程(处理方式、涉及人员)及归档。

③调查各部门的要求意见。

④将调查结果绘制成业务流程图。

⑤整理收集的信息，为数据文件产生提供条件。

⑥对业务流程进行某些改动，使业务流向更趋于合理。

通过系统运行现状的调查分析，可以发现系统中存在的主要问题和薄弱环节，并提出解决问题的初步设想，使新系统设计功能更强，效率更高。

2. 需求调查的方法

(1)调查表格法

对于那些结构性强、指标含义明确并且有具体内容的调查，适合使用表格来调查。一般可使用以下6种表格来进行调查。

①了解机构的目标、实现目标的关键成功因素以及存在问题的目标调查表。

②了解机构的设置和职责、人员配备等基本情况的组织机构调查表。

③了解业务部门的业务内容、业务处理相关流程的业务调查表。

④收集和了解与本部门有关的上级、同级、本部门、下属单位各类文件的数量和信息量的文件类信息调查表。

⑤了解报表的种类、用于何种任务、特性、保留期限以及信息量的报表数据调查表。

⑥了解计算机应用情况和水平的计算机应用项目调查表。

调查表格法中重要的是问题的设计，设计合理的表格不仅可以收集到所需要的资料，而且便于统计分析。

(2)谈话调查法

谈话调查法是一种通过调查人员与被调查人员面对面的有目的的谈话获取资料的方法。谈话应从上而下，从概括到细微，先从领导开始，然后经中层至下层管理人员，甚至还可以扩大到全体职工。这样不仅能了解战略信息需要，而且能了解具体任务的信息需要。这种方法的成功与否主要取决于系统分析员的提问水平。

(3)查阅档案资料法

该方法通过查阅组织的各种文件和档案资料，例如组织的年度计划、年度工作总结、销售和生产经营报告等，以了解组织的发展目标和经营情况。

(4)业务实践法

业务实践法是一种了解当前系统最有效的调查方式,即系统分析员深入到调查环境中去,对调查对象在现行系统中的作业流程和方式进行观察和记录,可以较深入地了解现行系统中数据的产生、传递、加工、存储和输出等环节的工作内容。通过业务实践,可以增加系统开发人员的感性认识,有助于加快对业务流程和业务活动的理解。

在实际的调查活动中,可以根据需要选择某种方法,也可以互相结合,取长补短,以获取最全面、最可靠的调查资料,为新系统的设计提供准确的基础资料。

5.2 管理信息系统实施阶段

管理信息系统实施阶段的任务是:根据用户确认的设计方案,实现具体的应用系统,包括建立网络环境、安装系统软件、建立数据库文件、通过程序设计与系统实现设计报告中的各应用功能并装配成系统、培训用户使用,等等。

案例

青岛钢铁集团管理信息系统实施

青岛钢铁集团在通过管理信息系统设计方案之后,开始着手进行具体应用系统的实施。首先,青岛钢铁集团专门设立了中央计算机房,并在相关部门设立了计算机室。然后,依据系统设计阶段给出的硬件结构和软件结构进行了设备及所需系统软件购置。为了建立计算机系统的网络环境,由太极计算机公司负责结构化布线以及网络系统的安装与调试。

同时,北京科技大学项目组依据系统设计报告开始进行软件开发。为了节省成本及方便工作的进行,青岛钢铁集团在北京科技大学建立了模拟环境,专门用于软件的开发工作。

在进行软件开发之前,开发人员在清华大学参加了专门的系统软件及开发工具的培训。北京科技大学项目组依据系统设计报告中给出的目标系统模块设计结果实现了系统分析和设计中提出的各项功能。

在程序设计和系统调试完成之后,成立了一个系统测试小组,由青岛钢铁集团和北京科技大学双方人员共同组成,进行系统的测试。测试小组提供了相应的测试方案和建议的测试数据,在青岛钢铁集团实际应用环境中进行了数据和系统功能的正确性检验。

系统测试顺利通过之后,开始对系统的使用人员进行系统应用培训。由于青岛钢铁集团信息中心的网络维护人员和系统维护人员具有很高的业务水平和很强的业务能力,不需要再进行培训,因此培训的对象主要是数据录入员和系统操作员。

完成培训工作之后,进入系统试运行阶段。为此,开始了基本数据的准备、编码数据的准备、系统的参数设置、初始数据的录入等多项工作。

为了保证系统的实施及以后的规范化管理,青岛钢铁集团制定了《计算机系统应用管理规范》《计算机房管理制度》《计算机系统安全保密制度》《计算机系统文档管理规定》等一系列管理规定。

系统在试运行半年无误后,正式交付使用。

通过上述案例可以看出,按照系统实施的过程,系统实施阶段的任务可以归结为如下几项:购置和安装设备以建立计算机网络环境和系统软件环境、计算机程序设计、系统调试和测试、人员培训、系统切换并交付使用。

(1)购置和安装设备,建立网络环境

系统实施的该项工作是依据系统设计中给出的管理信息系统的硬件结构和软件结构购置相应的硬件设备和系统软件,建立系统的软、硬件平台。一般情况下,中央计算机房还需要专业化的设计及施工。为了建立网络环境,要进行结构化布线以及网络系统的安装与调试。

(2)计算机程序设计

计算机程序设计也常常被称为软件开发。进行计算机程序设计的目的是实现系统分析和设计中提出的管理模式和业务应用。在进行软件开发之前,开发人员要学习所需的系统软件,包括操作系统、数据库系统和开发工具。必要时,需要对程序设计员进行专门的系统软件培训。

(3)系统调试与测试

在进行计算机程序设计之后,需要进行系统的调试。实际上,在编写计算机程序时,一直在进行调试,修改程序中的错误。在完成这种形式的调试之后,还必须进行专门的系统测试。通过系统的调试与测试可以发现并改正隐藏在程序内部的各种错误以及模块之间协同工作时存在的问题。

(4)人员培训

人员培训可以分为两种类型。一种是在软件开发阶段对程序设计人员的培训,另一种是在系统切换和交付使用前对系统使用人员的培训。这里,人员培训指的是第二种情况。在管理信息系统投入使用之前,需要对一大批未来系统的使用人员进行培训,包括系统操作员、系统维护人员等。

(5)系统切换和交付使用

管理信息系统实施的最后一项任务是进行系统的切换,它包括进行基本数据的准备、数据的编码、系统的参数设置、初始数据的录入等多项工作。在系统正式交付使用之前,必须进行一段时间的试运行,以进一步发现及更正系统存在的问题。在系统切换和交付使用的过程中,每项工作都有很多人员参加,而且会涉及多个业务部门。因此,该阶段的组织管理工作非常重要,要做好系统切换计划,控制工作的进度,检查工作的质量,及时地做好各方面的协调,保证系统的成功切换和交付使用。

5.3　可行性分析

可行性分析是信息系统开发过程中的重要环节之一,是信息系统规划的一项重要内容。可行性分析可以提高信息系统项目决策的科学性,减少因决策失误而造成的浪费和损失,关系到信息系统建设的成败及运行效益。

5.3.1 可行性分析的任务和内容

可行性分析的任务是了解用户的要求及系统环境、资源条件等情况,从技术、经济和社会因素3个方面研究并论证用户提出的信息系统开发项目的必要性和可行性,编写可行性分析报告,制定信息系统开发的初步计划。

可行性分析的主要内容包括技术可行性分析、经济可行性分析和社会可行性分析。

1.技术可行性分析

主要分析在现有技术资源条件下能否满足用户对系统提出的要求。例如,用户对处理速度、精度、存储容量、通信、管理模型、定量化分析方法等方面的要求。不应把尚处实验阶段的技术和尚不确定的管理方法作为分析的依据。此外,还要考虑开发人员的技术水平。

2.经济可行性分析

主要包括项目所需费用(即成本)的估算和项目效益的估算。成本估算需考虑开发成本和运行成本、有形成本和无形成本。效益估算需考虑直接效益和间接效益、宏观效益与微观效益、经济效益和社会效益、近期效益与长远效益。项目成本的估算包括购买各种设备的费用、系统开发人员的酬金和操作人员的工资、新老系统转换阶段所带来的无形成本等。直接经济效益包括加快资金周转率、增加产量和销售量、降低库存量、减少流动资金占用等。社效益包括提高组织现代化管理水平和竞争能力,提高业务处理能力和准确率,提高工作效率,减轻劳动强度等。

3.社会可行性分析

包括法律方面的可行性和使用方面的可行性。法律方面的可行性主要是指开发项目是否会在社会上或政治上引起侵权、破坏或其他责任问题。使用方面的可行性主要是指用户使用的可能性以及组织和文化上的可行性。

5.3.2 可行性分析报告格式

编写可行性分析报告的目的是说明系统开发项目在技术、经济和社会条件方面的可行性,评述为达到开发目标而可能选择的各种方案,说明并论证所选定的方案。信息系统可行性分析报告的内容必须符合《计算机软件文档编制规范》(GB/T 8567—2006)的要求。

1.引言

(1)编写目的

说明编写本可行性分析报告的目的,指出预期的读者。

(2)背景

包括以下内容:

①信息系统的名称。②项目的任务提出者、开发者、用户。③系统同其他系统的关系。

(3)定义

列出本文件中用到的专门术语定义和外文首字母缩略语的原形。

(4)参考资料

列出以下参考资料:

①项目经核准的计划任务书或合同,上级机关的批文;②属于本项目的其他已发表的文件;③本文件中引用的文件、资料、软件开发标准等,列出文件资料的标题、文件编号、发表日期、出版单位和来源。

2. 可行性分析的前提

说明对所建议的开发项目进行可行性研究的前提,如要求、目标、条件、假定和限制等。

(1)要求

说明对所建议开发的信息系统的基本要求,包括:①功能;②性能;③输出,如报告、文件或数据,对每项输出说明其用途、产生频度、接口及分发对象;④输入,包括数据的来源、类型和数量,数据的组织及提供的频度;⑤处理流程和数据流程。用图表的方式表示出最基本的数据流程、处理流程并加以叙述;⑥安全与保密要求;⑦同本系统相连接的其他系统;⑧完成期限。

(2)目标

说明所建议系统的主要开发目标,一般包括:①人力与设备费用的减少;②处理速度的提高;③控制精度或生产能力的提高;④管理信息服务的改进;⑤自动决策系统的改进;⑥人员利用率的改进。

说明所建议系统的主要开发目标,一般包括:①人力与设备费用的减少;②处理速度的提高;③控制精度或生产能力的提高;④管理信息服务的改进;⑤自动决策系统的改进;⑥人员利用率的改进。

(3)条件、假定和限制

说明项目开发的条件、假定和所受到的限制,包括:①所建议系统运行寿命的最小值;②进行系统方案选择比较的时间;③经费、投资方面的来源和限制;④法律和政策方面的限制;⑤硬件、软件、运行环境和开发环境方面的条件和限制;⑥可利用的信息和资源;⑦系统投入使用的最晚时间。

3. 进行可行性研究的方法

说明可行性研究是如何进行的,所建议的系统将如何评价。简要说明所使用的基本方法和策略,如调查、加权、确定模型、建立基准点或仿真等,

4. 评价尺度

说明对系统进行评价时所使用的主要尺度,如费用的多少、各项功能的优先次序、开发时间的长短及使用中的难易程度。

5.3.3　现行系统的分析

现行系统是指当前实际使用的系统,可能是计算机系统,也可能是一个机械系统甚至是一个人工系统。分析现行系统的目的是为了阐明开发新系统或修改现有系统的必要性。

1. 处理流程和数据流程

说明现有系统的基本的处理流程和数据流程。此流程可用图表即流程图的形式表示，并加以叙述。

2. 工作负荷

列出现行系统所承担的工作及工作量。

3. 费用开支

列出由于运行现有系统所引起的费用开支，如人力、设备、空间、支持性服务、材料等项开支以及开支总额。

4. 人员

列出为了现行系统的运行和维护所需要的人员的专业技术类别和数量。

5. 设备

列出现行系统所使用的各种设备。

6. 局限性

列出现行系统的主要局限性。例如，处理时间不满足需要，响应不及时，数据存储能力不足，处理功能不够等，并且说明为什么对现有系统的改进性维护已经不能解决问题。

5.3.4　建议的系统

说明所建议的系统的目标和要求将如何被满足。

1. 对所建议的系统的说明

概括地说明所建议的系统，并说明所建议的系统的基本要求将如何得到满足，说明所使用的基本方法及理论根据。

2. 处理流程和数据流程

给出所建议的系统的处理流程和数据流程。

3. 改进之处

按所建议的系统开发目标中列出的目标，逐项说明所建议的系统相对于现行系统的改进。

4. 影响

说明系统建立将带来的预期影响，主要包括以下几项。

(1)对设备的影响

说明新提出的设备要求及对现有系统中尚可使用的设备必须做出的修改。

(2)对软件的影响

说明为了使现存的应用软件和支持软件能够同所建议的系统相适应，而需要对这些软件所进行的修改和补充。

(3)对用户单位机构的影响

说明为了建立和运行所建议的系统，对用户单位机构、人员的数量和技术水平等方面的全部要求。

(4)对系统运行过程的影响

主要包括:①用户的操作规程;②运行中心的操作规程;③运行中心与用户之间的关系;④源数据的处理;⑤数据进入系统的过程;⑥对数据保存的要求,对数据存储、恢复的处理;⑦输出报告的处理过程、存储媒体和调度方法;⑧系统失效的后果及恢复的处理办法。

(5)对开发的影响

主要包括:①为了支持所建议的系统的开发,用户需进行的工作;②数据库建立所要求的数据资源;③开发和测试系统所需要的计算机资源;④所涉及的保密与安全问题。

(6)对地点和设施的影响

说明对建筑物改造的要求及对环境设施的要求。

(7)对经费开支的影响

说明系统开发、设计和维持运行需要的各项经费开支。

5. 局限性

说明所建议的系统尚存在的局限性,以及这些问题未能消除的原因。

6. 技术条件方面的可行性

说明技术条件方面的可行性,包括以下几项:

①在当前的限制条件下,系统的功能目标能否达到。

②利用现有的技术,系统的功能能否实现。

③对开发人员的数量和质量的要求,并说明这些要求能否满足。

(4)在规定的期限内系统开发能否完成。

5.3.5　可选择的其他系统方案

说明可选择的其他系统方案,包括需开发的和可以从国内、国外直接购买的。若没有可供选择的其他系统方案,则必须进行说明。

1. 可选择的系统方案1

参照“建议的系统”提纲,说明可选择的系统方案1,并说明它未被选中的理由。

2. 可选择的系统方案2

按可选择系统方案1的方式说明第2个乃至第n个可选择的系统方案。

5.3.6　投资及效益分析

1. 支出

对所选择的方案说明所需的费用。如果已有一个现存系统,则包括该系统继续运行期间所需的费用。

(1)基本建设投资。

包括采购、开发和安装下列各项所需的费用:

①房屋和设施;②ADP设备;③数据通信设备;④环境保护设备;⑤安全与保密设备;⑥ADP操作系统的和应用的软件;⑦数据库管理软件。

(2)其他一次性支出。

包括下列各项所需的费用:

①研究(需求的研究和设计的研究);②开发计划与测量基准的研究;③数据库的建立;④ADP 软件的转换;⑤检查费用和技术管理性费用;⑥培训费、差旅费以及开发安装人员所需要的一次性支出;⑦人员的退休及调动费用等。

(3)非一次性支出。

列出系统生命期内按月或按季或按年支出的用于运行和维护的费用,包括:①设备的租金和维护费用;②软件的租金和维护费用;③数据通信方面的租金和维护费用;④人员的工资、奖金;⑤房屋、空间的使用开支;⑥公用设施方面的开支;⑦保密安全方面的开支;⑧其他经常性的支出等。

2. 收益

对所选择的方案说明能够带来的收益。收益表现为开支费用的减少或避免、差错的减少、灵活性的增加、动作速度的提高和管理计划方面的改进等。

(1) 一次性收益

说明能够用人民币数目表示的一次性收益,可按数据处理、用户、管理和支持等项分类叙述。包括:①开支的缩减,改进的系统运行所引起的开支缩减,例如资源要求的减少,运行效率的改进,数据输入、存储和恢复技术的改进,系统性能的可监控,软件的转换和优化,数据压缩技术的采用,处理的集中化/分布化等。②价值的增升,包括由于一个应用系统的使用价值的增升所引起的收益,如资源利用的改进、管理和运行效率的改进以及出错率的减少等。③其他收益,如从多余设备出售回收的收入等。

(2)非一次性收益

说明在整个系统生命期内由于运行所建议的系统而导致的按月、按年的能用人民币数目表示的收益,包括开支的减少和避免。

(3)不可定量的收益

逐项列出无法直接用人民币表示的收益,如服务的改进,由操作失误引起的风险的减少,信息掌握情况的改进,组织机构在形象上的改善等。有些不可捉摸的收益只能大概估计或进行极值估计(即按最好和最差情况估计)。

3. 收益/投资比

求出整个系统生命期的收益/投资比值。

4. 投资回收周期

求出收益的累计数开始超过支出的累计数的时间。

5. 敏感性分析

在一些关键性因素,如系统生命期长度、系统的工作负荷量、工作负荷的类型与这些不同类型之间的合理搭配、处理速度要求、设备和软件的配置等变化时,对开支和收益的影响最灵敏的范围的估计。在敏感性分析基础上做出的选择会比单一选择的结果要好一些。

5.3.7 社会因素方面的可行性

说明社会因素方面可行性分析的结果,包括法律方面的可行性和使用方面的可行性。

1. 法律方面的可行性

法律方面的可行性问题很多,如合同责任、侵犯专利权、侵犯版权等方面的陷阱,软件人员通常对此是不熟悉的,务必要注意研究。

2. 使用方面的可行性

例如,从用户单位的行政管理、工作制度等方面来看,是否能够使用该软件系统;从用户单位的工作人员的素质来看,是否能满足使用该软件系统的要求等。

5.3.8 结论

可行性研究报告必须有一个明确的结论。结论一般如下:

①可以立即开始进行;

②需要推迟到某些条件(如资金、人力、设备等)落实之后才能开始进行;

③需要对系统开发目标进行某些修改之后才能开始进行;

④不能进行或不必进行,如技术不成熟、经济上不合算等。

5.4 系统分析

5.4.1 组织结构和功能分析

系统组织结构与系统功能分析通过组织结构图和功能体系图来进行描述。

1. 组织结构分析

组织结构分析的目的是了解组织的主要功能、管理模式、层次关系、管理职能分配,以及不同部门之间信息的应用、处理和传递关系,为确定信息系统的宏观结构提供依据,也为进一步详细了解业务流程信息提供线索。

对一个组织做调查研究,首先接触到的具体情况就是系统的组织结构状况,也就是一个组织内部的部门划分以及它们的相互关系。将组织内部的部分划分以及这些部门之间的相互关系用图形表示出来,就构成了一个系统的组织结构图。调查中应详细了解各部门人员的业务分工情况和有关人员的姓名、工作职责、决策内容、存在问题和对新系统的要求等。

某眼科医院的组织结构如图5-1所示。

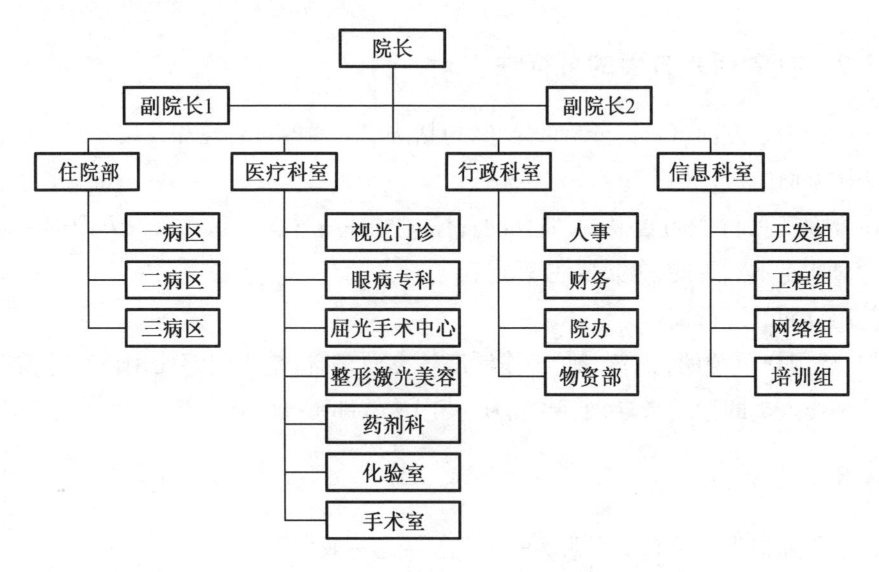

图5-1 某眼科医院组织结构图

2. 功能分析

在一个组织中,经常会有组织的各个部分并不能完整地反映该部分所包含的所有业务的情况。在实际工作中,组织的划分或组织名称的确定一般是根据最初同类业务人员的集合而定的。随着生产的发展、生产规模的扩大和管理水平的提高,组织的某些部分业务范围越来越大,功能也越分越细,由原来单一的业务派生出许多业务。这些业务在同一个组织中由不同的业务人员分管,其工作性质已经逐步有了变化。当这种变化发展到一定的程度时,就会引起组织本身的变化,裂变出一个新的、专业化的组织,由它来完成某一类特定的业务功能。如最早的质量检验工作就是由生产科、成品库和生产车间各自交叉分管的,后来出于产品激烈的市场竞争和管理的需要,原有的那种各自交叉分管体系已经远远不能适应组织的发展和统一管理的需要,这时质量检验科产生了。

对于这类变化,虽然人们事先无法全部考虑到,但是对其功能则是可以发现的。如果以功能为基准去分析和设计系统,那么系统将会对组织结构的变化有一定的独立性,将获得较强的生命力,所以在分析组织情况时还应该对其业务功能进行调查与分析。这样做,一来可以在了解组织结构的同时,对于依附于组织结构的各项业务功能也有一个概貌性的了解;二来对于各项交叉管理、交叉部分各层次的深度以及各种不合理的现象有一个总体的了解,在后面的系统分析和设计时进行改进。

系统有一个总的目标,为了达到这个目标,必须完成各子系统的功能,而各子系统功能的完成又依赖于下面各项更具体的功能来执行。功能结构调查的任务就是要了解并确定系统的这种功能构造,因此,在掌握系统组织体系的基础上,以组织结构为线索,层层了解各个部门的职责、工作内容和内部分工,就可以掌握系统的功能体系,并用功能体系图来表示。功能体系图是一个完全以业务功能为主体的树形图,其目的是描述组织内部各部分的业务和功能。

3. 组织与功能关系分析

通过绘制组织功能关系图分析组织与功能之间的关系，如表 5 - 1 所示。

表 5 - 1　组织功能关系图

序号	业务	计划科	质量科	设计科	工艺科	机动科	总工室	研究所	生产科	供应科	人事科	总务科	教育科	销售科	仓库
1	计划	*					√		×	×				×	×
2	销售		√											*	×
3	供应	√							×	*					√
4	人事										*	√	√		
5	生产	√	×	×	×		*		*	×				√	√
6	设备更新				*	√	√	√	×						
7	…														

注：表中 * 表示该项业务是对应组织的主要业务（即该组织是主持该项工作的单位），

× 表示该组织是参加协调该项业务的辅助单位。

√表示该组织是该项业务的相关单位（或称有关单位）

空格：表示该组织与对应业务无关。

5.4.2　业务流程分析

组织结构图描述了系统边界之内的部门划分以及这些部门之间的关系，而组织功能分析图则反映了这些部门所具有的管理功能，这些都是有关信息系统工作背景的一个综合性的描述，它们只反映系统的总体情况而不能反映系统的细节情况。但是，从这两张图上可以看出信息处理工作集中在哪些部门以及这些部门的主要职责是什么，因此，下一步的任务就是要弄清这些职能是如何在有关部门具体完成的，以及在完成这些职能时信息处理工作的一些细节情况，这项工作称为业务流程分析。

在对系统的组织结构和功能进行分析时，需要从一个实际业务流程的角度将系统调查中有关该业务流程的资料都串起来做进一步的分析。业务流程分析可以帮助我们了解该业务的具体处理过程，发现和处理系统调查工作中的错误和疏漏，修改和删除原系统的不合理部分，在新系统基础上优化业务处理流程。恰当的业务流程分析结果将会给后续工作以及系统设计工作带来很多便利。

1. 业务流程分析的具体内容

业务流程分析的具体内容包括以下 5 个方面。

①详细了解各个业务管理环节的任务、工作对象、工作方式、工作的内容（需要的信息、数量和处理过程）；

②与其他机构和部门之间的信息关联（输入报表、产生的单证及其格式、输出报表等）。

③异常情况的处理（如临时性的需求以及发现错误、紧急情况的处理等）。

④有无冗余和无用的处理过程。

⑤哪些处理环节适合使用计算机代替人工处理。

业务流程分析则是在业务功能的基础上将其细化，利用系统调查的资料将业务处理过程中的每一个步骤用一个完整的图形串起来，在绘制业务流程图的过程中发现问题，分析不足，优化业务处理过程。所以绘制业务流程图表是分析业务流程的重要步骤。

2. 系统分析报告

系统分析阶段的最终成果是系统分析报告，又称为系统说明书。系统分析报告反映了这一阶段调查分析的全部情况，是下一步设计与实现系统的纲领性文件。

系统分析说明书形成后必须组织开发单位的领导、管理人员、专业技术人员、系统分析人员等各方面的人员一起对已经形成的逻辑方案进行论证，尽可能发现其中的问题、误解和疏漏。对于问题、疏漏要及时纠正，对于有争议的问题要重新核实当初的原始调查资料或做进一步的调查研究，对于重大的问题甚至可能需要调整或修改系统目标，重新进行系统分析。总之，系统分析说明书是系统分析阶段最重要的文档，用户可以通过系统分析报告来验证和认可新系统的开发策略和开发方案，而系统设计师可以用它来指导系统设计的工作和以后的系统实施标准，必须非常认真地讨论和分析。

一份好的系统分析报告应该不仅充分展示前段调查的结果，而且还要反映系统分析结果——新系统的逻辑方案，这是非常重要的。

系统分析报告主要包括以下内容。

(1)概述

①摘要。摘要说明新系统的名称、主要目标和功能。

②背景。新系统开发的有关背景以及新系统与现行系统之间的关系和主要差别。

(2)项目概述

①主要工作内容。简要说明本项目在开发中必须要完成的各项工作。

②系统需求说明。对现行系统的真实情况及问题所在和用户的新要求进行说明，其中包括现行系统的目标、主要功能、组织结构、用户要求及存在问题、现行系统的工作流程和事务流程及有关的组织结构图、功能体系图和业务流程图。

在掌握了现行系统真实情况的基础上，针对系统存在的主要问题和薄弱环节，全面了解组织中各层次的用户对新系统的各种需求。

③系统的功能说明。明确新系统的功能要求，并用数据流程图概括说明系统的功能要求，对主要的处理过程用决策分析工具进行描述。另外，各个主要环节对业务的处理量、总的数据存储量、处理速度要求、处理方式和现有的各种技术手段等都应做一个扼要的说明。

(3)开发新系统的实施方案

①工作任务的划分。说明开发中应完成的各项工作，并按系统功能(或子系统)划分，进行任务分工，指明各项任务的负责人。

②工作进度。说明各项工作任务的预定开始时间和完成时间，规定各项任务完成后的先后次序以及任务完成的界面。

③经费预算。逐项列出开发项目所需要的经费预算。

系统分析报告的编写反映系统分析工作的水平，应认真对待，切实做到情况清楚、观点明确、论证有力、简单明了。

5.5　面向对象分析与建模

5.5.1　面向对象的概念

“对象”是面向对象方法学中使用的最基本的概念，前面已经多次用到这个概念，本节再从多种角度进一步阐述这个概念，并介绍面向对象的其他基本概念。

1. 对象

在应用领域中有意义的、与所要解决的问题有关系的任何事物都可以作为对象，它既可以是具体的物理实体的抽象，也可以是人为的概念，或者是任何有明确边界和意义的东西。例如，一名职工、一家公司、一个窗口、一座图书馆、一本图书、贷款、借款等都可以作为一个对象。总之，对象是对问题域中某个实体的抽象，设立某个对象就反映了软件系统具有保存有关它的信息并且与它进行交互的能力。

由于客观世界中的实体通常都既具有静态的属性，又具有动态的行为，因此，面向对象方法学中的对象是由描述该对象属性的数据以及可以对这些数据施加的所有操作封装在一起构成的统一体。对象的操作表示它的动态行为，在面向对象分析和面向对象设计中，通常把对象的操作称为服务或方法。

(1)对象的形象表示

为有助于读者理解对象的概念，图5－2形象地描绘了具有3个操作的对象。可以用一台录音机比喻一个对象，通俗地说明对象的某些特点。

当使用一台录音机的时候，总是通过按键来操作：按下Play(放音)键，则录音带正向转动，通过喇叭放出录音带中记录的歌曲或其他声音；按下Record(录音)键，则录音带正向转动，在录音带中录下新的音响……完成录音机各种功能的电子线路被装在录音机的外壳中，人们无须了解这些电子线路的工作原理就可以随心所欲地使用录音机。为了使用录音机，根本没有必要打开外壳去触动壳内的各种零部件，事实上，不是专业维修人员的一般用户，完全不允许打开录音机外壳。

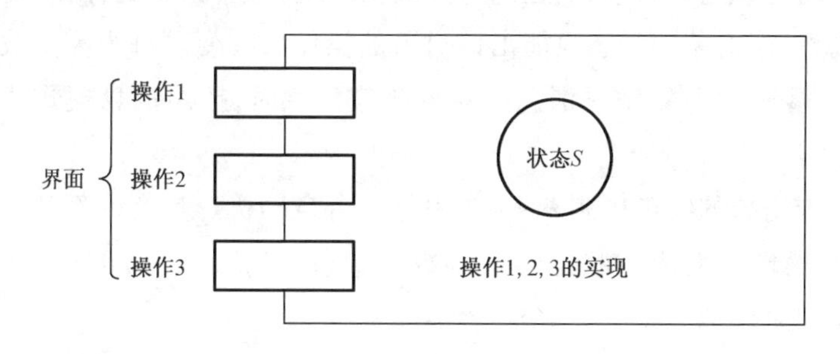

图5－2　对象的形象表示

一个对象很像一台录音机。当在软件中使用一个对象的时候,只能通过对象与外界的接口来操作它。对象与外界的接口也就是该对象向公众开放的操作,例如,C++语言中对象的公有(public)成员函数。使用对象向公众开放的操作就类似于使用录音机的按键,只需知道该操作的名字(类似于录音机的按键名)和所需要的参数(提供附加信息或设置状态,例如听录音前先装录音带并把录音带转到指定位置),根本无须知道实现这些操作的方法。事实上,实现对象操作的代码和数据是隐藏在对象内部的,一个对象好像是一个黑盒子,表示它内部状态的数据和实现各个操作的代码及局部数据,都被封装在这个黑盒子内部,在外面是看不见的,更不能从外面去访问或修改这些数据或代码。

使用对象时只需知道它向外界提供的接口形式而无须知道它的内部实现算法,不仅使得对象的使用变得非常简单、方便,而且具有很高的安全性和可靠性。对象内部的数据只能通过对象的公有方法(如C++的公有成员函数)来访问或处理,这就保证了对这些数据的访问或处理在任何时候都是使用统一的方法进行的,不会像使用传统的面向过程的程序设计语言那样,由于每个使用者各自编写自己的处理某个全局数据的过程而发生错误。

此外,录音机中放置的录音带类似于一个对象中表示其内部状态的数据,当录音带处于不同位置时,按下Play键所放出的歌曲是不相同的。同样,当对象处于不同状态时,做同一个操作所得到的效果也是不同的。

(2)对象的定义

目前,对对象所下的定义并不完全统一,人们从不同角度给出对象的不同定义。这些定义虽然形式不同,但基本含义是相同的。下面给出对象的几个定义。

定义1:对象是具有相同状态的一组操作的集合。这个定义主要是从面向对象程序设计的角度看对象。

定义2:对象是对问题域中某个东西的抽象,这种抽象反映了系统保存有关这个东西的信息或与它交互的能力。也就是说,对象是对属性值和操作的封装。这个定义着重从信息模拟的角度看待对象。

定义3:对象=(ID,MS,DS,MI)。其中,ID是对象的标识或名字,MS是对象的操作集合,DS是对象的数据结构,MI是对象受理的消息名集合(对外接口)。这个定义是一个形式化的定义。

总之,对象是封装了数据结构及可以施加在这些数据结构上的操作的封装体,这个封装体有可以唯一地标识它的名字,而且向外界提供一组服务(公有的操作)。对象中的数据表示对象的状态,一个对象的状态只能由该对象的操作来改变。每当需要改变对象的状态时,只能由其他对象向该对象发送消息。对象响应消息时,按照消息模式找出与之匹配的方法,并执行该方法。

从动态角度或对象的实现机制来看,对象是一台自动机。具有内部状态S,操作f_i($i=1,2,\cdots,n$),且与操作f_i对应的状态转换函数为g_i($i=1,2,\cdots,n$)的一个对象,可以用图5-3所示的自动机来模拟。

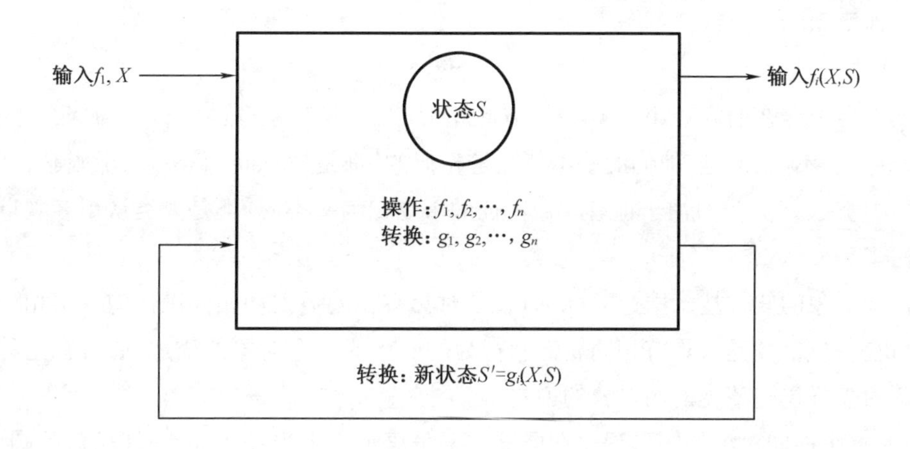

图5－3　用自动机模拟对象

(3)对象的特点

对象有如下一些基本特点：

①以数据为中心。操作围绕对其数据所需要做的处理来设置,不设置与这些数据无关的操作,而且操作的结果往往与当时所处的状态(数据的值)有关。

②对象是主动的。对象与传统的数据有本质不同,不是被动地等待对它进行处理;相反,对象是进行处理的主体。为了完成某个操作,不能从外部直接加工对象的私有数据,而是必须通过对象的公有接口向对象发消息,请求对象执行它的某个操作,处理它的私有数据。

③实现了数据封装。对象好像是一只黑盒子,它的私有数据完全被封装在盒子内部,对外是隐藏的、不可见的,对私有数据的访问或处理只能通过公有的操作进行。为了使用对象内部的私有数据,只需知道数据的取值范围(值域)和可以对该数据施加的操作(即对象提供了哪些处理或访问数据的公有方法),根本无须知道数据的具体结构以及实现操作的算法。这也就是抽象数据类型的概念。因此,一个对象类型也可以看作一种抽象数据类型。

④本质上具有并行性。对象是描述其内部状态的数据及可以对这些数据施加的全部操作的集合。不同对象各自独立地处理自身的数据,彼此通过发消息传递信息完成通信,因此,本质上具有并行工作的属性。

⑤模块独立性好。对象是面向对象的软件的基本模块,为了充分发挥模块化简化开发工作的优点,希望模块的独立性强。具体来说,也就是要求模块的内聚性强,耦合性弱。如前所述,对象是由数据及可以对这些数据施加的操作所组成的统一体,而且对象是以数据为中心的,操作围绕对其数据所需做的处理来设置,没有无关的操作。因此,对象内部各种元素彼此结合得很紧密,内聚性相当强。由于完成对象功能所需要的元素(数据和方法)基本上都被封装在对象内部,它与外界的联系自然就比较少,因此,对象之间的耦合通常比较弱。

2. 其他概念

(1)类

现实世界中存在的客观事物有些是彼此相似的。例如。虽然每个人的职业、性格、爱好、特长等各有不同,但是,他们的基本特征是相似的,都是黄皮肤、黑头发、黑眼睛,把他们统称为"中国人"。人类习惯于把有相似特征的事物归为一类,分类是人类认识客观世界的基本方法。

在面向对象的软件技术中,类(class)就是对具有相同数据和相同操作的一组相似对象的定义,也就是说,类是对具有相同属性和行为的一个或多个对象的描述,通常在这种描述中也包括对怎样创建该类的新对象的说明。

例如,一个面向对象的图形程序在屏幕左下角显示一个半径 3 cm 的红颜色的圆,在屏幕中部显示一个半径 4 cm 的绿颜色的圆,在屏幕右上角显示一个半径 1 cm 的黄颜色的圆。这 3 个圆心位置、半径大小和颜色均不相同的圆是 3 个不同的对象。但是,它们都有相同的数据(圆心坐标、半径、颜色)和相同的操作(显示自己、放大缩小半径、在屏幕上移动位置等)。因此,它们是同一类事物,可以用"Circle 类"来定义。

以上先详细地阐述了对象的定义,然后在此基础上定义了类。也可以先定义类再定义对象。例如,可以像下面这样定义类和对象:类是支持继承的抽象数据类型,而对象就是类的实例。

(2)实例

实例(instance)就是由某个特定的类所描述的一个具体的对象。类是对具有相同属性和行为的一组相似的对象的抽象,类在现实世界中并不能真正存在。在地球上并没有抽象的"中国人",只有一个个具体的中国人,例如,张三、李四、王五……同样,谁也没见过抽象的"圆",只有一个个具体的圆。

实际上,类是建立对象时使用的"样板",按照这个样板所建立的一个个具体的对象就是类的实际例子,通常称为实例。

当使用"对象"这个术语时,既可以指一个具体的对象,也可以泛指一般的对象。但是,当使用"实例"这个术语时,必然是指一个具体的对象。

(3)消息

消息(message)就是要求某个对象执行在定义它的那个类中所定义的某个操作的规格说明。通常,一个消息由下述 3 部分组成:

①接收消息的对象;

②消息选择符(也称为消息名);

③零个或多个变元。

例如,MyCircle 是一个半径 4cm、圆心位于(100,200)的 Circle 类的对象,也就是 Circle 类的一个实例,当要求它以绿颜色在屏幕上显示自己时,在 C++ 语言中应该向它发送下列消息:

```
MyCircle . Show (GREEN) ;
```

其中 MyCircle 是接收消息的对象的名字,Show 是消息选择符(即消息名),圆括号内的 GREEN 是消息的变元。当 MyCircle 接收到这个消息后,将执行在 Circle 类中所定义的 Show 操作。

(4)方法

方法(method)就是对象所能执行的操作,也就是类中所定义的服务。方法描述了对象执行操作的算法,即响应消息的方法。在 C++语言中把方法称为成员函数。

例如,为了 Circle 类的对象能够响应让它在屏幕上显示自己的消息 Show(GREEN),在 Circle 类中必须给出成员函数 Show(int color)的定义,也就是要给出这个成员函数的实现代码。

(5)属性

属性(attribute)就是类中所定义的数据,它是对客观世界实体所具有的性质的抽象。类的每个实例都有自己特有的属性值。

在 C++语言中把属性称为数据成员。例如,Circle 类中定义的代表圆心坐标、半径、颜色等的数据成员就是圆的属性。

(6)封装

从字面上理解,所谓封装(encapsulation)就是把某个事物包起来,使外界不知道该事物的具体内容。

在面向对象的程序中,把数据和实现操作的代码集中起来放在对象内部。一个对象好像是一个不透明的黑盒子,表示对象状态的数据和实现操作的代码与局部数据都被封装在黑盒子里面,从外面是看不见的,更不能从外面直接访问或修改这些数据和代码。

使用一个对象的时候,只需知道它向外界提供的接口形式,无须知道它的数据结构细节和实现操作的算法。

综上所述,对象具有封装性的条件如下:

①有一个清晰的边界。所有私有数据和实现操作的代码都被封装在这个边界内,从外面看不见,更不能直接访问。

②有确定的接口(即协议)。这些接口就是对象可以接受的消息,只能通过向对象发送消息来使用它。

③受保护的内部实现。实现对象功能的细节(私有数据和代码)不能在定义该对象的类的范围外访问。

封装也就是信息隐藏,通过封装对外界隐藏了对象的实现细节。

对象类实质上是抽象数据类型。类把数据说明和操作说明与数据表达和操作实现分离开了,使用者只需知道它的说明(值域及可对数据施加的操作),就可以使用它。

(7)继承

广义地说,继承(inheritance)是指能够直接获得已有的性质和特征,而不必重复定义它们。在面向对象的软件技术中,继承是子类自动地共享基类中定义的数据和方法的机制。

面向对象软件技术的许多强有力的功能和突出的优点,都来源于把类组成一个层次结构的系统(类等级):一个类的上层可以有父类,下层可以有子类。这种层次结构系统的一个重要性质是继承性,一个类直接继承其父类的全部描述(数据和操作)。为了更深入、具体地理解继承性的含义,图 5-4 描绘了实现继承机制的原理。

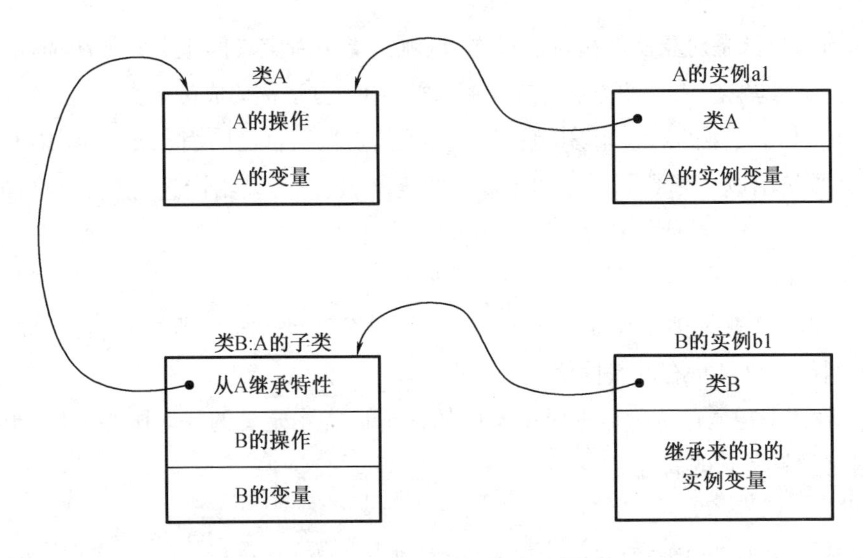

图 5-4　实现继承机制的原理

图 5-4 中以 A、B 两个类为例,其中 B 类是从 A 类派生的子类,它除了具有自己定义的特性(数据和操作)之外,还从父类 A 继承特性。当创建 A 类的实例 a1 的时候,a1 以 A 类为样板建立实例变量(在内存中分配所需要的空间),但是它并不从 A 类中复制所定义的方法。

创建 B 类的实例 b1 的时候,b1 既要以 B 类为样板建立实例变量,又要以 A 类为样板建立实例变量 b1 所能执行的操作,既有 B 类中定义的方法,又有 A 类中定义的方法,这就是继承。当然,如果 B 类中又定义了和 A 类中同名的数据或操作,则 b1 仅使用 B 类中定义的这个数据或操作,除非采用特别措施,否则 A 类中与之同名的数据或操作在 b1 中就不能使用。

继承具有传递性,如果类 C 继承类 B,类 B 继承类 A,则类 C 继承类 A。因此,一个类实际上继承了它所在的类等级中在它上层的全部基类的所有描述,也就是说,属于某类的对象除了具有该类所描述的性质外,还具有类等级中该类上层全部基类描述的一切性质。

当一个类只允许有一个父类时,也就是说,当类等级为树形结构时,类的继承是单继承;当允许一个类有多个父类时,类的继承是多重继承。多重继承的类可以组合多个父类的性质构成所需要的性质,因此功能更强,使用更方便。但是,使用多重继承时要注意避免二义性。

继承性使得相似的对象可以共享程序代码和数据结构,从而大大减少了程序中的冗余信息。在程序执行期间,对对象某一性质的查找是从该对象类在类等级中所在的层次开始,沿类等级逐层向上进行的,并把第一个被找到的性质作为所要的性质。因此,低层的性质将屏蔽高层的同名性质。

使用从原有类派生出新的子类的办法,使得对软件的修改变得比过去容易得多了。当需要扩充原有的功能时,派生类的方法可以调用其基类的方法,并在此基础上增加必要的程序代码;当需要完全改变原有操作的算法时,可以在派生类中实现一个与基类方法同名而算法不同的方法;当需要增加新的功能时,可以在派生类中实现一个新的方法。

继承性使得用户在开发新的应用系统时不必完全从零开始,可以继承原有的相似系统的功能或者从类库中选取需要的类,再派生出新的类以实现所需要的功能。

有了继承性以后,还可以用把已有的一般性的解加以具体化的办法来达到软件重用的目的:首先,使用抽象的类开发出一般性问题的解。其次,在派生类中增加少量代码使一般性的解具体化,从而开发出符合特定应用需要的具体解。

(8)多态性

多态性(polymorphism)一词来源于希腊语,意思是“有许多形态”。在面向对象的软件技术中,多态性是指子类对象可以像父类对象那样使用,同样的消息既可以发送给父类对象也可以发送给子类对象。也就是说,在类等级的不同层次中可以共享(公用)一个行为(方法)的名字,然而不同层次中的每个类却各自按自己的需要来实现这个行为。当对象接收到发送给它的消息时,根据该对象所属于的类动态选用在该类中定义的实现算法。

在C++语言中,多态性是通过虚函数来实现的。在类等级不同层次中可以说明名字、参数特征和返回值类型都相同的虚拟成员函数,而不同层次的类中的虚函数实现算法各不相同。虚函数机制使得程序员能在一个类等级中使用相同函数的多个不同版本,在运行时刻才根据接收消息的对象所属于的类,决定到底执行哪个特定的版本,这称为动态联编,也叫滞后联编。

多态性机制不仅增加了面向对象软件系统的灵活性,进一步减少了信息冗余,而且显著提高了软件的可重用性和可扩充性。当扩充系统功能增加新的实体类型时,只需派生出与新实体类相应的新的子类,并在新派生出的子类中定义符合该类需要的虚函数,完全不需要修改原有的程序代码,甚至不需要重新编译原有的程序(仅需编译新派生类的源程序,再与原有程序的.OBJ文件连接)。

(9)重载

有两种重载(overloading):函数重载是指在同一作用域内的若干个参数特征不同的函数可以使用相同的函数名字,运算符重载是指同一个运算符可以施加于不同类型的操作数上面。当然,当参数特征不同或被操作数的类型不同时,实现函数的算法或运算符的语义是不相同的。

在C++语言中,函数重载是通过静态联编(也叫先前联编)实现的,也就是在编译时根据函数变元的个数和类型,决定到底使用函数的哪个实现代码。对于运算符重载,同样是在编译时根据被操作数的类型决定使用该运算符的哪种语义。

重载进一步提高了面向对象系统的灵活性和可读性。

3. 面向对象建模

众所周知,在解决问题之前必须首先理解所要解决的问题。对问题理解得越透彻,就越容易解决它。当完全、彻底地理解了一个问题的时候,通常就已经解决了这个问题。

为了更好地理解问题,人们常常采用建立问题模型的方法。

(1)模型的含义

所谓模型,就是为了理解事物而对事物做出的一种抽象,是对事物的一种无歧义的书面描述。通常,模型由一组图示符号和组织这些符号的规则组成,利用它们来定义和描述问题域中的术语和概念。更进一步讲,模型是一种思考工具,利用这种工具可以把知识规范地表示出来。

模型可以帮助我们思考问题,定义术语,在选择术语时做出适当的假设,并且可以帮助我们保持定义和假设的一致性。

模型是现实系统的简化,它是抓住现实系统的主要方面而忽略次要方面的一种抽象。因此,模型既反映了现实系统,又不等同于现实系统。模型是理解、分析、开发或改造现实系统的常用手段。模型和现实系统之间的关系如图 5 –5 所示。

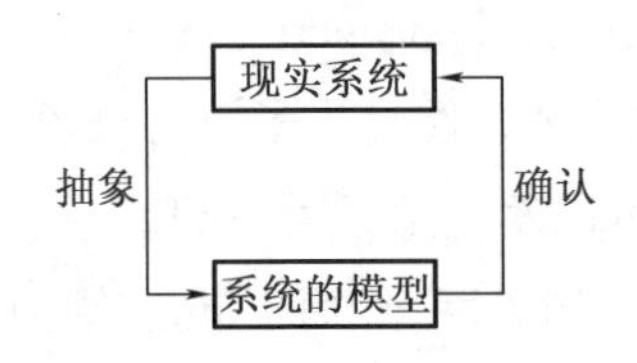

图 5 –5　模型和现实系统之间的关系

由于人们对复杂性的东西认识有限,因此系统设计者在系统设计之初往往无法完全理解整个系统。此时人们就需要将系统建模。现实生活中也是如此,在建造一个大楼的时候往往要先画设计图纸。建模可以使设计者能够从全局把握系统及内部的联系,而不至于陷入每个模块的细节之中。模型可使具有复杂关系的信息简单易懂,使人们容易洞察复杂堆砌而成的原始数据背后的规律,并能够有效地将系统需求映射到软件结构上。真体而言,模型的作用如下:

①模型可以促进项目有关人员对系统的理解和交流。模型对于问题的理解、项目有关人员(客户、领域专家、分析人员和设计人员等)之间的交流、文档的准备以及程序和数据库的设计等都非常有益。模型可使得人们直接研究一个大型的复杂软件系统。建模促使人们对需求加以理解,从而可得到更清楚的设计,进而得到更容易维护的系统。

②模型有助于挑选出代价较小的解决方案。在研究一个大型系统的软件模型时,可以提出多个实际方案并对它们进行比较,然后挑选一个最好的解决方案。

③模型可以缩短开发周期。模型实际上是通过滤掉一些不必要的细节而刻画复杂问题或者结构的必要特性的抽象,它使得问题更容易理解。有了模型之后,软件系统的开发就会变得较快,同时也降低了系统的开发成本。

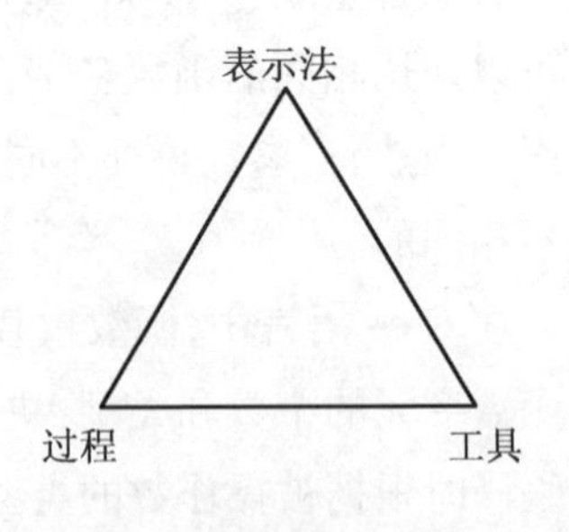

图 5 –6　成功建模的三要素

为了建立复杂的系统,开发人员必须先抽象出不同的视图,并用精确的表示法来建立模型,最后在模型转换为实现中逐渐添加细节。如图 5 –6 所示,表示法、过程和工具是成功建模的三要素,三者缺一不可。如果建模人员了解表示法的含义，但不知道如何使用这些表示法（过程），那么最终有可能会失败；如果建模人员知道建模的过程，但不知道各个表示法的含义，那么最终也可能会失败；如果建模人员不能借助工具记录下建模过程所得的各制品，那么最后还是有可能会失败。

（2）面向对象的软件开发

在面向对象的程序设计方法出现之前，传统的设计方法大都是面向过程的（少数是面向数据结构的）。面向过程的程序设计结构清晰，它在历史上为缓解软件危机做出了贡献。面向过程的程序设计方法是以功能分析为基础的，它强调自顶向下的功能分解，并或多或少地对功能进行分离。换言之，在采用这种方法开发系统时，不管是在模型设计中还是在现实系统实现中，数据和操作都是分开的。用这种设计方法设计出的系统模块独立性较差，模块之间的耦合度较高，对一个模块的修改可能会造成很多其他模块功能上的改变。因此，系统的理解和维护都存在一定的难度。具体而言，面向过程的程序设计方法存在如下问题：

①操作和数据分离的软件设计结构和人类（所认识）的现实环境很不一样，和人的思维方式不相一致。因此，人们对现实世界的认识与程序设计之间存在一道理解上的鸿沟。

②系统是围绕着如何实现一定行为来进行设计的，当系统行为发生改变，需要进行修改时，修改工作颇为困难。因为这类系统的结构是基于上层模块必须控制下层模块工作的前提的，因此在底层模块变动时，常常会迫不得已修改一些上层模块，而这种一系列的上层模块的修改不是当时变动底层模块的目的。同样，在需要修改上层模块时，新的上层模块也需要了解它的所有下层模块，编写这样的上层模块当然颇为困难。所以，这种结构无法适应迅猛变化的技术发展。

③在系统中模块之间的控制作用有重要的影响时（即实际的控制发生的根源来自分散的各个模块时），由于在“良好的模块结构”中的模块间的控制作用只能通过上下层模块之间的调用关系来实现，会造成信息路径过长，效率低，易受干扰甚至出现错误。如果允许模块间为进行控制而直接进行通信，那么结果是系统总体结构混乱，从而难于维护。所以，这种结构是无法适应以控制关系为重要特性的系统要求的。

④用这种方法开发出来的系统往往难于维护，主要原因是所有的函数都必须知道数据结构。许多不同数据类型的数据结构之间只有细微的差别。在这种情况下，函数中常常要使用大量的条件判断，它们与函数的功能毫无关系，只是因为数据结构的不同而不得不使用，结果使程序变得非常难读。

⑤自顶向下功能分解的分析方法大大限制和降低了软件的易用性，导致对同样对象的大量重复性操作，从而降低了开发人员的生产率。

面向对象设计方法是对面向过程设计方法强有力的补充。面向对象的设计的方法是一种新型、实用的程序设计方法，它强调数据的抽象、易扩展性和代码复用等软件工程原则，特别有利于大型、复杂软件系统的生成，因而被称为20世纪90年代的“结构化程序设计方法”。该方法的主要特征在于支持数据抽象、封装、继承等概念。借助数据抽象和封装，可以抽象地定义对象的外部行为而隐藏其实现细节，从而达到规约和实现的分离，有利于程序的理解、修改和维护。对系统原型的快速生成和有效实现大有帮助；支持继承则可以在原有的代码上构建新的软件模块，从而有利于软件的复用。在采用面向对象的程序设计方法开发系统时，系统实际上是由许多对象构成的集合。图5－7描绘了结构化程序和面向对象程序之间的主要差别。

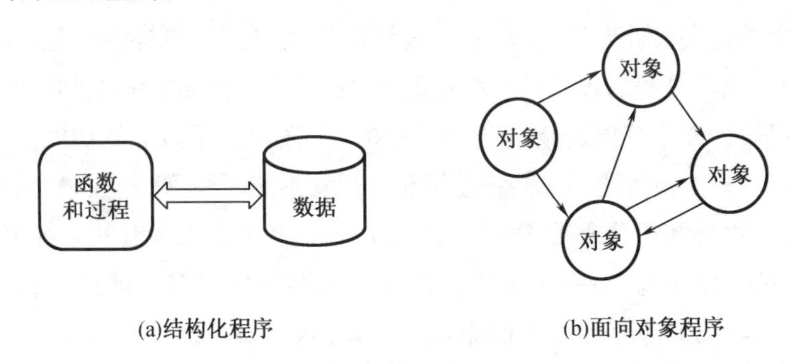

图5－7　两种程序设计方法开发出的程序之间的差别

面向对象程序设计语言可以直接、充分地支持面向对象程序设计方法，从而成为软件开发的有力工具。在面向对象程序中，对象由属性和方法封装而成。对象的行为通过操作展示，外界不可以直接访问其内部属性，操作的实现对用户透明。消息的传递是对象间唯一的交互方式，对象的创建和对象中操作的调用通过消息传递来完成。类是对具有相同内部状态和外部行为的对象结构的描述，它定义了表示对象状态的实例变量集和表示对象变量的方法集。类是待创建对象的模板，而对象则是类的实例。子类可以继承父类的实例变量和方法，同时还可以定义新的变量和方法。对象的分装性降低了对象间的耦合度，从而使得程序的理解和修改变得容易。类之间的继承机制使得易于在现有代码基础上为系统增加新的功能。总之，可以把面向对象模型看作一个由如下主要元素构成的概念框架：

抽象—封装性—模块化—层次性—并发性—类型化—持久化—易复用性—易扩展性—动态绑定

面向对象的软件开发方法涉及面向对象分析（OOA）、面向对象设计（OOD）、面向对象，程序设计和编码（OOP）、面向对象测试（OOT）等一系列特定阶段。面向对象设计方法期望获得一种独立于语言的设计和描述，以求达到从客观世界中的事物原型到软件系统间尽可能地平滑过渡。

面向对象的方法把功能和数据看作是高度统一的，其主要优点如下：

①它能较好地处理软件规模和复杂性不断增加所带来的问题。

②它更适合于控制关系复杂的系统。

③面向对象系统通过对象间的协作来完成任务，因而更容易管理。

④它使用各种直接模仿应用域中实体的抽象方法和对象的概念，从而使得规约和设计更加完整。

⑤它围绕对象和类进行局部化，从而提高规约、设计和代码的易扩展性、易维护性和易复用性。

⑥它简化了开发者的工作,提高了软件和文档的质量。

当开发人员正确地使用了面向对象开发方法时,就能够有效地降低软件开发的成本,提高系统的易复用性、易扩展性、易维护性和易理解性。

4. 统一建模语言

面向对象建模语言出现于20世纪70年代中期。从1989年到1994年,其数量从不到10种迅速增加到50多种。各种建模语言的设计者都努力推广自己的语言产品,并在实践中不断完善。然而,面向对象方法的用户并不了解不同建模语言的优缺点以及相互之间的差异,因而很难根据应用的特点选择合适的建模语言。于是,当时爆发了一场“方法大战”。

不同建模语言之间存在的细微差别极大地妨碍了用户之间的交流。面向对象方法发展的现实要求在精心比较不同建模语言的优缺点和总结面向对象技术应用经验的基础上把建模语言统一起来。

(1)UML发展过程

UML(unified modeling language,UML,统一建模语言)是20世纪90年代中后期诞生并迅速成熟的一种面向对象的可视化建模语言,它整合了Booch、OMT等多种面向对象的分析设计技术,为用户提供了一种稳定、统一、可重用性好、表达能力强的分析方法。

UML不仅包含了许多人员的不同观点,而且也受到了非面向对象方法的影响。UML表示法集中了不同的图形表示方法,剔除了其中容易引起混淆、冗余或者很少使用的符号,同时添加了一些新的符号。其中的概念来自面向对象技术领域中众多专家的思想,大部分观点并不是UML的开发者自己提出来的,他们的工作在很大程度上只是将优秀的面向对象建模方法加以选择和综合。

UML的目标是以面向对象图的方式来描述任何类型的系统,可对任何具有静态结构和动态行为的系统进行建模。UML用视图构造系统模型,共定义了10种视图来刻画软件模型,分别是用例图、类图、对象图、包图、状态图、序列图、协作图、活动图、部署图、构件图,每种视图代表系统的不同侧面,全部视图共同构成系统的完整架构。视图用相互关联的模型图表示,这些图抽象层次不同、所描述内容各有侧重。视图之间的关联使系统成为一个有机整体。

UML是国际对象管理组织(OMG)批准的基于面向对象技术的标准建模语言。通常,使用UML的类图来建立对象模型,使用UML的状态图来建立动态模型,使用数据流图或UML的用例图来建立功能模型。在UML中把用用例图建立起来的系统模型称为用例模型。

曾对面向对象方法学的发展做出过重要贡献的Booch、Rumbaugh和Jacobson经过合作研究,于1996年6月设计出UML 0.9。截至1996年10月,在美国已有700多家公司表示支持采用UML作为建模语言,在1996年年底,UML已经稳定地占领了面向对象技术市场的85%M,成为事实上的工业标准。1997年11月,国际对象管理组织批准把UML 1.1作为基于面向对象技术的标准建模语言。

(2)UML的内容

UML的重要内容可以由下列5类图(共10种图形)来定义。

第一类是用例图,从用户角度描述系统功能,并指出各功能的操作者。

第二类是静态图(static diagram),包括类图、对象图和包图。其中类图描述系统中类的静态结构。不仅定义系统中的类,表示类之间的联系,如关联、依赖、聚合等,也包括类的内部结构(类的属性和操作)。类图描述的是一种静态关系,在系统的整个生命周期都是有效。对象图是类图的实例,几乎使用与类图完全相同的标识。它们的不同点在于对象图显示类的多个对象实例,而不是实际的类,一个对象图是类图的一个实例。由于对象存在生命周期,因此对象图只能在系统某一时间段存在。包图由包或类组成,表示包与包之间的关系,用于描述系统的分层结构。

第三类是行为图(behavior diagram),描述系统的动态模型和组成对象间的交互关系。其中状态图描述类的对象所有可能的状态以及事件发生时状态的转移条件。通常,状态图是对类图的补充。在实用上并不需要为所有的类画状态图,仅为那些有多个状态,其行为受外界环境的影响并且发生改变的类画状态图。而活动图描述为满足用例要求所要进行的活动以及活动间的约束关系,有利于识别并行活动。

第四类是交互图(interactive diagram),描述对象间的交互关系。其中,顺序图显示对象之间的动态合作关系,它强调对象之间消息发送的顺序,同时显示对象之间的交互。合作图描述对象间的协作关系,合作图与顺序图相似,显示对象间的动态合作关系。除显示信息交换外,合作图还显示对象以及它们之间的关系。如果强调时间和顺序,则使用顺序图;如果强调上下级关系,则选择合作图。

第五类是实现图(implementation diagram)。其中构件图描述代码部件的物理结构及各部件之间的依赖关系。一个部件可能是一个资源代码部件、一个二进制部件或一个可执行部件,它包含逻辑类或实现类的有关信息。部件图有助于分析和理解部件之间的相互影响程度。配置图定义系统中软硬件的物理体系结构,它可以显示实际的计算机和设备(用节点表示)以及它们之间的连接关系,也可显示连接的类型及部件之间的依赖性。在节点内部,放置可执行部件和对象以显示节点与可执行软件单元的对应关系。

通常利用下面的图来观察系统的静态部分:

①类图(class diagram);

②对象图(object diagram);

③组件图(component diagram);

④分布图(deployment diagram)。

使用下面的图来观察系统的动态方面:

①用例图(use case diagram);

②顺序图(sequence diagram);

③合作图(collaboration diagram);

④状态图(state diagram);

⑤活动图(activity diagram)。

(3)UML 的视图

在 UML 的每一种视图中都包含一种或多种图。下面重点讲解 UML 每种视图的细节问题。

①用例图。

【概念】描述用户需求,从用户的角度描述系统的功能。

【描述方式】椭圆表示某个用例,人形符号表示角色。

【目的】帮助开发团队以一种可视化的方式理解系统的功能需求。

【示例】如图 5-8 所示。

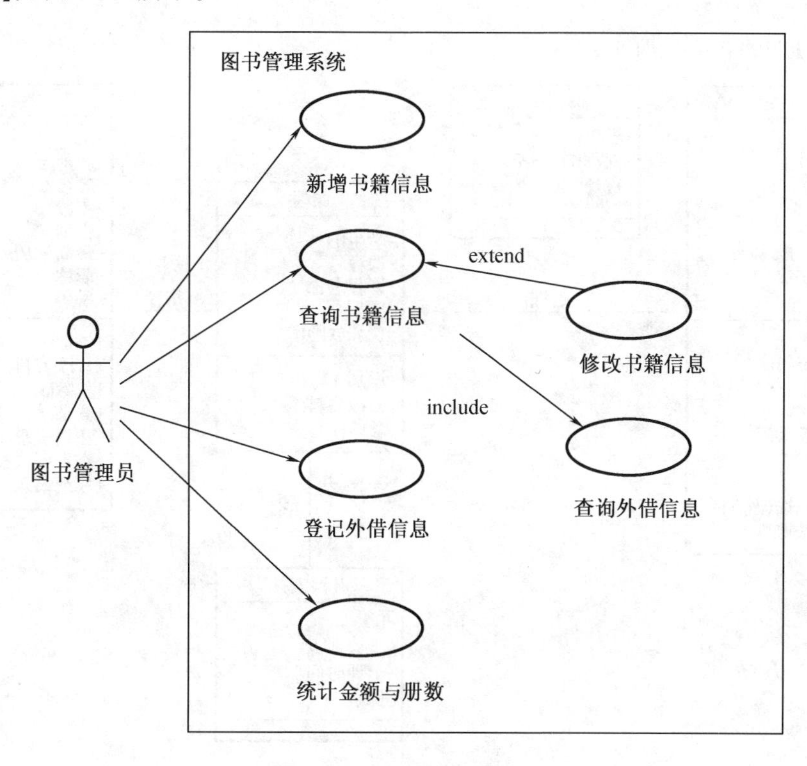

图 5-8　用例图示例

②静态图。

a. 类图。

【概念】显示系统的静态结构,表示不同的实体是如何相关联的。

【描述方式】3 个矩形,如图 5-9 所示。

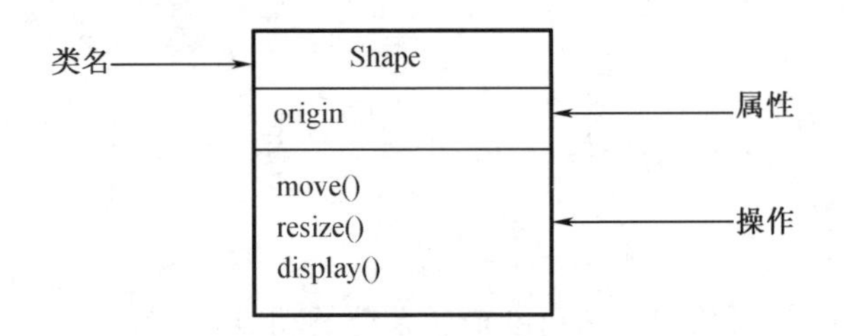

图 5－9　类图结构

【目的】表示一个逻辑类或实现类，逻辑类通常是用户的业务所涉及的事物，实现类是程序员处理的实体。

【示例】如图 5－10 所示。

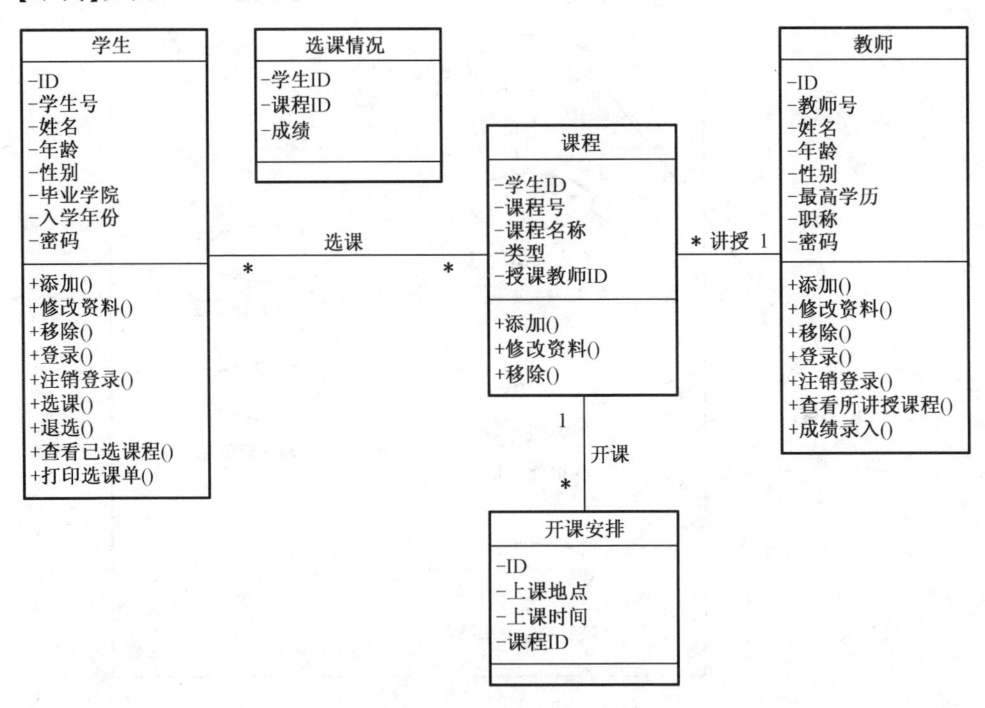

图 5－10　类图示例

b. 对象图。

【概念】类图的一个实例，描述系统在具体时间点上所包含的对象以及各个对象的关系。

【示例】如图 5－11 所示。

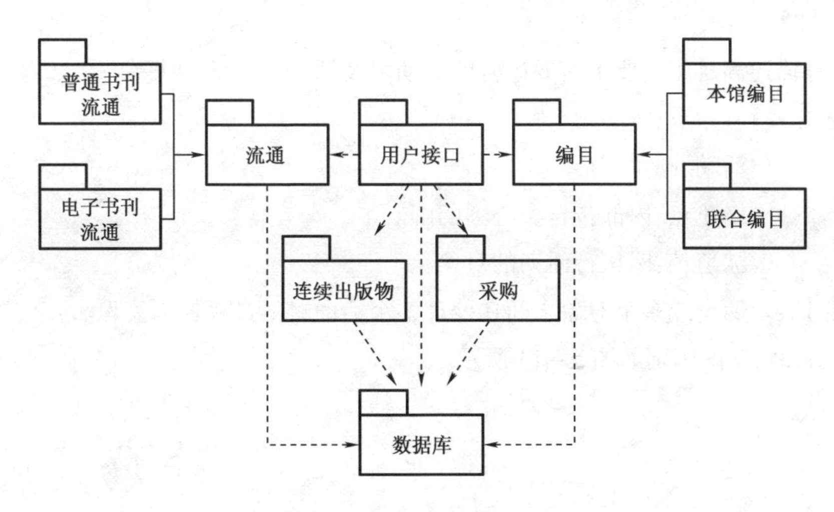

图 5－11　对象图示例

③行为图。

描述系统的动态模型和对象之间的交互关系。

a. 状态图。

【概念】描述对象的所有状态以及事件发生而引起的状态之间的转移。

【描述方式】起始点:实心圆。

状态之间的转换:使用开箭头的线段,

状态:圆角矩形。

判断点:空心圆。

一个或多个终止点:内部包含实心圆的圆。

【目的】表示某个类所处的不同状态以及该类在这些状态中的转换过程。

【示例】如图 5－12 所示。

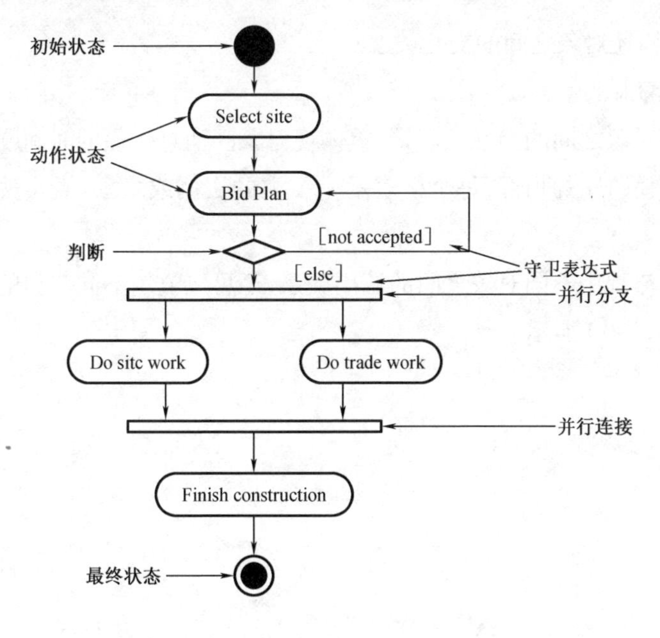

图 5－12　状态图

b. 活动图。

【概念】描述满足用例要求所要进行的活动以及活动时间的约束关系。

【描述方式】起始点:实心圆。

活动:圆角矩形。

终止点:内部包含实心圆的圆。

泳道:实际执行活动的对象。

【目的】表示两个或多个对象之间在处理某个活动时的过程控制流程。

活动图和状态图区别如图 5－13 所示。

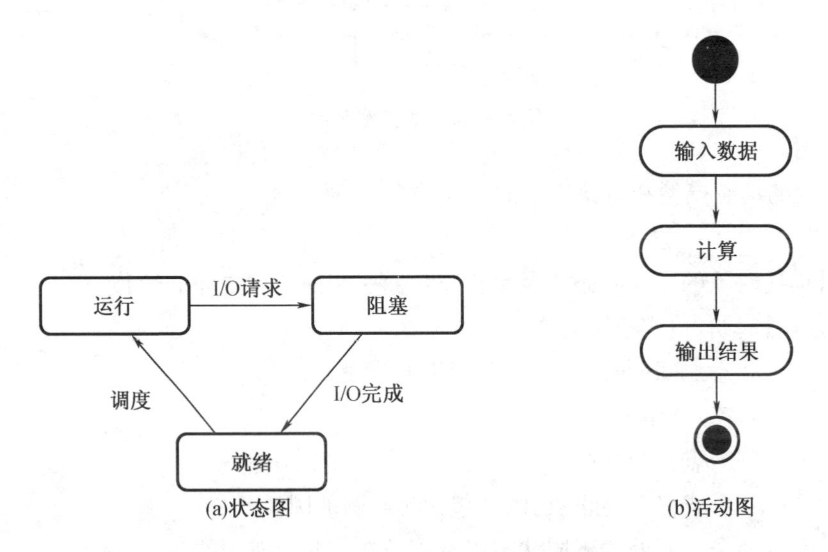

图 5－13　状态图和活动图的区别

④交互图。

交互图用来描述对象之间的交互关系。

a. 顺序图(序列图)。

【概念】描述对象之间的交互顺序,着重体现对象间消息传递的时间顺序。

【描述方式】横跨图的顶部,每个框表示一个类的实例或对象,类实例名称和类名称使用冒号分开。

【目的】显示流程中不同对象之间的调用关系,还可以显示不同对象的不同调用。

【示例】如图 5－14 所示。

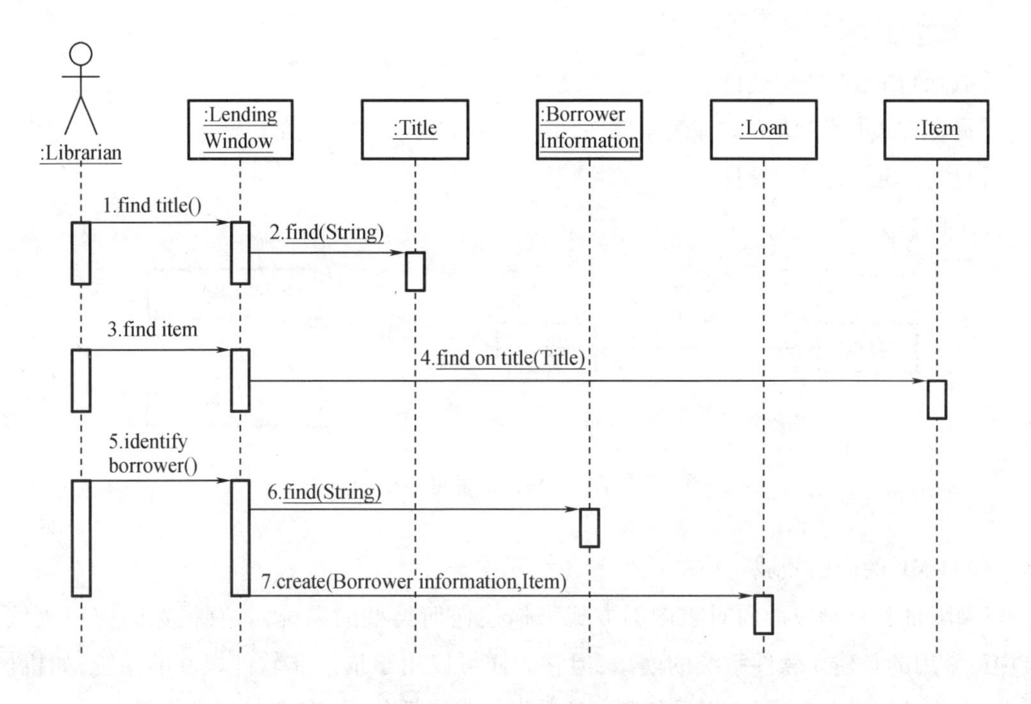

图 5-14 顺序图

b. 协作图。

【概念】描述对象之间的合作关系,侧重对象之间的消息传递。

⑤实现图。

a. 构件图。

【概念】描述代码构件的物理结构以及各构件之间的依赖关系。

【描述方式】构件。

【目的】提供系统的物理视图,根据系统的代码构件显示系统代码的整个物理结构。

【示例】如图 5-15 所示。

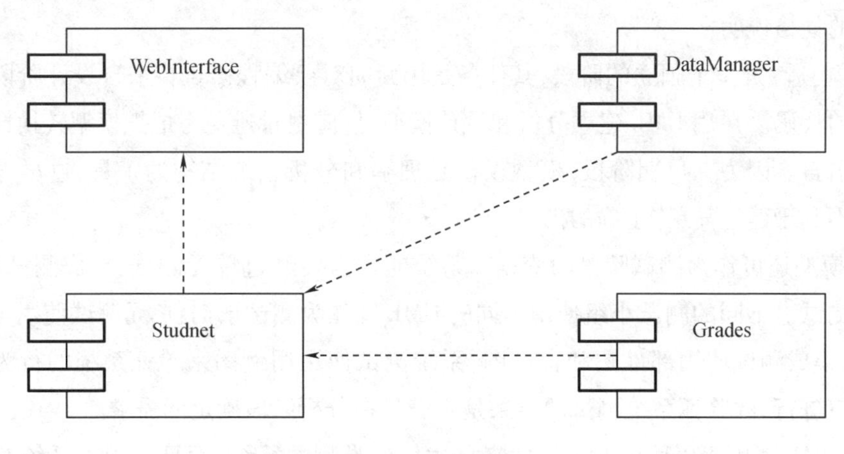

图 5-15 构件图

b. 部署图

【概念】描述系统中硬件的物理体系结构。

【描述方式】以三维立方体表示部件，节点名称位于立方体上部。

【目的】显示系统的硬件和软件的物理结构。

【示例】如图 5-16 所示。

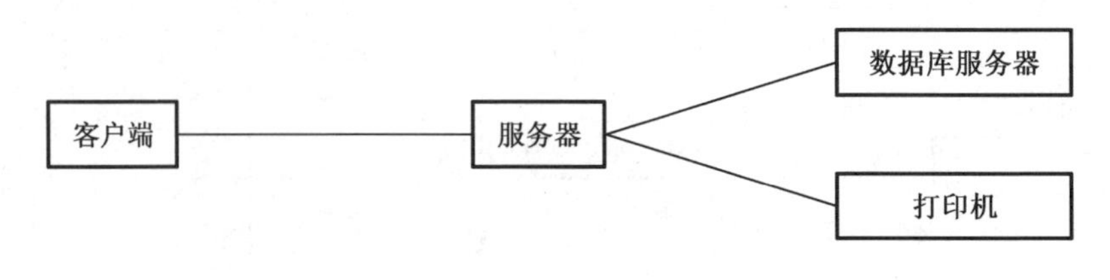

图 5-16　部署图

(4) UML 的应用领域

UMIL 的目标是以面向对象图的方式来描述任何类型的系统，具有很宽的应用领域。其中最常用的是建立软件系统的模型，但它同样可以用于描述非软件领域的系统，如机械系统、企业机构或业务过程，以及处理复杂数据的信息系统、具有实时要求的工业系统或工业过程等。总之，UML 是一个通用的标准建模语言，可以对任何具有静态结构和动态行为的系统进行建模。

此外，UML 适用于系统开发过程中从需求规格描述到系统完成后测试的不同阶段。在需求分析阶段，可以用用例来捕获用户需求。通过用例建模，描述对系统感兴趣的外部角色及其对系统（用例）的功能要求。分析阶段主要关心问题域中的主要概念（如抽象、类和对象等）和机制，需要识别这些类以及它们相互间的关系，并用 UML 类图来描述。为实现用例，类之间需要协作，这可以用 UML 动态模型来描述。在分析阶段，只对问题域的对象（现实世界的概念）建模，而不考虑定义软件系统中技术细节的类（如处理用户接口、数据库、通信和并行性等问题的类）。这些技术细节将在设计阶段引入，设计阶段为构造阶段提供更详细的规格说明。

编程（构造）是一个独立的阶段，其任务是用面向对象编程语言将来自设计阶段的类转换成实际的代码。在用 UML 建立分析和设计模型时，应尽量避免考虑把模型转换成某种特定的编程语言。因为在早期阶段，模型仅仅是理解和分析系统结构的工具，过早考虑编码问题十分不利于建立简单、正确的模型。

UML 模型还可作为测试阶段的依据。系统通常需要经过单元测试、集成测试、系统测试和验收测试。不同的测试小组使用不同的 UML 图作为测试依据：单元测试使用类图和类规格说明，集成测试使用部件图和合作图，系统测试使用用例图来验证系统的行为。验收测试由用户进行，以验证系统测试的结果是否满足在分析阶段确定的需求。

总之，UML 适用于以面向对象技术来描述任何类型的系统，而且适用于系统开发的不同阶段——从需求规格描述直至系统完成后的测试和维护。

5. 软件系统模型的建立

为了开发复杂的软件系统,系统分析员应该从不同角度抽象出目标系统的特性,使用精确的表示方法构造系统的模型,验证模型是否满足用户对目标系统的需求,并在设计过程中逐渐把和实现有关的细节加进模型中,直至最终用程序实现模型。对于那些因过分复杂而不能直接理解的系统,特别需要建立模型,建模的目的主要是为了减少复杂性。人的头脑每次只能处理一定数量的信息,模型通过把系统的重要部分分解成人的头脑一次能处理的若干个子部分,从而减少系统的复杂程度。

在对目标系统进行分析的初始阶段,面对大量模糊的、涉及众多专业领域的、错综复杂的信息,系统分析员往往感到无从下手。模型提供了组织大量信息的一种有效机制。

一旦建立起模型之后,这个模型就要经受用户和各个领域专家的严格审查。由于模型的规范化和系统化,因此比较容易暴露出系统分析员对目标系统认识的片面性和不一致性。通过审查,往往会发现许多错误,发现错误是正常现象,这些错误可以在成为目标系统中的错误之前就被预先清除。

通常,用户和领域专家可以通过快速建立的原型亲身体验,从而对系统模型进行更有效的审查。模型常常会经过多次必要的修改,通过不断改正错误的或不全面的认识,最终使软件开发人员对问题有透彻的理解,从而为后续的开发工作奠定坚实基础。

用面向对象方法成功地开发软件的关键,同样是对问题域的理解。面向对象方法最基本的原则,是按照人们习惯的思维方式,用面向对象观点建立问题域的模型,开发出尽可能自然地表现求解方法的软件。

用面向对象方法开发软件,通常需要建立3 种形式的模型,分别是描述系统数据结构的对象模型,描述系统控制结构的动态模型和描述系统功能的功能模型。这3 种模型都涉及数据、控制和操作等共同的概念,只不过每种模型描述的侧重点不同。这3 种模型从3 个不同但又密切相关的角度模拟目标系统,它们从不同侧面反映了系统的实质性内容,综合起来则全面地反映了对目标系统的需求。一个典型的软件系统组合了上述3 方面内容:它使用数据结构(对象模型),执行操作(动态模型),并且完成数据值的变化(功能模型)。

为了全面地理解问题域,对任何大系统来说,上述3 种模型都是必不可少的。当然,在不同的应用问题中,这3 种模型的相对重要程度会有所不同,但是,用面向对象方法开发软件,在任何情况下,对象模型始终都是最重要、最基本、最核心的。在整个开发过程中,3 种模型一直都在发展、完善。在面向对象分析过程中,构造出完全独立于实现的应用域模型;在面向对象设计过程中,把求解域的结构逐渐加入模型中;在实现阶段,把应用域和求解域的结构都编成程序代码并进行严格的测试验证。

下面分别介绍上述3 种模型。

5.5.2　对象模型

对象模型表示静态的、结构化的系统的"数据"性质。它是对模拟客观世界实体的对象以及对象间的关系的映射,描述了系统的静态结构。面向对象方法强调围绕对象而不是围绕功能来构造系统。对象模型为建立动态模型和功能模型提供了实质性的框架。

在建立对象模型时,目标是从客观世界中提炼出对具体应用有价值的概念。

为了建立对象模型,需要定义一组图形符号,并且规定一组组织这些符号以表示特定语义的规则。也就是说,需要用适当的建模语言来表达模型,建模语言由记号(即模型中使用的符号)和使用记号的规则(语法、语义和语用)组成。

通常,使用UML提供的类图来建立对象模型。在UML中术语“类”的实际含义是“一个类及属于该类的对象”。下面简要地介绍UML的类图。

1.类图的基本符号

类图描述类及类与类之间的静态关系。类图是一种静态模型,它是创建其他UML图的基础。一个系统可以由多张类图来描述,一个类也可以出现在几张类图中。

(1)定义类

UML中类的图形符号为矩形,用两条横线把矩形分成上、中、下3个区域(下面两个区域可省略),3个区域分别放类的名字、属性和服务,如图5-18所示。

图5-18 表示类的图形符号

类名是一类对象的名字。类名是否恰当对系统的可理解性影响相当大,因此,为类命名时应该遵守以下几条准则。

①使用标准术语。应该使用在应用领域中人们习惯的标准术语作为类名,不要随意创造名字。例如,“交通信号灯”比“信号单元”这个名字好,“传送带”比“零件传送设备”好。

②使用具有确切含义的名词。尽量使用能表示类的含义的日常用语作名字,不要使用空洞的或含义模糊的词作名字。例如,“库房”比“房屋”或“存物场所”更确切。

③必要时用名词短语作名字。为使名字的含义更准确,必要时用形容词加名词或其他形式的名词短语作名字。例如,“最小的领土单元”“储藏室”“公司员工”等都是比较恰当的名字。

总之,名字应该是富于描述性的、简洁的而且无二义性的。

(2)定义属性

UML描述属性的语法格式如下:

可见性属性名:类型名=初值{性质串}

属性的可见性(即可访问性)通常有下述3种:公有的(public)、私有的(private)和保护的(protected),分别用加号(+)、减号(-)和井号(#)表示。如果未声明可见性,则表示该属性的可见性尚未定义。注意:没有默认的可见性。

属性名和类型名之间用冒号(:)分隔。类型名表示该属性的数据类型,它可以是基本数据类型,也可以是用户自定义的类型。

在创建类的实例时应给其属性赋值,如果给某个属性定义了初值,则该初值可作为创建实例时这个属性的默认值。类型名和初值之间用等号(=)隔开。

用花括号括起来的性质串明确地列出该属性所有可能的取值。枚举类型的属性往往用性质串列出可以选用的枚举值,不同枚举值之间用逗号分隔。也可以用性质串说明属性的其他性质,例如,约束说明{只读}表明该属性是只读属性。

例如,“发货单”类的属性“管理员”,在UML类图中以如下形式描述:

连管理员:String =“未定”

类的属性中还可以有一种能被该类所有对象共享的属性,称为类的作用域属性,也称为类变量。C++语言中的静态数据成员就是这样的属性。类变量在类图中表示为带下划线的属性,例如,发货单类的类变量“货单数”用来统计发货单的总数,在该类所有对象中这个属性的值都是一样的,下面是对这个属性的描述:

连货单数: Integer;

(3)定义服务

服务也就是操作,UML描述操作的语法格式如下:

可见性操作名(参数表):返回值类型{性质串}

操作可见性的定义方法与属性相同。

参数表是用逗号分隔的形式参数的序列。描述一个参数的语法如下:

参数名:类型名 = 默认值

当操作的调用者未提供实际参数时,该参数就使用默认值。

与属性类似,在类中也可定义类作用域操作;在类图中表示为带下划线的操作。这种操作只能存取本类的类作用域属性。

2. 表示关系的符号

如前所述,类图由类及类与类之间的关系组成。定义了类之后,就可以定义类与类之间的各种关系了。类与类之间通常有关联、聚集泛化(继承)、依赖和细化4种关系。

(1)关联

关联表示两个类的对象之间存在某种语义上的联系。例如,作家使用计算机,我们就认为在作家和计算机之间存在某种语义联系,因此,在类图中应该在作家类和计算机类之间建立关联关系。

①普通关联。

普通关联是最常见的关联关系,只要在类与类之间存在连接关系就可以用普通关联表示。普通关联的图示符号是连接两个类之间的直线,如图5-19所示。

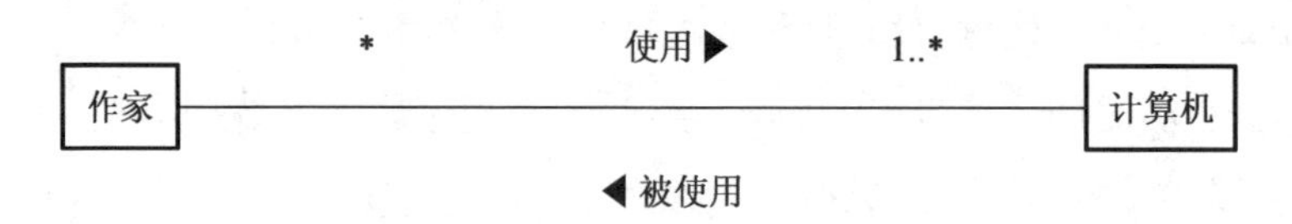

图 5－19　普通关联示例

通常,关联是双向的,可在一个方向上为关联起一个名字,在另一个方向上起另一个名字(也可不起名字)。为避免混淆,在名字前面(或后面)加一个表示关联方向的黑三角。

在表示关联的直线两端可以写上重数(multiplicity),它表示该类有多少个对象与对方的一个对象连接。重数的表示方法通常有

0..1　　　　表示 0 到 1 个对象

0..＊或 x　　表示 0 到多个对象

1＋或 1..＊　表示 1 到多个对象

1..15　　　　表示 1～15 个对象

3　　　　　　表示 3 个对象

如果图中未明确标出关联的重数,则默认重数是 1。

图 5－19 表示一个作家可以使用 1 到多台计算机,一台计算机可被 0 至多个作家使用。

②关联的角色。

在任何关联中都会涉及参与此关联的对象所扮演的角色(即起的作用),在某些情况下显式标明角色名有助于别人理解类图。例如,图 5－20 是一个递归关联(即一个类与它本身有关联关系)的例子。两个人结婚,必然其中一个人扮演丈夫的角色,另一个人扮演妻子的角色。如果没有显式标出角色名,则意味着用类名作为角色名。

③限定关联。

限定关联通常用在一对多或多对多的关联关系中,可以把模型中的重数从一对多变成一对一,或从多对多简化成多对一。在类图中把限定词放在关联关系末端的一个小方框内。

例如,某操作系统中一个目录下有许多文件,一个文件仅属于一个目录,在一个目录内文件名确定了唯一一个文件。图 5－21 利用限定词“文件名”表示了目录与文件之间的关系,可见,利用限定词把一对多关系简化成了一对一关系。

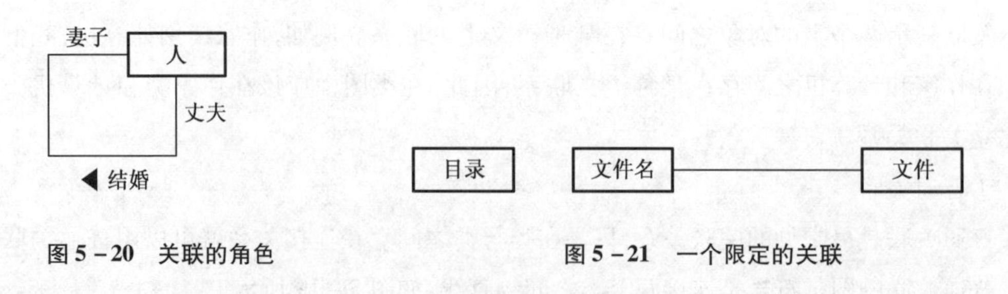

图 5－20　关联的角色

图 5－21　一个限定的关联

限定提高了语义的精确性,增强了查询能力。在图 5-21 中,限定的语法表明,文件名在其目录内是唯一的。因此,查找一个文件的方法就是,首先指定目录,然后在该目录内查找指定的文件名。由于目录加文件名可唯一地确定一个文件,因此,限定词“文件名”应该放在靠近目录的那一端。

④关联类。

为了说明关联的性质,可能需要一些附加信息。可以引入一个关联类来记录这些信息。关联中的每个连接与关联类的一个对象相联系。关联类通过一条虚线与关联连接。例如,图 5-22 是一个电梯系统的类模型,队列就是电梯控制器类与电梯类的关联关系上的关联类。从图中可以看出,一个电梯控制器控制着 4 台电梯,这样,控制器和电梯之间的实际连接就有 4 个,每个连接都对应一个队列(对象),每个队列(对象)存储着来自控制器和电梯内部按钮的请求服务信息。电梯控制器通过读取队列信息,选择一个合适的电梯为乘客服务。关联类与一般的类一样,也有属性、操作和关联。

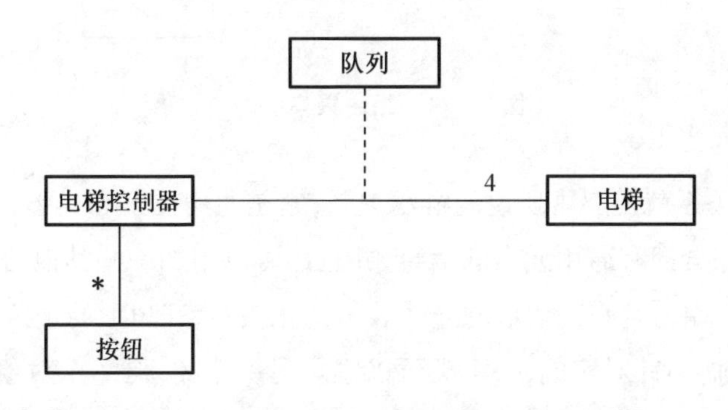

图 5-22　关联类示例

(2)聚集

聚集也称为聚合,是关联的特例。聚集表示类与类之间的关系是整体与部分的关系。在陈述需求时使用的“包含”“组成”“分为……部分”等词句,往往意味着存在聚集关系。除了一般聚集之外,还有两种特殊的聚集关系,分别是共享聚集和组合聚集。

①共享聚集。

如果在聚集关系中处于部分方的对象可同时参与多个处于整体方对象的构成,则该聚集称为共享聚集。例如,一个课题组包含许多成员,每个成员又可以是另一个课题组的成员,则课题组和成员之间是共享聚集关系,如图 5-23 所示。一般聚集和共享聚集的图示符号都是在表示关联关系的直线末端紧挨着整体类的地方画一个空心菱形。

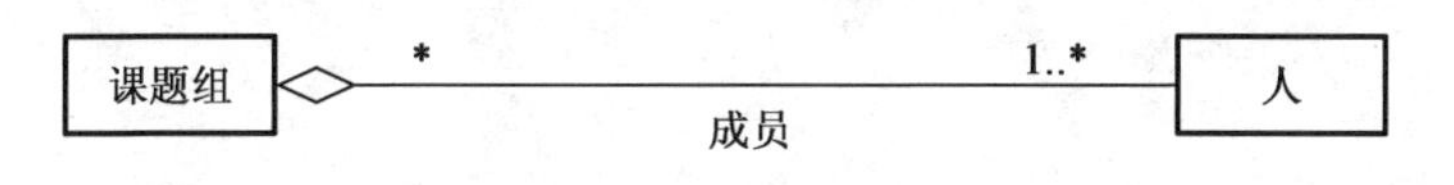

图 5-23　共享聚集示例

②组合聚集。

如果部分类完全隶属于整体类，部分与整体共存，整体不存在了，部分也会随之消失（或失去存在价值），则该聚集称为组合聚集（简称为组成）。例如，在屏幕上打开一个窗口，它由文本框、列表框、按钮和菜单组成，一旦关闭了窗口，其各个组成部分也同时消失，窗口和它的组成部分之间存在着组合聚集关系。图 5－24 是窗口的组合聚焦，从图中可以看出，组合聚焦用实心菱形表示。

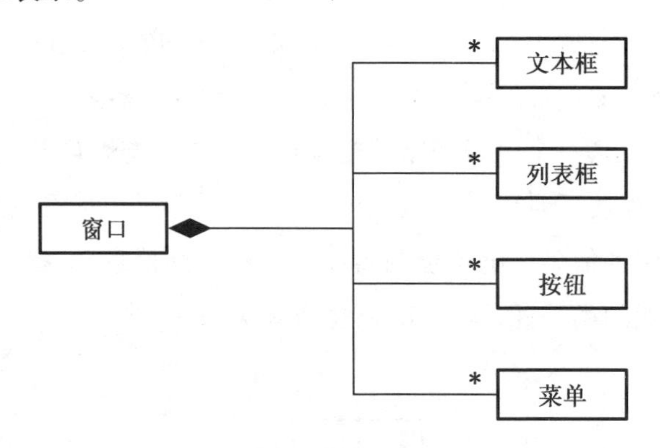

图 5－24　组合聚集示例

（3）泛化

UML 中的泛化关系就是通常所说的继承关系，它是通用元素和具体元素之间的一种分类关系。具体元素完全拥有通用元素的信息，并且还可以附加一些其他信息。

在 UML 中，用一端为空心三角形的连线表示泛化关系，三角形的顶角紧挨着通用元素。注意，泛化针对类型而不针对实例，一个类可以继承另一个类，但一个对象不能继承另一个对象。实际上，泛化关系指出在类与类之间存在“一般－特殊”关系。泛化可进一步划分成普通泛化和受限泛化。

①普通泛化。

普通泛化与继承基本相同，对普通泛化的概念此处不再赘述。

需要特别说明的是，没有具体对象的类称为抽象类。抽象类通常作为父类，用于描述其他类（子类）的公共属性和行为。图示抽象类时，在类名下方附加一个标记值{abstract}，如图 5－25 所示。图下方的两个折角矩形是模型元素“笔记”的符号，其中的文字是注释，分别说明两个子类的操作 drive 的功能。

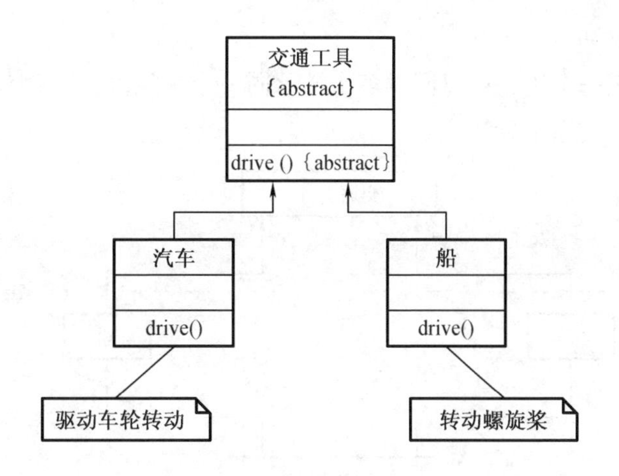

图 5－25 抽象类示例

抽象类通常都具有抽象操作。抽象操作仅用来指定该类的所有子类应具有哪些行为。抽象操作的图示方法与抽象类相似，在操作标记后面跟随一个性质串{abstract}。

与抽象类相反的类是具体类，具体类有自己的对象，并且该类的操作都有具体的实现方法。

图 5－26 一个比较复杂的类图示例，这个例子综合应用了前面讲过的许多概念和图示符号。图 5－26 表明，一幅工程蓝图由许多图形组成，图形可以是直线、圆、多边形或组合图，而多边形由直线组成，组合图由各种线型混合而成。当客户要求画一幅蓝图时，系统便通过蓝图与图形之间的关联（聚集）关系，由图形来完成画图工作，但是图形是抽象类，因此当涉及某种具体图形（如直线、圆等）时，便使用其相应子类中具体实现的 draw 功能完成绘图工作。

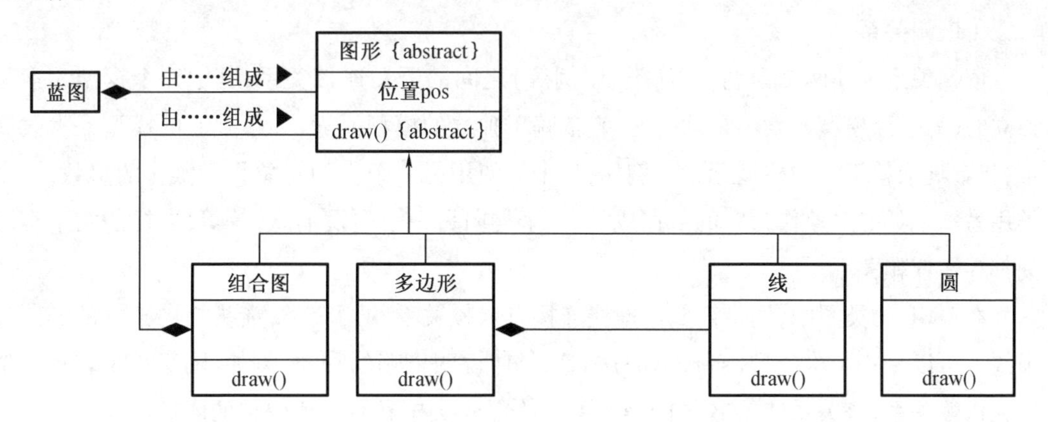

图 5－26 复杂类图示例

②受限泛化。

可以给泛化关系附加约束条件，以进一步说明该泛化关系的使用方法或扩充方法，这样的泛化关系称为受限泛化。预定义的约束有 4 种：多重继承、不相交继承、完全继承和不完全继承。这些约束都是语义约束。

多重继承指的是一个子类可以同时多次继承同一个上层基类。例如,图 5－27 中的水陆两用类继承了两次交通工具类。

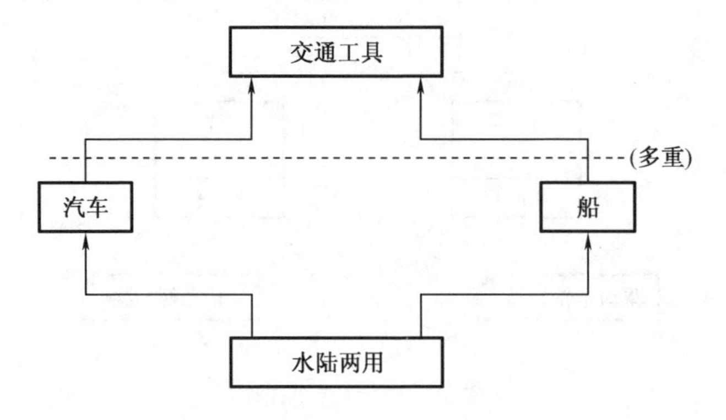

图 5－27　多重继承示例

与多重继承相反的是不相交继承,即一个子类不能多次继承同一个基类(这样的基类相当于 C ++ 语言中的虚基类)。如果图中没有指定{多重}约束,则是不相交继承,一般的继承都是不相交继承。

完全继承指的是父类的所有子类都已在类图中穷举出来了,图示符号是指定{完全}约束。

不完全继承与完全继承恰好相反,父类的子类并没有都穷举出来,随着对问题理解的深入,可不断补充和维护,这为日后系统的扩充和维护带来很大方便。不完全继承是一般情况下默认的继承关系。

(4)依赖和细化

①依赖关系。

依赖关系描述两个模型元素(类、用例等)之间的语义连接关系,其中一个模型元素是独立的,另一个模型元素不是独立的,它依赖于独立的模型元素,如果独立的模型元素改变了,将影响依赖于它的模型元素。例如,一个类使用另一个类的对象作为操作的参数,一个类用另一个类的对象作为它的数据成员,一个类向另一个类发消息,等等,这样的两个类之间都存在依赖关系。

在 UML 的类图中,用带箭头的虚线连接有依赖关系的两个类,箭头指向独立的类。在虚线上可以带一个构造型(stereotype)标签,具体说明依赖的种类,例如,图 5－28 表示一个友元依赖关系,该关系使得 B 类的操作可以使用 A 类中私有的或保护的成员。

图 5－28　友元依赖关系

②细化关系。

当对同一个事物在不同抽象层次上描述时,这些描述之间具有细化关系。假设两个模型元素 A 和 B 描述同一个事物,它们的区别是抽象层次不同,如果 B 是在 A 的基础上的更详细的描述,则称 B 细化了 A,或称 A 细化成了 B。细化的图示符号为由元素 B 指向元素 A 的一端为空心三角形的虚线(注意,不是实线),如图 5－29 所示。细化用来协调不同阶段模型之间的关系,表示各个开发阶段不同抽象层次的模型之间的相关性,常常用于跟踪模型的演变。

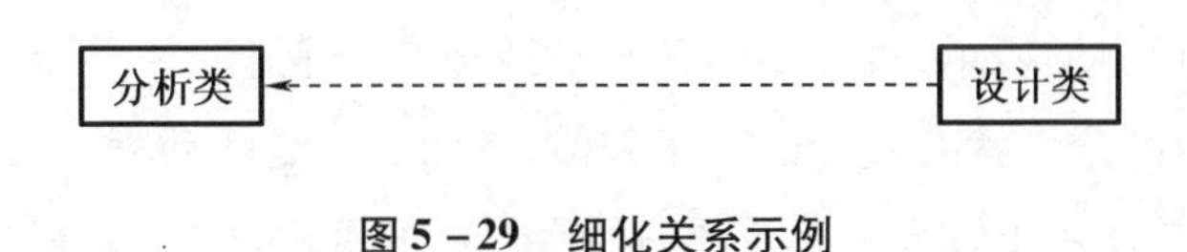

图 5－29　细化关系示例

5.5.3　动态模型

动态模型表示瞬时的、行为化的系统的“控制”性质,它规定了对象模型中的对象的合法变化序列。

一旦建立起对象模型之后,就需要考察对象的动态行为。所有对象都具有自己的生命周期(或称为运行周期)。对一个对象来说,生命周期由许多阶段组成,在每个特定阶段中,都有适合该对象的一组运行规律和行为规则,用以规范该对象的行为。生命周期中的阶段也就是对象的状态。所谓状态,是对对象属性值的一种抽象。当然,在定义状态时应该忽略那些不影响对象行为的属性。各对象之间相互触发(即作用)就形成了一系列的状态变化。我们把一个触发行为称作一个事件。对象对事件的响应取决于接受该触发的对象当时所处的状态,响应包括改变自己的状态或者又形成一个新的触发行为。

状态有持续性,它占用一段时间。状态与事件密不可分,一个事件分隔开两个状态,一个状态分隔开两个事件。事件表示时刻,状态代表一段时间。

通常,用 UML 提供的状态图来描绘对象的状态、触发状态转换的事件以及对象的行为(对事件的响应)。

每个类的动态行为用一张状态图来描绘,各个类的状态图通过共享事件合并起来,从而构成系统的动态模型。也就是说,动态模型是基于事件共享而互相关联的一组状态图的集合。

状态图用于在需求分析过程中建立软件系统的行为模型。状态图通过描绘系统的状态及引起系统状态转换的事件来表示系统的行为。状态图还指明了作为特定事件的结果系统将做哪些动作(例如处理数据)。

1. 状态

状态规定了系统对事件的响应方式。系统对事件的响应,可以是做一个(或一系列)动作,也可以是改变系统本身的状态,还可以是既改变状态又做动作。

在状态图中定义的状态主要有初态(初始状态)、终态(最终状态)和中间状态。在一张状态图中只能有一个初态,而终态则可以有0至多个。

2. 事件

事件是在某个特定时刻发生的事情。例如,用户移动或点击鼠标,内部时钟表明某个规定的时间段已经过去等都是事件。简言之,事件就是引起系统做动作或转换状态的控制信息。

3. 符号

初态用实心圆表示。终态用一对同心圆(内圆为实心圆)表示。

中间状态用圆角矩形表示,可以用两条水平线把它分成上、中、下3个部分。上面部分为状态的名称,中间部分为状态变量的名字和值,下面部分是活动表。

在活动表中经常使用下述3种标准事件:entry、exit和do。

状态图中两个状态之间带箭头的连线称为状态转换,箭头指明了转换方向。状态变迁通常是由事件触发的,在表示状态转换的箭头线上标出触发转换的事件表达式。

状态图中各符号的示例见图5-30。

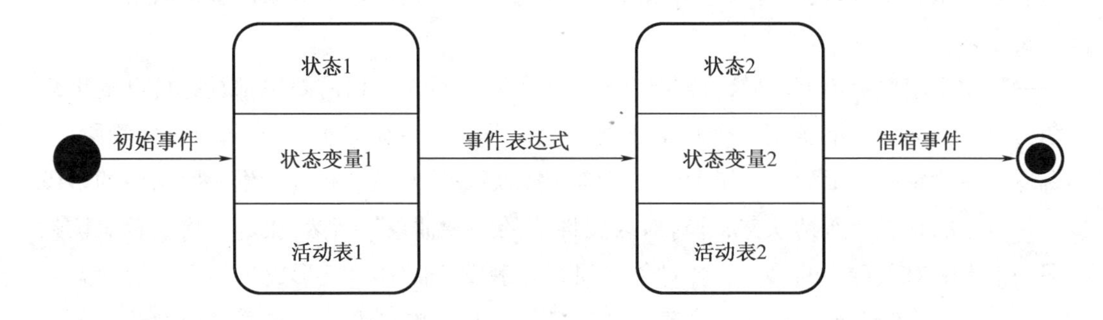

图5-30　状态图中使用的主要符号

4. 例子——电话系统的状态图

电话系统有如下的状态:

· 没有人打电话时,电话处于闲置状态。

· 有人拿起听筒,则进入拨号音状态,到达这个状态后,电话的行为是响起拨号音并计时。

· 这时如果拿起听筒的人改变主意不想打了,他把听筒放下(挂断),电话重又回到闲置状态。

· 如果拿起听筒很长时间不拨号(超时),则进入超时状态。

……

电话系统的状态图如图5-31所示。

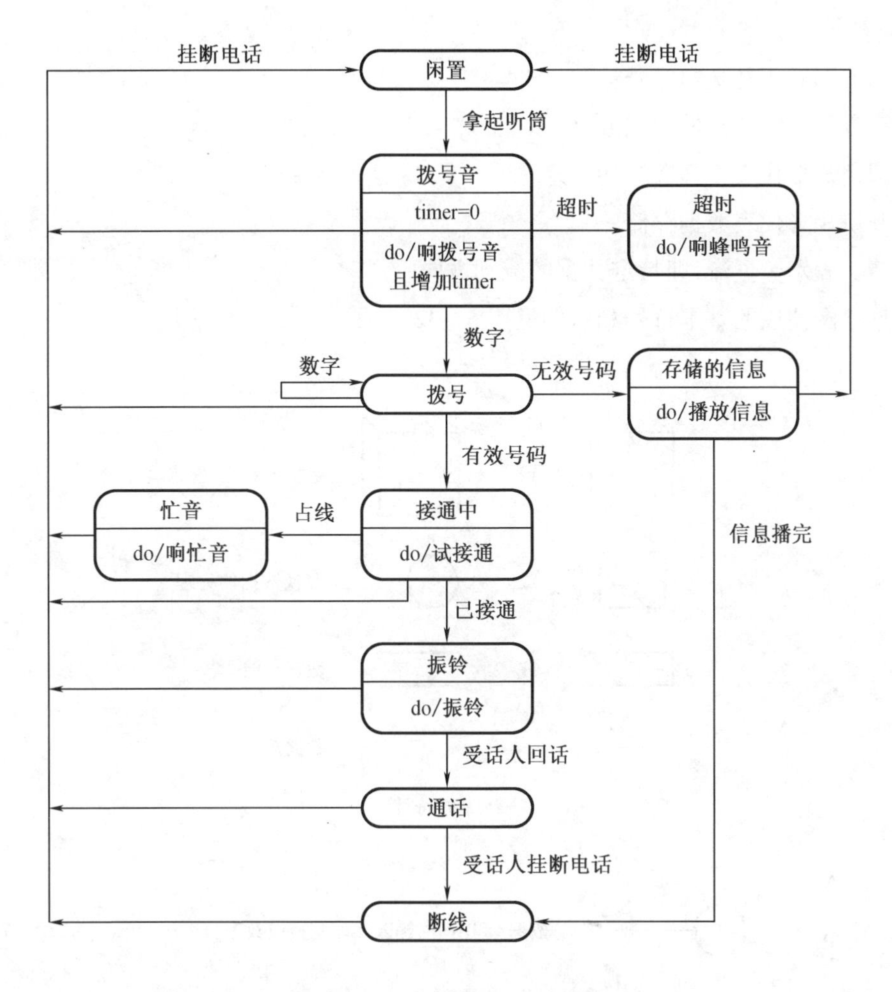

图5－31 电话系统的状态图

5.5.4 功能模型

功能模型表示变化的系统的“功能”性质,它指明了系统应该“做什么”,因此更直接地反映了用户对目标系统的需求。

通常,功能模型由一组数据流图组成。在面向对象方法学中,数据流图远不如在结构分析设计方法中那样重要。一般说来,与对象模型和动态模型比较起来,数据流图并没有增加新的信息,但是,建立功能模型有助于软件开发人员更深入地理解问题域,改进和完善自己的设计。因此,不能完全忽视功能模型的作用。

1. 数据流图

数据流图(Data Flow Diagram,DFD)是一种图形化技术,它描绘数据从输入移动到输出的过程中所经历的变换。在数据流图中没有任何具体的物理部件,它只是描绘数据在软件中流动和被处理的逻辑过程。

(1)符号

数据流图有4种基本符号:

①正方形表示数据的源点或终点。

②圆角矩形代表变换数据的处理。

③开口矩形代表数据存储。

④箭头表示数据流,即特定数据的流动方向。

数据流图使用的基本符号和示例见图5-32。

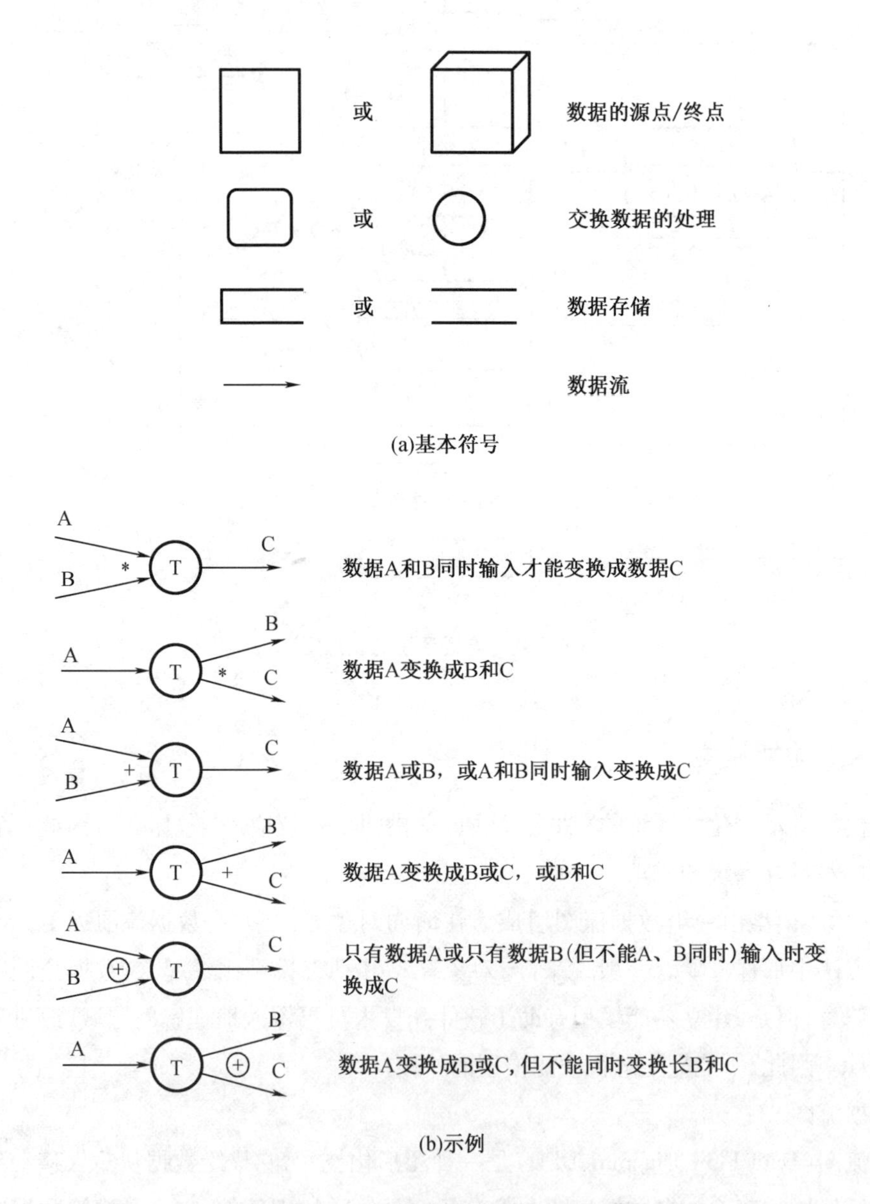

图5-32 数据流图基本符号和示例

数据存储和数据流都是数据,仅仅所处的状态不同。数据存储是处于静止状态的数据,数据流是处于运动中的数据。数据流图的基本要点是描绘“做什么”而不考虑“怎样做”。

图5－33是一个系统的数据流图示例。

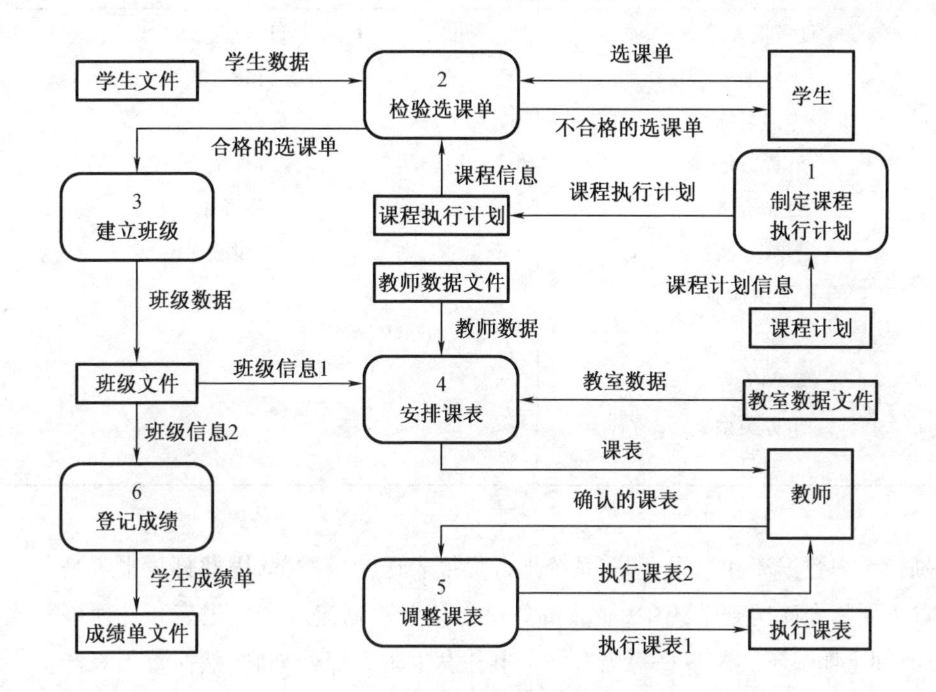

图5－33　学生选课管理系统数据流图

(2)工厂采购部案例

工厂的采购部每天需要一张订货报表,表中列出所有需要再次订货的零件。对于每个需要再次订货的零件应该列出下述数据:零件编号,零件名称,订货数量,目前价格,主要供应者,次要供应者。零件入库或出库称为事务,通过放在仓库中的CRT终端把事务报告给订货系统。当某种零件的库存数量少于库存量临界值时就应该再次订货。

可以从问题描述中提取数据流图的4种成分:源点或终点、处理、数据流和数据存储。

首先考虑数据的源点和终点:“采购部每天需要一张订货报表”,“通过放在仓库中的CRT终端把事务报告给订货系统”,所以采购员是数据终点,而仓库管理员是数据源点。

接下来考虑处理:“采购部需要报表”,因此必须有一个用于产生报表的处理。事务的后果是改变零件库存量,然而任何改变数据的操作都是处理,因此对事务进行的加工是另一个处理。

至此,可以得到采购部问题的描述,如表5－2所示。

表 5－2 采购部问题的描述

源点/终点	处 理
采购员 仓库管理员	产生报表 处理事务
数据流	数据存储
订货报表 零件编号 零件名称 订货数量 目前价格 主要供应者 次要供应者 事务 零件编号 事务类型 数量	订货信息 （见订货报表） 库存清单 零件编号 库存量 库存量临界值

最后，考虑数据流和数据存储：系统把订货报表送给采购部，因此订货报表是一个数据流；事务需要从仓库送到系统中，显然事务是另一个数据流。产生报表和处理事务这两个处理在时间上明显不匹配——每当有一个事务发生时立即处理它，然而每天只产生一次订货报表。因此，用来产生订货报表的数据必须存放一段时间，也就是应该有一个数据存储。

任何计算机系统实质上都是信息处理系统，也就是说计算机系统本质上都是把输入数据变换成输出数据。因此，任何系统的基本模型都由若干个数据源点/终点以及一个处理组成，这个处理就代表了系统对数据加工变换的基本功能。对于上述的订货系统可以画出如图 5－34 所示的基本系统模型。

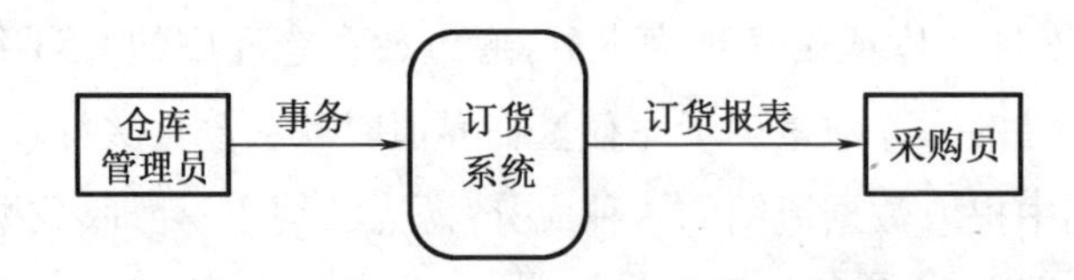

图 5－34 订货系统的基本系统模型

图 5－34 过于抽象，从这张图上对订货系统所能了解到的信息非常有限。下一步应该把基本系统模型细化，描绘系统的主要功能。“产生报表”和“处理事务”是系统必须完成的两个主要功能，它们将代替图 5－34 中的“订货系统”，见图 5－35。

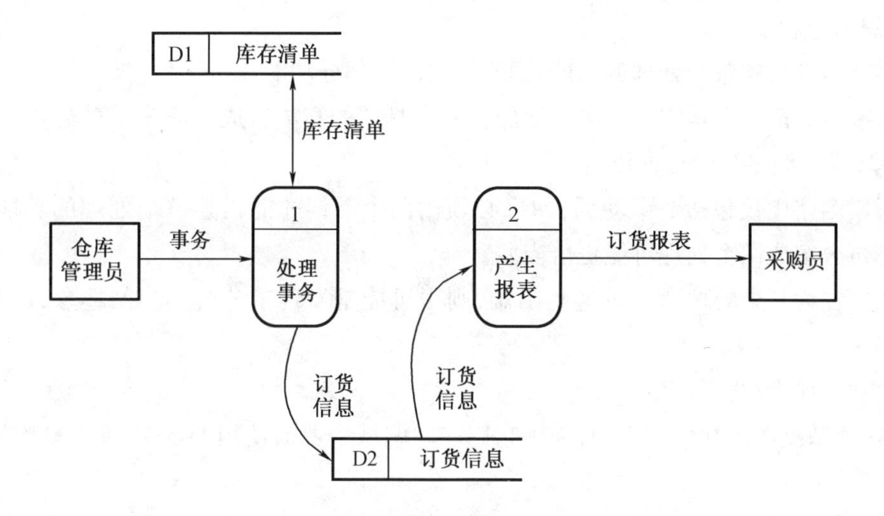

图 5－35　订货系统的功能级数据流图

接下来对系统主要功能进一步细化。把“处理事务”这个功能分解为“接收事务”“更新库存清单”和“处理事务”3 个步骤，如图 5－36 所示，这在逻辑上是合理的。

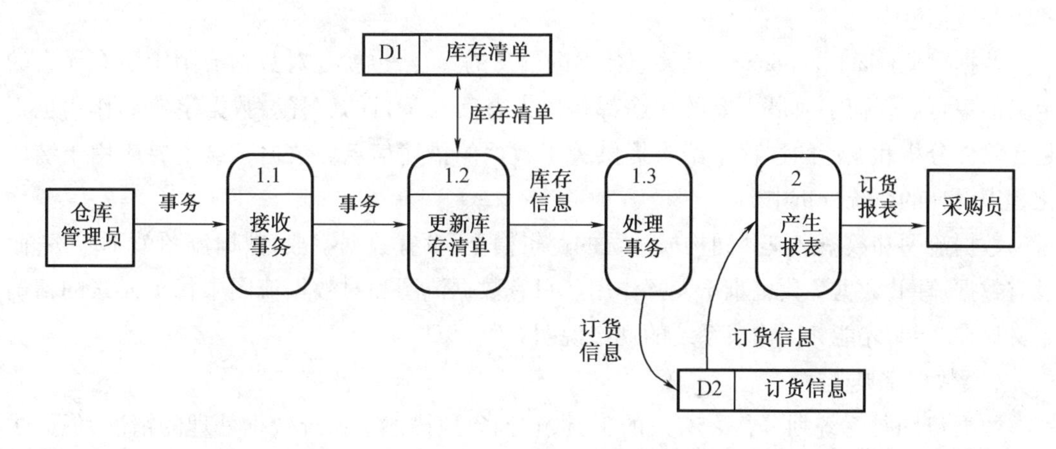

图 5－36　把处理事务的功能进一步分解后的数据流图

(3)命名

在命名时应注意以下问题。

①为数据流(或数据存储)命名。

a. 名字应代表整个数据流(或数据存储)的内容。

b. 不要使用空洞的、缺乏具体含义的名字(如“数据”“信息”“输入”之类)。

c. 如果在起名字时遇到了困难，则很可能是因为对数据流图分解不恰当造成的，应该试试重新分解。

②为处理命名。

a. 通常先为数据流命名，然后再为与之相关联的处理命名。体现了人类习惯的“由表及里”的思考过程。

b. 名字应该反映整个处理的功能，而不是它的一部分功能。

c. 名字最好由一个具体的及物动词加上一个具体的宾语组成。应该尽量避免使用“加工”“处理”等空洞笼统的动词作名字。

d. 通常名字中仅包括一个动词，如果必须用两个动词才能描述整个处理的功能，则把这个处理再分解成两个处理可能更恰当些。

e. 如果在为某个处理命名时遇到困难，则很可能是发现了分解不当的迹象，应考虑重新分解。

③为数据源点/终点命名

通常，为数据源点/终点命名时采用它们在问题域中习惯使用的名字（如“采购员”“仓库管理员”）。

(4)用途

画数据流图的基本目的是利用它作为交流信息的工具。分析员把他对现有系统的认识或对目标系统的设想用数据流图描绘出来，绝大多数用户都可以理解和评价它。

数据流图的另一个主要用途是作为分析和设计的工具。分析员希望着重描绘系统所完成的功能而不是系统的物理实现方案，数据流图是实现这个目标的极好手段。

2. 数据字典

数据字典(data dictionary)是关于数据的信息的集合，也就是对数据流图中所有元素的定义的集合。任何字典最主要的用途都是供人查阅对条目的解释。数据字典的作用也正是在软件分析和设计的过程中给人提供关于数据的描述信息。数据字典主要应用于结构化程序设计的系统分析中。

数据流图和数据字典共同构成系统的逻辑模型，没有数据字典，数据流图就不严格；而没有数据流图，数据字典也难于发挥作用。只有数据流图和对数据流图中每个元素的精确定义放在一起，才能共同构成系统的规格说明。

(1)数据字典概述

数据流图是系统划分行之有效的工具，它抽象地描述了系统数据处理的情况，但无法描述系统中各个处理的详细内容。例如，在前面的学生选课管理系统数据流图例子中（图5－33），数据处理框4“安排课程”在数据流程图中表达不够具体，图上也看不大出来。只有当数据流图中出现的每一个成分都给出说明以后，才能完整、准确地描述一个系统。因此，还需要其他的工具对数据流图加以补充说明。数据字典就是这样的工具，它对数据流图中出现的数据流和处理等做进一步的补充说明，弥补数据流图对数据的具体内容不能详细说明的不足。数据字典的建立能帮助系统分析员全面地确定用户的要求，而且为以后的系统设计提供参考依据。

(2)数据字典的含义

所谓数据字典，是指以特定格式记录下来的、对系统数据流图中各个基本要素（数据流、文件、处理等）的具体内容和特征所做的完整的定义和说明。它是结构化系统分析的另一重要工具，是对数据流图的重要补充和注释。

(3)数据字典的内容

一个数据字典所包括的项目有:

①数据项;

②数据结构;

③数据流;

④处理逻辑(加工);

⑤数据存储文件;

⑥外部实体。

(4)数据字典的要求

由于数据字典要对信息系统中所有的数据进行定义,所以对数据字典中的数据应严格要求,以避免出现使用的混乱。具体要求如下:

①唯一性,即不能有多次定义。

②一致性,即所有的数据项应保持应用上的一致。

③完整性,即必须包括模型中的所有数据项的定义。

④规范性,即数据项的定义应是严格、规范的,

⑤简单性,即表达和描述应尽量简单。

(5)数据字典的应用实例

以图5-33为例,编写其各个部分的数据字典。

①数据项。每门课都有总学时数,其描述内容如下:

数据项名称:总学时数
简述:每门课每学期总的上课节数
数型:数值
长度:3位
取值范围:0~120

②数据结构。“教师”这个数据结构可以表示如下:

数据结构名称:教师
简述:教师的基本资料
数据结构组成:教师编号+姓名+性别+出生日期+参加工作日期+职称+联系电话+家庭住址

③数据流。数据流“教师课表”条目如下:

数据流名称:教师课表
简述:下学期老师上课时间安排表
数据流来源:排课
数据流去向:任课老师、督导室、D1教师课表
数据流组成:(教师姓名+课程名+星期+节次)
流通量:350份/学期

④数据处理(加工)。数据处理“确定下学期各班课程”条目如下:

数据处理名称:确定下学期各班课程
数据处理编号:P1.1
简要描述:根据各年级、各专业教学计划,确定下学期各班所学课程
输入数据流:教学计划
处理逻辑:根据班级所属年级、专业检索相应的教学计划;确定下学期是该班的总第几学期;输出相应学期所对应的所有课程名、总学时数等
输出数据流:各班课程安排

⑤数据存储。数据存储“各班课表”条目如下:

数据存储名称:各班课表
简述:存放每个班下学期课程表
输入数据:各班课表
数据存储组成:(班级 + 星期 + 节次 + 课程名称 + 任课教师)
存储方式:按班级名称升序排列

⑥外部实体。外部实体“任课老师”条目如下:

外部实体名称:任课老师
输入数据流:教师课表
输出数据流:时间要求
数目:300 个

(6)处理逻辑说明

数据流图中的处理逻辑说明已经在数据字典中做了定义,描述了它的特征和所具有的处理功能。但是这种描述是比较粗略的,不能作为系统设计员工作的依据,因而需要采用一定的方法对其进行更详细的描述。

数据流图、数据字典和处理逻辑说明三者构成了系统的逻辑模型。

对数据流图中各个数据处理的精确描述称为处理逻辑说明,它包含以下 3 种内容:

①算术运算。

②逻辑判断,并根据判断的结果执行不同的功能。

③与数据存储或外部实体进行信息交换。

算术运算可以用数学工具来描述,信息交换也很容易表达,比较困难的是逻辑判断功能的描述。

3. 用例图

UML 提供的用例图也是进行需求分析和建立功能模型的强有力工具。在 UML 中把用用例图建立起来的系统模型称为用例模型。

用例模型描述的是外部行为者(actor)所理解的系统功能。用例模型的建立是系统开发者和用户反复讨论的结果,它描述了开发者和用户对需求规格所达成的共识。

一幅用例图包含的模型元素有系统、行为者、用例及三者之间的关系。图 5 - 37 是自动售货机系统的用例图。图中的方框代表系统,椭圆代表用例(售货、供货和取货款是自动售货机系统的典型用例),线条人代表行为者,它们之间的连线表示关系。

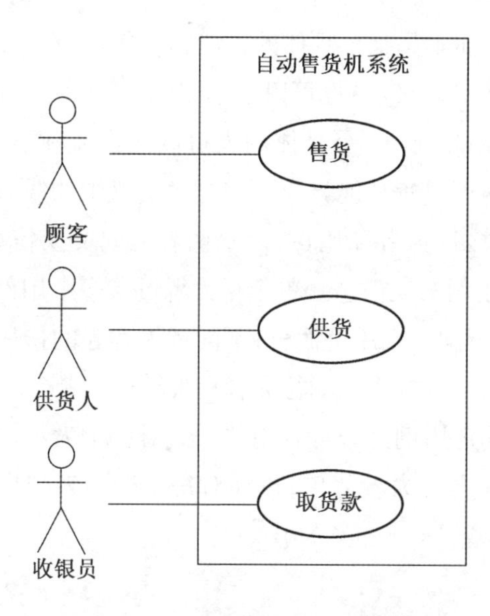

图5-37　自动售货机系统的用例图

(1)系统

系统被看作是一个提供用例的黑盒子,内部如何工作,用例如何实现,这些对于建立用例模型来说都是不重要的。

代表系统的方框的边线表示系统的边界,用于划定系统的功能范围,定义了系统所具有的功能。描述该系统功能的用例置于方框内,代表外部实体的行为者置于方框外。

(2)用例

一个用例是可以被行为者感受到的、系统的一个完整的功能。在UML中把用例定义成系统完成的一系列动作,动作的结果能被特定的行为者察觉。这些动作除了完成系统内部的计算与工作外,还包括与一些行为者的通信。用例通过关联与行为者连接,关联指出一个用例与哪些行为者交互,这种交互是双向的。

用例具有下述特征:

①用例代表某些用户可见的功能,实现一个具体的用户目标。

②用例总是被行为者启动的,并向行为者提供可识别的值。

③用例必须是完整的。

注意:用例是一个类,它代表一类功能而不是使用该功能的某个具体实例。用例的实例是系统的一种实际使用方法,通常把用例的实例称为脚本,脚本是系统的一次具体执行过程。例如,在自动售货机系统中,张三投入硬币购买矿泉水,系统收到钱后把矿泉水送出来,上述过程就是一个脚本;李四投币买可乐,但是可乐已卖完了,于是系统给出提示信息并把钱退还给李四,这个过程是另一个脚本。

(3)行为者

行为者是指与系统交互的人或其他系统,它代表外部实体。使用用例并且与系统交互的任何人或物都是行为者。

行为者代表一种角色，而不是某个具体的人或物。例如，在自动售货机系统中，使用售货功能的人既可以是张三(买矿泉水)也可以是李四(买可乐)，但是不能把张三或李四这样的个体对象称为行为者。事实上，一个具体的人可以充当多种不同角色。例如，某个人既可以为售货机添加商品(执行供货功能)，又可以把售货机中的钱取走(执行取货款功能)。

在用例图中用直线连接行为者和用例，表示两者之间交换信息，称为通信联系。行为者触发(激活)用例，并与用例交换信息。单个行为者可与多个用例联系；反之，一个用例也可与多个行为者联系。对于同一个用例而言，不同行为者起的作用也不同。可以把行为者分成主行为者和副行为者，还可分成主动行为者和被动行为者。

实践表明，行为者对确定用例是非常有用的。面对一个大型、复杂的系统，要列出用例清单往往很困难，可以先列出行为者清单，再针对每个行为者列出它的用例。这样做可以比较容易地建立起用例模型。

(4)用例之间的关系

UML 用例之间主要有扩展和使用两种关系，它们是泛化关系的两种不同形式。

①扩展关系

向一个用例中添加一些动作后构成了另一个用例，这两个用例之间的关系就是扩展关系，后者继承前者的一些行为，通常把后者称为扩展用例。例如，在自动售货机系统中，“售货”是一个基本的用例，如果顾客购买罐装饮料，售货功能完成得很顺利，但是，如果顾客要购买用纸杯装的散装饮料，则不能执行该用例提供的常规动作，而要做些改动。可以修改“售货”用例，使之既能提供售罐装饮料的常规动作又能提供售散装饮料的非常规动作，但是，这将把该用例与一些特殊的判断和逻辑混杂在一起，使正常的流程晦涩难懂。图 5－38 中把常规动作放在“售货”用例中，而把非常规动作放置于“售散装饮料”用例中，这两个用例之间的关系就是扩展关系。在用例图中，用例之间的扩展关系图示为构造型≪扩展≫的泛化关系。

②使用关系

当一个用例使用另一个用例时，这两个用例之间就构成了使用关系。一般说来，如果在若干个用例中有某些相同的动作，则可以把这些相同的动作提取出来单独构成一个用例(称为抽象用例)。这样，当某个用例使用该抽象用例时，就好像这个用例包含了抽象用例中的所有动作。例如，在自动售货机系统中，“供货”和“取货款”这两个用例的开始动作都是去掉机器保险并打开它，而最后的动作都是关上机器并加上保险，可以从这两个用例中把开始的动作抽象成“打开机器”用例，把最后的动作抽象成“关闭机器”用例。于是，“供货”和“取货款”用例在执行时必须使用上述的两个抽象用例，它们之间便构成了使用关系。在用例图中，用例之间的使用关系用≪使用≫的泛化关系表示，如图 5－38 所示。

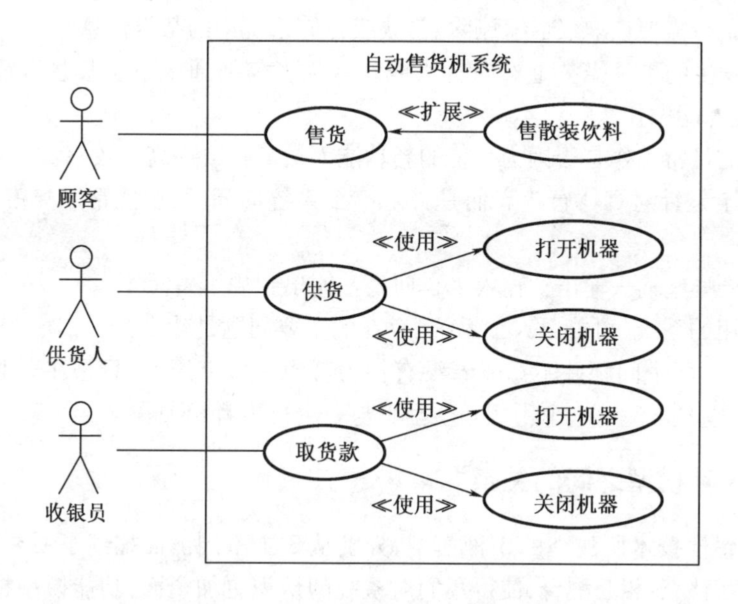

图5－38　含扩展和使用关系的用例图

请注意扩展与使用之间的异同：这两种关系都意味着从几个用例中抽取那些公共的行为并放入一个单独的用例中，而这个用例被其他用例使用或扩展，但是，使用和扩展的目的是不同的。通常在描述一般行为的变化时采用扩展关系；在两个或多个用例中出现重复描述又想避免这种重复时，可以采用使用关系。

(5)用例建模

几乎在任何情况下都需要使用用例，通过用例可以获取用户需求，规划和控制项目。获取用例是需求分析阶段的主要工作之一，而且是首先要做的工作。大部分用例将在项目的需求分析阶段产生，并且随着开发工作的深入还会发现更多用例，这些新发现的用例都应及时补充进已有的用例集中。用例集中的每个用例都是对系统的一个潜在的需求。

一个用例模型由若干幅用例图组成。创建用例模型的工作包括：定义系统，寻找行为者和用例，描述用例，定义用例之间的关系，确认模型。其中，寻找行为者和用例是关键。

①寻找行为者。

为获取用例，首先要找出系统的行为者，可以通过请系统的用户回答一些问题的办法来发现行为者。下述问题有助于发现行为者：

a. 谁将使用系统的主要功能(主行为者)？

b. 谁需要借助系统的支持来完成日常工作？

c. 谁来维护和管理系统(副行为者)？

d. 系统控制哪些硬件设备？

e. 系统需要与哪些其他系统交互？

f. 哪些人或系统对本系统产生的结果(值)感兴趣？

②寻找用例。

一旦找到了行为者，就可以通过请每个行为者回答下述问题来获取用例：

a. 行为者需要系统提供哪些功能？行为者自身需要做什么？

b. 行为者是否需要读取、创建、删除、修改或存储系统中的某类信息?

c. 系统中发生的事件需要通知行为者吗? 行为者需要通知系统某些事情吗? 从功能观点看,这些事件能做什么?

d. 行为者的日常工作是否因为系统的新功能而被简化或提高了效率?

还有一些不是针对具体行为者而是针对整个系统的问题,也能帮助建模者发现用例,例如:

a. 系统需要哪些输入输出? 输入来自何处? 输出到哪里去?

b. 当前使用的系统(可能是人工系统)存在的主要问题是什么?

注意:最后这两个问题并不意味着没有行为者也可以有用例,只是在获取用例时还不知道行为者是谁。事实上,一个用例必须至少与一个行为者相关联。

5.5.5 3 种模型之间的关系

面向对象建模技术所建立的 3 种模型,分别从 3 个不同侧面描述了所要开发的系统。这 3 种模型相互补充、相互配合,使得我们对系统的认识更加全面:功能模型指明了系统应该"做什么",动态模型明确规定了什么时候(即在何种状态下接受了什么事件的触发)做,对象模型则定义了做事情的实体。

在面向对象方法学中,对象模型是最基本、最重要的,它为其他两种模型奠定了基础,我们依靠对象模型完成 3 种模型的集成。下面扼要地叙述 3 种模型之间的关系。

(1)针对每个类建立的动态模型描述了类实例的生命周期或运行周期。

(2)状态转换驱使行为发生,这些行为在数据流图中被映射成处理,在用例图中被映射成用例,它们同时与类图中的服务相对应。

(3)功能模型中的处理(或用例)对应于对象模型中的类所提供的服务。通常,复杂的处理(或用例)对应复杂对象提供的服务,简单的处理(或用例)对应更基本的对象提供的服务。有时一个处理(或用例)对应多个服务,也有一个服务对应多个处理(或用例)的时候。

(4)数据流图中的数据存储以及数据的源点/终点通常是对象模型中的对象,

(5)数据流图中的数据流往往是对象模型中对象的属性值,也可能是整个对象。

(6)用例图中的行为者可能是对象模型中的对象。

(7)功能模型中的处理(或用例)可能产生动态模型中的事件。

(8)对象模型描述了数据流图中的数据流、数据存储以及数据源点/终点的结构。

本 章 小 结

近年来,面向对象方法学日益受到人们的重视,特别是在用这种方法开发大型软件产品时,可以把该产品看作是由一系列本质上相互独立的小产品组成,这就不仅降低了开发工作的技术难度,而且也使得对开发工作的管理变得比较容易了。因此,对于大型软件产品来说,面向对象范型明显优于结构化范型。此外,使用面向对象范型能够开发出稳定性好、可重用性好和可维护性好的软件,这些都是面向对象方法学的突出优点。

面向对象方法学比较自然地模拟了人类认识客观世界的思维方式,它所追求的目标和遵循的基本原则,就是使描述问题的问题空间和在计算机中解决问题的解空间在结构上尽可能一致。

面向对象方法学认为,客观世界由对象组成。任何事物都是对象,每个对象都有自己的内部状态和运动规律,不同对象彼此间通过消息相互作用、相互联系,从而构成了我们所要分析和构造的系统。系统中每个对象都属于一个特定的对象类。类是对具有相同属性和行为的一组相似对象的定义。应该按照子类、父类的关系,把众多的类进一步组织成一个层次系统,这样做了之后,如果不加特殊描述,则处于下一层次上的类可以自动继承位于上一层次的类的属性和行为。

用面向对象观点建立系统的模型,能够促进和加深对系统的理解,有助于开发出更容易理解和维护的软件。通常,人们从3个互不相同然而又密切相关的角度建立起3种不同的模型。它们分别是描述系统静态结构的对象模型、描述系统控制结构的动态模型,以及描述系统计算结构的功能模型。其中,对象模型是最基本、最核心、最重要的。

UML是国际对象管理组织批准的基于面向对象技术的标准建模语言。通常,使用UML的类图来建立对象模型,使用UML的状态图来建立动态模型,使用数据流图或UML的用例图来建立功能模型。在UML中把用用例图建立起来的系统模型称为用例模型。

本节所讲述的面向对象方法及定义的概念和表示符号可以适用于整个软件开发过程。软件开发人员无须像用结构分析和设计技术那样,在开发过程的不同阶段转换概念和表示符号。实际上,用面向对象方法开发软件时,阶段的划分是十分模糊的,通常在分析、设计和实现等阶段间多次迭代。喷泉模型是典型的面向对象软件过程模型。

[思考题]

1. 有哪几种主要的管理信息系统开发方法?
2. 简述结构化系统开发方法。
3. 简述面向对象方法。
4. 简述计算机辅助软件工程法(CASE)。
5. 有哪几种需求调查的方法?
6. 简述可行性分析的任务和内容。
7. 简述可行性分析报告的格式。
8. 什么是对象? 什么是类? 什么是实例?
9. 什么是消息? 什么是方法? 什么是属性?
10. 面向对象的程序设计方法与面向过程的程序设计方法有什么区别?
11. 什么是UML?
12. UML的重要内容可以由哪5类图(共10种图形)来定义?
13. 简述面向对象的软件建模。
14. 什么是对象模型? 通常使用UML提供的哪一种图来建立对象模型?
15. 什么是动态模型? 通常使用UML提供的哪一种图来建立动态模型?
16. 什么是功能模型? 通常使用UML提供的哪一种图来建立功能模型?
17. 简述“数据字典”。举出一个数据字典的应用实例。
18. 画出含扩展和使用关系的自动售货机用例图。

第 6 章　信息系统设计

[学习目标]

1. 掌握系统设计的主要任务、主要方法及原则；

2. 掌握系统总体结构设计、代码设计、数据库设计、输入输出设计、功能模块与处理过程设计；

3. 了解系统设计说明书；

4. 了解面向对象的系统设计(OOD)的基本概念及面向对象的系统设计的一般过程。

6.1　系统设计概述

系统设计(system design)是信息系统开发的一个重要阶段，由系统设计人员将系统分析确定的目标和指标通过计算机系统及网络系统实现。

系统设计是新系统的物理设计阶段，是指根据系统分析阶段所确定的新系统的逻辑模型、功能要求，在用户提供的环境条件下，设计出一个能在计算机环境中实施的方案，即建立新系统的物理模型。因此，系统功能是否满足用户要求和系统性能是否达标主要依赖于系统的设计，系统设计是一项技术性很强的工作，需要明确信息系统实现的方法与过程。

6.1.1　系统设计的主要任务

管理信息系统的开发无论采用什么方法，都需要进行系统设计，系统设计不仅能提高管理信息系统软件产品质量和用户的满意度，而且可使系统开发的相关人员提高沟通力度，减少无序、无效开发工作和增强系统的维护性。这个阶段的任务很繁杂，也很具体。采用不同的开发方法，系统设计过程与着力点会有所不同，但是其目的都是明确信息系统该“如何做”，设计的任务都离不开明确将来管理信息系统运行的平台基础管理信息系统的功能结构、人机界面、数据组织与存取方式、代码体系等的具体方案、系统配置和相应管理规章制度设计。

1. 管理信息系统运行的平台基础和系统配置任务

云计算技术的应用，软件即服务(Software - as - a - Service，简称 SaaS)和平台即服务(Platform - as - a - Service，简称 PaaS)理念的提出，改变了传统的系统设计，管理信息系统运行的平台基础和系统配置需要结合信息系统应用理念，具有多种模式选择，即如何选购配置对用户而言，信息系统是经济、安全、可靠、稳定和实用的，这也是评价系统设计完成质量的指标体系之一。

2. 管理信息系统的功能结构设计任务

信息系统软件是由完成用户一系列任务的程序代码组成的集合，为便于系统运行管理和控制,需要将这庞大的集合分解成若干个子集,形成层次结构。系统功能结构设计是由分解到组合的过程,也就是说确定如何从整体到部分分解,再从部分到整体组合的方法与过程。

3. 管理信息系统的人机界面设计任务

人机界面设计不仅关系到信息系统软件的可操作性,系统提供信息的可读性和给人的直观感觉,而且关系到输入数据的正确性、输出信息的有效性。人机界面设计要确定采用什么方式(设备)、如何确保质量和在有限空间中输出信息、如何合理布局等任务。

4. 管理信息系统的数据组织与存取方式设计任务

数据组织是信息系统开发的基础,系统分析明确了用户对数据与信息的需求,数据如何组织成数据库,数据库中数据表如何构建与表间有何关联,以及对数据表的操作控制是数据组织与存取方式设计的主要任务。

5. 管理信息系统的代码体系等的具体方案设计任务

代码是辨识信息系统事务的重要数据,这些代码数据如何定义、规定是信息系统重要任务之一。在企业管理中代码存在于所有的事务管理中,在集成一体化信息系统中需要把分散在各职能部门的代码统一编制,运用唯一的方案。这将是十分艰巨的任务,这类任务不仅是技术问题,还涉及部门之间的协调问题。

6. 相应规章制度设计任务

信息系统的质量不是单纯依靠技术手段,而是更偏重于管理协调,管理制度的建立、完善和执行力的提高。少不了明令规章制度并加强执行。规章制度设计涉及系统的执行效果,直接影响企业信息化的成败。

系统设计结束,要归纳、总结和撰写设计阶段的文档资料,交付出概要设计说明书和设计说明,也可以合并在一起,统称为设计说明书。

6.1.2 系统设计的主要方法

系统设计方法是描述系统设计的理念、过程和形式的,可以从不同的侧面进行分类:按系统开发过程可分成归纳法和演绎法两种方法;按系统开发理念可分成结构化的系统设计和面向对象的系统设计。

1. 按系统开发过程分类

(1)归纳法

运用归纳法进行系统设计的程序是:首先尽可能地收集现有的和过去的同类系统的系统设计资料,接着在对这些系统的设计、研制和运行状况进行分析研究的基础上,根据所设计系统的功能要求进行多次选择,然后对少数几个同类系统做出相应修正,最后得出一个理想的系统。

(2)演绎法

运用演绎法进行系统设计是一种公理化方法,即先从普遍的规则和原理出发,根据设计人员的知识和经验,从具有一定功能的元素集合中选择能符合系统功能要求的多种元素,然后将这些元素按照一定形式进行组合(见系统结构),从而创造出具有所需功能的新系统。

在系统设计的实践中,这两种方法往往是并用的。

2. 按系统开发理念分类

(1)结构化的系统设计

结构化的系统设计(Structured System Design,简称 SSD)是在结构化的系统分析的基础上,为解决“如何实现系统分析提出的目标”所进行的系列活动,它运用一套标准的设计准则和图表工具描述“要做些什么”的系统任务。它往往从总体出发自上而下地对系统进行分解,直到具体能为程序员所接受的处理功能模块,以达到数据结构模型化,系统平台开放化。从而使整个系统结构明晰,安全可靠,适应性强,并形成效率和效益都能令人满意的系统物理(现实)方案。

(2)面向对象的系统设计

面向对象的系统设计的本质是面向对象设计(Object - Oriented Design,简称 OOD)方法。OOD 是面向对象(OO)方法中一个中间过渡环节,其主要作用是对 OOA 分析的结果做进一步的规范化整理,以便能够被 OOP 直接接受。因此,面向对象的系统设计(OOD)是一种软件设计方法,是一种工程化规范,是一种解决软件问题的设计范式(Paradigm),一种抽象的范式。使用 OOD 这种设计范式,我们可以用对象(object)来表现问题领域(problem domain)的实体,每个对象都有相应的状态和行为。我们刚才说到 OOD 是一种抽象的范式。抽象可以分成很多层次,从非常概括的到非常特殊的都有。而对象可能处于任何一个抽象层次上。另外,彼此不同但又互有关联的对象可以共同构成抽象:只要这些对象之间有相似性,就可以把它们当成同一类的对象来处理。

本章将侧重于系统开发理念,重点介绍结构化的系统设计方法,同时简要介绍面向对象的系统设计方法。

6.1.3 系统设计的原则

系统的功能是由系统分析确定的,而系统功能的实现质量与性能是由设计而来的,系统设计关系到系统的成败,为此,在系统设计前首先要制定明确的原则,系统设计原则就是为系统质量与性能服务的。系统设计必须满足系统软件质量检验因子要求,用户对软件质量水平需要的高低也直接关系到系统开发投入的成本与时间。制定系统设计原则一方面是明确软件质量要素,并对这些要素进行解释;另一方面是对系统开发队伍工作管理进行制约,约束开发过程、提交文档和对任务检验给出规范。因此,系统设计往往需要遵守标准性、总体性、规范性、可扩展性等原则,在系统设计过程要遵守的原则有许许多多,但是不同的设计内容和用户对系统功能与性能不同的需求,设计人员需要遵守的系统设计原则也存在一定的差异。在此,重点介绍软件质量设计原则与软件开发设计原则。

1. 软件质量设计原则

软件质量是系统设计的重要指标,要通过软件质量设计原则的制定确保系统设计质量。软件质量要素的提出往往依据 ISO9000 和 CMMI。但是,在实际进行软件质量设计时不可全部满足 ISO9000 的所有要素和 CMMI 的全部规范,而是针对不同的设计内容和用户的经济实力在系统开发前预定相关设计原则。软件质量设计原则的制定过程如下。

(1)确定软件设计内容

信息系统设计内容十分繁杂,主要部分可分成系统总体设计、业务应用支撑平台设计、共享交换区数据库设计、档案管理系统设计、系统集成设计、系统应用支撑环境设计、安全保障体系设计、数据采集系统设计、信息发布系统设计、数据中心设计和技术标准与管理规范体系设计等。

(2)确定软件质量设计原则

为了确保信息系统方案的有效性与实施的成功,在系统设计时,要根据用户的经济承受能力、ISO9000 软件质量标准选择经济实用的要素,围绕这些要素确定需要遵守的原则,例如将软件的统一性、先进性、高可靠性/高安全性、标准化、成熟性、可持续性和可扩展性等转换成需要遵守的原则。

(3)软件质量要素界定

ISO9000 和 CMMI 提出的要素大部分是定性的,设计人员在设计过程中存在理解偏颇,需要做进一步的解释限定。例如,用户界面的友好性、可操作性和易维护性等都需要有一个明确的规则。

信息系统设计要考虑到业务未来发展的需要,软件质量设计原则应尽可能设计得精简,以降低成本,提高效益。

2. 软件开发原则

系统设计是软件开发的前提,最终要提交软件开发人员实现,软件开发原则是系统设计原则的重要组成部分。在系统设计时,必须充分考虑软件开发原则,确保软件开发的科学性和合理性以及满足管理信息系统持续发展的需要,便于开展软件开发的组织、分工、协作和整合等活动。软件开发原则同样也有许多种,主要原则如下。

(1)单一职责原则

每个功能模块(或类)应当只负责单一内聚的职责,每一个职责都是变化的一个轴线,当需求变化时,该变化会反映为功能模块(或类)职责的变化。一个功能模块(或类)应当仅有一个引起它变化的原因,如果一个功能模块(或类)承担了多个职责,那么引起变化的原因就会有多个,这等于把这些职责耦合在一起,违反了单一职责原则。在系统设计过程中,通常可以采用门面模式或代理模式进行重构,分离业务的职责。

(2)开闭原则

软件功能模块或实体(类、包、模块等)应该是可以扩展的;但是不可修改的,即对于扩展是开放的,对于修改是封闭的,对功能模块或实体(类、包、模块等)的行为扩展时,无须改动源代码或二进制代码,即开闭原则(Open - Closed Principle)。开闭原则实现的关键是抽象设计,完全的开闭原则是不可能实现的,应当对最有可能、最经常的变化进行抽象,遵循开闭原则,拒绝不成熟的抽象和抽象本身一样重要。

(3)接口隔离原则

不应该强迫客户端依赖于它们不会用的接口。胖接口会导致它们的客户程序产生不正常并且有害的耦合关系,当一个客户程序要求该胖接口进行一个改动时,会影响到其他的客户程序,因此客户程序应当仅仅依赖于它们实际调用的方法,通过把胖接口分离为多个特定的客户程序的接口可以实现这个目标。每个特定于客户程序的接口仅仅声明它的客户程序需要调用的方法,实现类实现所有特定于客户程序的接口,解除这些耦合关系,使客户程序之间互不依赖。分离接口的常用方式包括委托和多重继承。分离接口的关键在于对接口的客户进行分组。

(4)依赖倒置原则

高层模块不应该依赖于低层模块,二者都应该依赖于抽象。每个较高层次都为它所需要的服务声明一个抽象接口,较低的层次实现这些抽象接口,每个高层类都通过该抽象接口使用下一层,这样高层就不依赖于低层,低层反而依赖于高层声明的抽象服务接口。抽象不应该依赖于细节,细节应该依赖于抽象。

6.2 结构化的系统设计

结构化设计方法的基本思想是:使系统模块化,即把一个系统自上而下逐步分解为若干个彼此独立而又有一定联系的组成部分。

6.2.1 系统总体结构设计

系统总体结构设计是根据系统分析所提出的要求和组织的实际情况对新系统的总体结构形式和可利用的资源进行设计,它是一种宏观、总体上的框架性设计。

1. 系统总体设计内容

系统总体设计是从系统全局出发,从硬件、软件、网络和应用等多视角、多层面勾画出系统的总体结构。

(1)系统的应用结构

这是系统总体设计的主要内容,也是最关键的核心内容,系统总体设计的其他部分内容完全依赖于系统的应用需要。系统总体设计与具体设计都是围绕系统的应用开展的。应用系统结构是将一个庞大的、复杂的系统分解成若干个相对简单的子系统,子系统继续划分成若干个功能模块,功能模块继续划分成若干个子功能模块,依次深入细化,直到可以交付给程序员编写代码为止。

(2)系统的网络结构

这是信息系统运行的支撑平台,也称为运行环境设计。这完全依赖于信息系统的规模、管理空间和信息量等要素构建网络系统的体系结构和配置状态。在系统网络结构中需要明确系统每个结点的作用和计算机等设备的需求。

(3)系统的软件结构

这也是信息系统运行的基础平台,往往是由操作系统和数据库管理系统等软件构成。软件结构不仅要明确软件的类型、版本和数量,还要明确软件的应用对象、运行模式和并发用户数等技术参数。

(4)系统的硬件结构

系统硬件完全是依据系统软件配置,其目的是满足系统软件的需要和业务处理的需要。硬件结构设计将涉及计算机系统和网络系统的配置,需要明确不同用途计算机与网络设备的数量、型号和规格,明确系统配置技术参数。

2. 系统总体设计过程

系统总体设计直接影响到系统的科学性和先进性,也涉及系统详细设计的复杂性、功能性与系统开发成本、运行管理难度和运行成本等诸多因素。

(1)明确系统设计边界

信息系统是企业管理的一个手段,必须融入管理业务中。虽然系统分析已经明确了信息系统的信息源、信息用户以及将服务的部门、相关业务、业务处理、计划决策和过程监控等功能,但是在总体设计时不仅要进一步明确系统分析所确定的系统边界,同时还要进一步明确系统所涉及的业务内容、业务量、部门岗位和运控模式。

(2)分析 U/C 矩阵求解结果

在系统分析时通过 U/C 矩阵为系统划分提供了理论依据,但这只能作为原理性系统功能结构。在实现系统总体设计时,还要结合信息系统规模、业务类型、IT 能力和管控水平重新勾画系统总体结构,特别是在 U/C 矩阵中不产生数据的使用功能的归属完全取决于系统用户的需要。

(3)划分子系统

这是系统总体设计的主要任务,也是总体设计其他部分的依据。划分子系统要根据系统的规模与复杂程度决定。对于只有一项业务的小型管理信息系统或某一业务功能的单机单用户子系统,往往不需要做繁杂的系统,直接可以分解成功能模块,编制相应软件。但是,不论系统大小,系统分解是必需的,而且在分解前要做好充分的分析,分解后要做好详细记录。

(4)确定系统配置

系统配置是一项关系到系统性能与成本的工作,系统配置要坚持适用和实用。在 IT 领域,没有最好,只有更好,而且性价比至今都在飞速上涨,或者说无形损失比任何设备要大。系统配置将涉及硬件、软件和网络平台的配置,这些配置是在进行系统划分,明确功能与性能后对照 IT 设备的性能列出详细清单。

(5)写出总体设计说明书

需要详细地记录系统总体设计的方案,画出系统功能结构图和网络结构图,说明网络各节点的硬件、软件和功能的分配、计算机体系结构、网络拓扑结构类型、系统运行模式,等等。

3. 系统划分

(1)系统划分的依据

系统划分是以 U/C 矩阵求解结果为理论依据,并以此为起点,根据应用单位实际状况,对划分的系统进行优化调整,使系统的划分便于分阶段实施和满足企业经营发展的需要。

(2)系统划分原则

在系统划分过程中必须遵守信息系统建设发展的规律和信息系统运行管理需求,促使系统划分科学合理。

①子系统具有相对的独立性,尽可能做到高内聚、低耦合。

②子系统之间数据的依赖性尽量小,子系统划分的结果应使数据冗余度较小。

③子系统的设置应考虑今后管理发展的需要,考虑高层次管理决策的要求。

④子系统的划分应便于系统分阶段实现,适应系统分期分步实施。

⑤子系统的划分应考虑到各类资源的充分利用。

(3)系统划分方法

一个信息系统往往功能繁多、性能指标众多。如何划分系统,需要根据系统业务的单一性、系统地理位置的分布性和用户种类的复杂性等多方面因素综合考虑。不同的系统划分方法一般适应于不同的开发情景。

①按功能划分:最常用的一种划分方法,通常依据功能/数据分析结果划分子系统,适用于划分涉及面广、业务繁多、用户种类多的系统,形成子系统的情况。

②按业务处理顺序划分:这是根据业务处理顺序,按时间分前后划分成各个子系统,这类子系统划分往往是相对以单项业务作为系统的情景。例如,在库存管理系统中,入库必

须依据采购订单,而出库必须依据生产计划的领料单,各个子系统之间具有较为严格的时间顺序。

③按数据拟合程度划分:这是将相关联的数据尽量集中,不仅减少数据的冗余度,而且便于数据备份,提高系统的完整性和可靠性。

④按业务处理过程划分:这也是系统开发中较常用的一种划分方法,更多地运用于子系统的进一步分解,由子系统划分成功能模块。当用户要求各子系统分段实现开发工作时,可以采用这种方法。

⑤按业务处理的时间划分:这种划分方法在系统总体划分时采用得相对较少,它一般在某些特定场合使用,而更多的是在功能模块内部进一步划分成子功能模块时使用这种方法较多。

⑥按实际环境和网络分布划分:当系统所涉及的业务分散在不同地理位置,而且这些管理机构(单位)相距较远,每个管理机构自成一个相对独立的体系时,在这些特定场合下使用本方法划分。

4. 系统总体设计说明

在系统设计过程中,无论是哪个阶段或哪个单元设计结束后都要及时整理,以设计说明的方式形成方案,最终形成系统设计说明书,或称为系统设计方案,供系统实施人员依据执行。系统总体设计说明的主要内容有系统边界与目标说明、系统总体设计原则以及类似图 6－1 的系统功能结构图和类似图 6－2 的系统网络结构图,还有类似表 6－1 的系统配置表。

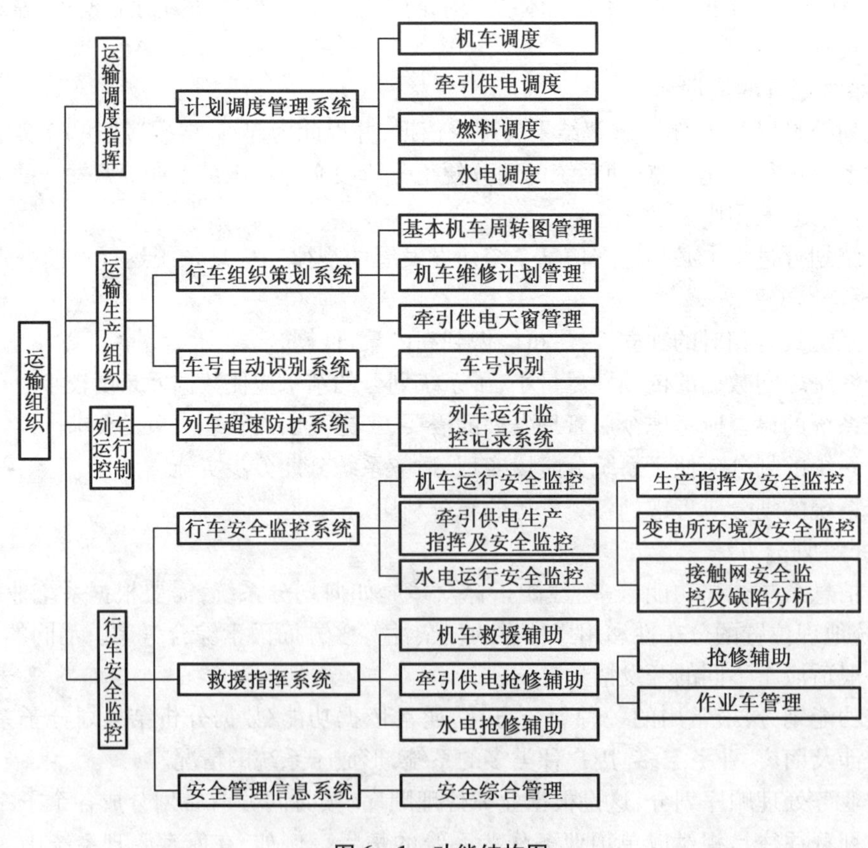

图 6－1　功能结构图

(1)系统边界与目标说明

用文字或图标明确信息系统应用的范围、部门或各类人员,以及系统设计将达到的功能与性能指标。

(2)系统总体设计原则

这是将来系统评价或验收时的依据,也是对系统功能与性能的要求的凭据,同时时刻约束着系统开发人员的设计行为。

(3)系统功能结构图

明确地描述系统的功能结构,在图上体现出各功能之间的层次关系和功能内涵。往往需要对每个子系统运行文字进一步说明。

(4)系统网络结构图

描述系统所需要的网络体系,包括服务器、网络工作站的计算机型号规格、网络结构、网络设备等需求情况,如图 6－2 所示。同时还需要明确网络设备在管理信息系统中的角色和作用。

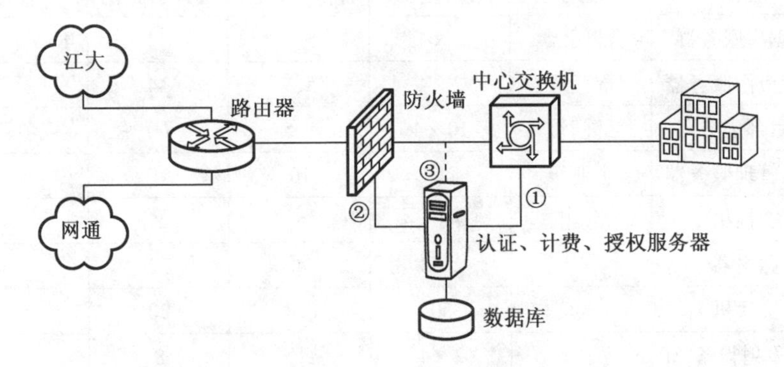

线路	主要作用
①	将AAA服务器接入校园网中心交换机，网内用户均可访问到AAA服务器，从而沟通了网内用户与AAA主机，为认证提供了通信条件
②	沟通了防火墙与AAA服务器，便于AAA服务器控制防火墙，为授权提供了通信条件
③	此线路不用于网络通信,而是为AAA服务器捕获数据(防火墙〈—〉中心交换机)提供条件

图 6－2　网络结构图

(5)系统配置表

根据系统网络结构与功能结构,需要明确列出系统将需要的设备的清单。例如,某集团经营管理信息系统的配置表如表 6－1 和表 6－2 所示。

表6-1 系统(服务器)配置表

编号	名称	型号	数量(台)	价格(万元)	合计(万元)	备注
1	文件服务器	部门级	3	4	12	系统环境
2	邮件服务器	部门级	1	4	4	系统环境
3	Web 服务器	部门级	1	4	4	系统环境
4	主域服务器	部门级	1	4	4	系统环境
5	备份域服务器	部门级	1	4	4	系统环境
6	防火墙服务器	部门级	1	4	4	系统环境
7	财务管理服务器	部门级	1	4	4	系统环境

表6-2 系统(硬件)配置表

编号	名称	型号	数量(台)	价格(万元)	合计(万元)	备注
1	数据库服务器	部门级	2×4	5.5	44	
2	综合应用服务器	部门级	2×4	5.5	44	
3	项目部服务器	部门级	10×4	1.5	60	视项目数量而定
4	总局管理服务器	企业级	1	10	10	
5	交换机	分组	1+1×4	5	25	
6	路由器		2×4	4	32	
7	交换机	一般	50	0.4	20	
8	无线发射设备 AP		2×4	1	8	
9	计算机	普通机	200×4	0.5	400	
10	外设及耗材				40	
	合计				683	

(6)系统总体设计其他说明

在总体结构说明中还需要根据系统设计的总原则、目标对总体设计有影响的内容加以补充,以及总体设计对系统实施的要求等加以补充说明。

6.2.2 代码设计

在现实生活中我们往往采用代码来更加清晰、简洁和正确地代表客观存在的事物。代码是客观事物特定属性的符号。代码设计的任务就是要设计出一套便于管理信息系统开发和运行使用的代码系统。

1.代码设计的过程

代码设计是对指定事物按特定属性进行分类与编码的过程,在经济管理与日常生活中经常需要运用代码。

(1)确定编码对象

代码是针对某类特定事物的编号。例如发票的号码、凭证的序号、学生的学号、职工的工号等。不同事物个体表达内涵和管理需求都不相同,针对不同的事物代码的描述已有的标准程度和应用状态也不相同,因此在代码设计时,首先要明确对什么进行代码设计。

(2)制定编码原则

制定编码原则不仅使设计出来的代码科学合理,而且便于信息系统的融合和降低信息交换成本,也便于代码的人工阅读。

(3)确定分类方法

代码设计的核心问题是将被编码事物分类。不同的分类方法使代码的结构灵活性和柔性有很大的区别,

(4)选择编码类型

不同的编码类型能代表的事物数量不同,即代码容量不同,了解编码类型可以通过类型变换改变代码容量,实现扩容维护。

(5)写出代码设计说明书

这是对代码设计结果的总结和为编制管理信息系统技术文档提供资料,也是管理信息系统运行管理的操作指南。

2. 代码设计的原则

代码是供人工和信息系统识别事物的人为属性,用特定的符号表示。为了更好地实现代码的功能,便于信息系统提供信息交流、信息查询等服务,在代码设计时应当遵守必要原则。代码设计原则可以根据代码设计对象的特点和需求有选择地制定,但有一些原则是必须遵守的。

(1)唯一性

代码是区别系统中每个事物的唯一标识,这是代码设计必须遵守的最基本的原则。一个事物可能有多个名称,也可按不同的方式对它进行描述。但在一个编码体系中,一个事物只能被赋予一个唯一的代码,反之一个代码只能唯一地标识一个事物对象,不允许重码、乱码、错码。

(2)简单性

设计的代码将伴随记录的事物,每个事物必有对应的代码,这个代码不仅数量庞大,占用大量的存储空间,而且影响信息处理成本,因此,代码结构应尽可能简单,压缩长度,以减少各种差错。

(3)易识别性

代码将为人们提供服务,为便于人们记忆,减少出错,代码应当有一定规则,尽可能反映事物的特点,以助记忆;表意明确,便于识别。

(4)可扩充性

代码对象的个体时刻在发生增减变化,代码设计时应留有充分的余地,结构灵活、柔性好,以备将来不断扩充时不需要变动原代码体系,可直接追加新代码。

(5)合理性

代码的分类方法与编码规则要符合人们的工作习惯,特别是当使用文字代码时,表意要合理,符合常规准则。例如,公斤用 kG 表示比较合理,采用其他符号对信息系统而言没有本质差别,但不合理。

(6)规范性与标准化

对有些代码国际化组织(ISO)已经制定了标准,有些代码则在我国已经有了国标(GB),还有些较特殊的代码在行业中已经有了规定,在代码设计时尽可能采用现有的国际标准、国标、部标编码。不同等级的编码通用程度不同,ISO 标准可以国际通用。因此,国际标准化、国家有关编码标准和行业部标编码是代码设计的重要依据,已有标准的必须遵循。在一个代码体系中,代码结构、类型、编写格式必须统一。甚至在企业已经制定好设备编码、员工代码等时可以直接采用,只有在原本没有代码或原代码已经不适合信息系统的应用时,才需要进行代码设计,大量的工作是整理已有的代码说明。

3. 编码对象的分类方法

代码设计的核心,是将编码事物(对象)进行分类,分类的关键在于如何抓住事物的特征属性。从不同的视角可以将事物分成不同的类别,一般有线分类和面分类两种方法。

(1)线分类法

线分类法也称为层次分类法,它将全部编码对象集按某一特征从总体划分成几部分,然后对每一部分再细化,直到个体。在划分时,既不能交叉重叠,也不能遗漏。这种方法简单,便于人工记忆。例如,邮政编码、身份证号的前六位都是先由总体划分成大区,然后在大区内部再划分成小区。产品编码中的分类也是采用线分类法,将所有产品分成十大类,在每大类中再分成十中类,在每中类中再分成十小类。

(2)面分类法

面分类法根据编码对象的不同属性(即不同侧面)进行分类,直到个体。这种方法结构灵活,柔性好,但不便于人工记忆。例如,服装款式分类、计算机存储设备中的软盘分类和身份证的整体编码(地区、出生日期、性别、随机号等属性组成)都是采用面分类法。

4. 代码的类型

编码对象分类后要给每类赋予特定的符号,即代码。代码的类型有许多种,但大体上可分成数字码、字母码和混合码三种。

(1)数字码

用 0 至 9 这 10 个符号进行编码,因此,一位码可以容纳 10 个不同的个体,即编码容量为 10。数字码还可以按新码与原有码之间的关系可以分成有顺与无序两种。有序码是在原有代码的基础上延伸新码,按延伸方式可再分成连续的与不连续的,按不连续间隔可分成等距与不等距代码。例如,原有代码为 3,后增加的代码为 4,则为连续数字码;如果是 5,则为不连续的数字码;新码如果是 7,则为不连续的等距数字码;如果是 9,则为不连续的不等距数字码。不连续的数字码也称为成组码。在会计信息系统中科目代码中的一级科目的大类是连续的数字码,而三位的一级科目是不连续的数字码,即成组码。在企业管理信息化工程中员工代码、部门代码、资产编码和凭证编码等都采用数字码。

（2）字母码

用26个英文字母或汉语拼音编码，字母码可以是英文或汉语拼音的缩写或全称。当不区分大小字母时，一位代码可以代表26种个体，因此编码容量是26。当区分大小字字母时，一位代码可以代表52种个体，因此编码容量是52。可见，不仅字母码比数字码容量大，而且还可以具有一定的含义，便于人工阅读。例如，物料计量单位和产品型号规格代码是在生产管理、成本核算和销售管理等企业过程中常采用字母表意的代码。XX厂生产的烟感火灾探测器（JTY）产品型号编码方法如表6－3所示。

表6－3 感烟火灾探测器（JTY）产品型号编码

编号	含义
JTY－LM－XXYY/B	XX厂生产的编码、自带报警声响，离子感烟火灾探测器，产品序列号为YY
JTY－LH－XXYY	XX厂生产的编码、非编码混合式、离子感烟火灾探测器，产品序列号为YY
JTY－GXF－XXXYYY	XXX厂生产的非编码、管式吸入型光电感烟火灾探测器。
JTYBC－HM－XXYYYY	XX厂生产的船用防爆型、编码、线型红外光束感烟火灾探测器，产品序列号为YYYY

（3）混合码

用数字、字母和特殊符号组成的代码称为混合码，混合码的混合方式是将一个代码分成几部分，不同部分或用数字码或用字母码，这种混合方式比较实用。例如，彩色电视机的型号编码，TV－C－21，其中“TV”表示电视机，“C”表示彩色，“21”表示屏幕大小是21英寸。混合码还可以在代码的某部分中既有数字，还有字母，例如身份证最后一位的随机号就是这种混合方式。混合码既有数字，还有字母，因此其容量最大。

5. 管理信息系统中的代码实例

管理信息系统应用涉及面广，业务种类繁杂，特别是在企业信息系统集成和“两化融合”大背景下，需要进行代码设计与编码的事物繁多。因此，代码设计是信息化工程的基础的关键性工作，其主要代码包括以下几类。

（1）职员代码

这是往往由部门与顺序号两部分组成的数字码。

（2）物资代码

根据物资管理的特点，需要体现产地、日期、发货号等信息。常用成组码，也用表意码辅助。

（3）设备代码

反映经济用途、使用情况、使用部门及设备类别等信息，常用组合码。

(4)会计科目代码

按会计制度,对企业经济活动需要编制科目。科目代码是分级编制的成组组合的数字码,一级科目用三位数字表示,第一位是科目大类,用顺序分别表示资产、负债、损益等,第二和第三位是大类内的顺序码,不同大类内具有的种类不同。第二级以下的科目代码在会计制度中是给了指导建议,特别是第三级以后由企业根据具体情况编制。

在企业管理信息化实施过程中,不同层次的管理信息系统会涉及许多代码,无法一一列举。需要特别提示的是要重视代码设计,安排足够的人力去整理、优化、编制各项代码。

6. 代码设计说明书

以书面的形式,统一的格式描述代码设计过程所确定的内容,特别要说清楚:编码对象、分类方法、代码的总体结构和采用的编码方法以及代码示例、代码规则,并给出相应的代码对照表。

下面以18位居民身份证号码设计说明书为例详细说明。

编码对象:中华人民共和国公民。

代码名称:身份证号码。

编码结构:由5部分共18位数字组成,其代码结构如表6-4所示。

表6-4 身份证号码编码结构说明

结构	第一部分						第二部分								第三部分		第四部分	第五部分
位置	1	2	3	4	5	6	7	8	9	10	11	12	13	14	15	16	17	18

编码规则与方法:身份证号码的具体编码规则参考中华人民共和国国家标准《公民身份号码》(GB 11643—1999)中有关居民身份证号码的规定。

(1)地址码(身份证号码前6位)表示编码对象常住户口所在县(市、旗、区)的行政区划代码。这是采用线分类的方法从总体到具体的分解过程。

(2)出生日期码(身份证号码第7位到第14位)表示编码对象出生的年、月、日,其中年份用4位数字表示,年、月、日之间不用分隔符。例如:1981年5月11日就用19810511表示。出生日期码同样也属于线分类方法。

(3)顺序码(身份证号码第15位到17位)为同一地址码所标识的区域范围内,对同年、月、日出生的人员编定的顺序号。其中在第17位,奇数分给男性,偶数分给女性。

(4)校验码(身份证号码最后一位)是根据前面17位数字码,按照ISO 7064:1983,MOD11-2校验码计算出来的检验码。第18位数字的计算方法为:

①将前面的身份证号码的17位数(W_i)分别乘以不同的系数A_i。从第1位到第17位的系数分别为:7,9,10,5,8,4,2,1,6,3,7,9,10,5,8,4,2。将这17位数字和系数相乘的结果相加

$$S = \mathrm{Sum}(W_i, * A_i)\ , i = 0, 1, \cdots, 16$$

②用加出来和除以11,得余数Y

$Y = \mathrm{mod}(S, 11)$

③余数(Y)只可能有0,1,2,3,4,5,6,7,8,9,10这11个数字,其分别对应的最后一位身份证的号码为1,0,X,9,8,7,6,5,4,3,2,如表6-5所示。

表6-5　校验码余数与校验码对照表

余数	0	1	2	3	4	5	6	7	8	9	10
校验码	1	0	X	9	8	7	6	5	4	3	2

校验码计算实例:某男性的身份证号码是34052419800101001X。我们要看看这张身份证是不是合法的身份证。首先,我们得出前17位的乘积和是189。然后,用189除以11得出的结果是17+2/11,也就是说余数是2。最后,通过对应规则就可以知道余数2对应的数字是X。所以,这是一个合格的身份证号码。

身份证号码不仅含有数字码,最后一位还是混合码,总体上看体现了面分类的方法。可见,身份证号码设计十分复杂,采用了多种方法相融合的方法。

6.2.3　数据库设计

数据库设计(database design)是指根据用户需求分析和构建的数据字典,在选定某一具体的数据库管理系统上,设计数据库表的结构、数据库表的组成、数据库内表间关系的过程。数据库设计是建立在数据库及其应用系统的技术上,也是信息系统开发和建设中的核心技术。由于数据库应用系统领域的多样性,内容结构的复杂性,因此数据库设计就变得异常复杂,数据库的最佳设计不可能一蹴而就,而只能是一种“反复探寻,逐步求精”的过程,也就是按数据模型规范数据结构,明确事物之间关系的过程。数据库的设计主要是进行数据库的逻辑设计,即将数据按一定的规则(时间、位置等)进行分类、分组,从系统和逻辑层次视角面向用户地组织起来。

1. 数据库设计的基础

数据库建设是硬件、软件和干件的结合。在管理信息系统建设过程中三分技术,七分管理,十二分基础数据,可见,数据库设计的重要性。管理信息系统开发过程中需要数据员全面负责数据库的设计工作,在大型信息系统运行管理中需要专职的数据员对数据库进行维护。

在数据库设计过程中所涉及的技术与管理的界面称为“干件”,数据库的设计应该与应用系统设计相结合。其设计内容主要由结构(数据)设计和行为(处理)设计组成。结构(数据)设计确定数据库框架或数据库结构;行为(处理)设计明确数据库的应用程序、事务处理等。在设计过程中结构和行为的设计要分离。传统的软件工程忽视对应用中数据语义的分析和抽象,只要有可能就尽量推迟数据结构设计的决策,早期的数据库设计致力于数据模型和建模方法研究,忽视了对行为的设计。

2. 数据库设计的步骤

至今,数据库设计的很多工作仍需要人工来做,除了关系型数据库已有一套较完整的数据范式理论可用来部分地指导数据库设计之外,尚缺乏一套完善的数据库设计理论、方法和工具,以实现数据库设计的自动化或交互式的半自动化设计。所以数据库设计今后的研究发展方向是研究数据库设计理论,寻求能够更有效地表达语义关系的数据模型,为各阶段的设计提供自动化的设计工具和集成化的开发环境,使数据库的设计更加工程化、更加规范化和更加方便易行,在数据库的设计中充分体现软件工程的先进思想和方法。数据库设计的一般步骤如图 6-3 所示。

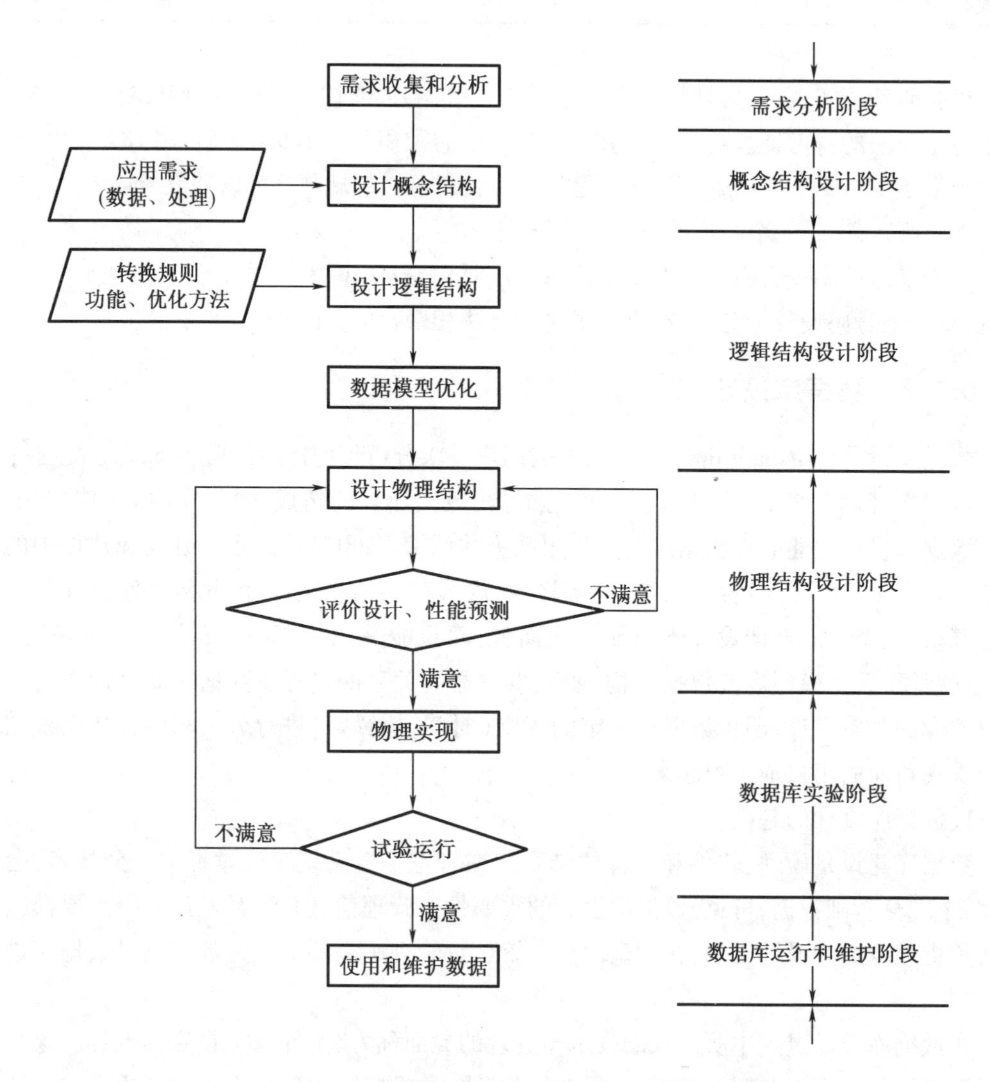

图 6-3　数据库设计步骤

(1)需求分析

调查和分析用户的业务活动和数据的使用情况,弄清所用数据的种类、范围、数量以及它们在业务活动中交流的情况,确定用户对数据库系统的使用要求和各种约束条件等,形成用户需求规约。

①理解客户需求,询问用户如何看待未来需求变化。让客户解释其需求,而且随着开发的继续,还要经常询问客户以保证其需求仍然在开发的目的之中。

②了解企业业务可以在以后的开发阶段节约大量的时间。

③重视输入输出。在定义数据库表和字段需求(输入)时,首先应检查现有的或者已经设计出的报表、查询和视图(输出)以决定为了支持这些输出哪些是必要的表和字段。

举例:假如客户需要一个报表按照邮政编码排序、分段和求和,你要保证其中包括了单独的邮政编码字段而不要把邮政编码糅进地址字段里。

④创建数据字典和E-R图。E-R图和数据字典可以让任何了解数据库的人都明确如何从数据库中获得数据。E-R图对表明表之间关系很有用,而数据字典则说明了每个字段的用途以及任何可能存在的别名。对SQL表达式的文档化来说这是完全必要的。

⑤定义标准的对象命名规范,数据库各种对象的命名必须规范。

(2)概念设计

对用户要求描述的现实世界(可能是一个工厂、一个商场或者一个学校等),通过对其中住处的分类、聚集和概括,建立抽象的概念数据模型。这个概念模型应反映现实世界各部门的信息结构、信息流动情况、信息间的互相制约关系以及各部门对信息储存、查询和加工的要求等。所建立的模型应避开数据库在计算机上的具体实现细节,用一种抽象的形式表示出来。以扩充的实体—联系模型方法(E-R模型)为例,第一步先明确现实世界各部门所含的各种实体及其属性、实体间的联系以及对信息的制约条件等,从而给出各部门内所用信息的局部描述(在数据库中称为用户的局部视图);第二步再将前面得到的多个用户的局部视图集成为一个全局视图,即用户要描述的现实世界的概念数据模型。

(3)逻辑设计

主要工作是将现实世界的概念数据模型设计成数据库的一种逻辑模式,即适应于某种特定数据库管理系统所支持的逻辑数据模式。与此同时,可能还需为各种数据处理应用领域产生相应的逻辑子模式。这一步设计的结果就是所谓的"逻辑数据库"。

①表设计原则。

表在关系理论中是以关系方式出现的,而且能以关系表示的表必须符合规定的式子。

a.标准化和规范化。数据的标准化有助于消除数据库中的数据冗余。标准化有好几种形式,但Third Normal Form(3NF)通常被认为在性能、扩展性和数据完整性方面达到了最好平衡。简单来说,遵守3NF标准的数据库的表设计原则是:"One Fact in One Place",即某个表只包括其本身基本的属性,当不是它们本身所具有的属性时需进行分解。表之间的关系通过外键相连接。它具有以下特点:有一组表专门存放通过键连接起来的关联数据。

举例:某个存放客户及其有关订单的3NF数据库就可能有两个表,Customer和Order。Order表不包含订单关联客户的任何信息,但表内会存放一个键值,该键指向Customer表里包含该客户信息的那一行。事实上,为了效率的缘故,对表不进行标准化有时也是必要的。

b.数据驱动。采用数据驱动而非硬编码的方式,许多策略变更和维护都会方便得多,大大增强系统的灵活性和扩展性。

举例:假如用户界面要访问外部数据源(文件、XML文档、其他数据库等),不妨把相应的连接和路径信息存储在用户界面支持表里。还有,如果用户界面执行工作流之类的任务(发送邮件、打印信笺、修改记录状态等),那么产生工作流的数据也可以存放在数据库里。角色权限管理也可以通过数据驱动来完成。事实上,如果过程是数据驱动的,你就可以把

相当大的责任推给用户，由用户来维护自己的工作流过程。

c. 考虑各种变化。在设计数据库的时候要考虑到哪些数据字段将来可能会发生变更。

举例：姓氏就是如此（注意是西方人的姓氏，比如女性结婚后从夫姓等）。所以，在建立系统存储客户信息时，应在单独的一个数据表里存储姓氏字段，而且还附加起始日和终止日等字段，这样就可以跟踪这一数据条目的变化。

d. 每个表中都应该添加的三个有用的字段。dRecordCreationDate，在 VB 下默认是 Now()，而在 SQL Server 下默认为 GETDATE()：sRecordCreator，在 SQL Server 下默认为 NOT NULL DEFAULT USER；nRecordVersion，记录的版本标记，有助于准确说明记录中出现 NULL 数据或者丢失数据的原因。

e. 对地址和电话采用多个字段。描述街道地址就用短短一行记录是不够的。Address_Linel、Address_ Line2 和 Address_ Line3 可以提供更大的灵活性。还有，电话号码和邮件地址最好拥有自己的数据表，其间具有自身的类型和标记类别。

f. 使用角色实体定义属于某类别的列。在需要对属于特定类别或者具有特定角色的事物做定义时，可以用角色实体来创建特定的时间关联关系，从而可以实现自我文档化。

g. 选择数字类型和文本类型尽量充足。在 SQL 中使用 smallint 和 tinyint 类型要特别小心。比如，假如想看看月销售总额，总额字段类型是 smallint，那么，如果总额超过了32 767 美元就不能进行计算操作了。而 ID 类型的文本字段，比如客户 ID 或订单号等，都应该设置得比一般想象得更长。假设客户 ID 为 10 位数长，那你应该把数据库表字段的长度设为 12 或者 13 个字符长。但这额外占据的空间却无须将来重构整个数据库就可以实现数据库规模的增长了。

h. 增加删除标记字段。在表中包含一个“删除标记”字段，这样就可以把行标记为删除。在关系数据库里不要单独删除某一行，最好采用清除数据程序而且要仔细维护索引整体性。

②选择键和索引。

a. 键设计原则。键设计必须遵守的原则有：关联字段要创建外键；所有的键都必须唯一；避免使用复合键；外键总是关联唯一的键字段。

设计数据库的时候采用系统生成的键作为主键，可以实际控制数据库的完整性。这样，数据库和非人工机制就有效地控制对存储数据中每一行的访问。采用系统生成键作为主键还有一个优点：当拥有一致的键结构时，找到逻辑缺陷很容易。在确定采用什么字段作为表的键的时候，可一定要小心用户将要编辑的字段，通常的情况下不要选择用户可编辑的字段作为键。可选键有时可做主键。把可选键进一步用做主键，可以拥有建立强大索引的能力。

b. 索引使用原则。索引是从数据库中获取数据的最高效方式之一。95% 的数据库性能问题都可以采用索引技术得到解决。

· 逻辑主键使用唯一的成组索引，对系统键（作为存储过程）采用唯一的非成组索引，对任何外键列采用非成组索引。考虑数据库的空间有多大，表如何进行访问，还有这些访问是否主要用作读写。

·大多数数据库都索引自动创建的主键字段,但是可别忘了索引外键,它们也是经常使用的键,比如执行查询显示主表和所有关联表的某条记录就用得上。

·不要索引 memo/note 字段,不要索引大型字段(有很多字符),这样做会让索引占用太多的存储空间。

·不要索引常用的小型表。不要为小型数据表设置任何键,假如它们经常有插入和删除操作就更别这样做了。对这些插入和删除操作的索引维护可能比扫描表空间消耗更多的时间。

③数据完整性设计。

a. 完整性实现机制。数据库的完整性有实体完整性、对照完整性和用户自定义完整性三种。

·实体完整性。通过数据表的主键实现。

·参照完整性。用于规定两表之间遵循的原则,这两表分别称为父表和子表,在父表中删除数据可以设置为级联删除、受限删除和置空值;在父表中插入数据时,可以设置受限插入或递归插入;在父表中更新数据时,可以设置级联更新、受限更新和置空值。

·用户定义完整性。在数据表定义时通过设置 NULL 值、字段规则、记录规则和触发器实现。

b. 用约束而非商务规则强制数据完整性。采用数据库系统实现数据的完整性。这不但包括通过标准化实现的完整性而且还包括数据的功能性。在写数据的时候还可以增加触发器来保证数据的正确性。不要依赖于商务层保证数据完整性,它不能保证表之间(外键)的完整性所以不能强加于其他完整性规则之上。

c. 强制指示完整性。在有害数据进入数据库之前将其剔除;激活数据库系统的指示完整性特性。这样可以保持数据的清洁而能迫使开发人员投入更多的时间处理错误条件。

d. 使用查找控制数据完整性。控制数据完整性的最佳方式就是限制用户的选择。只要有可能都应该提供给用户一个清晰的价值列表供其选择。这样将减少键入代码的错误和误解,同时提供数据的一致性。某些公共数据特别适合查找,例如国家代码、状态代码等。

f. 采用视图。为了在数据库和应用程序代码之间提供另一层抽象,可以为应用程序建立专门的视图而不必非要应用程序直接访问数据表。这样做还等于在处理数据库变更时给你提供了更多的自由。

④其他设计技巧。

a. 避免使用触发器。触发器的功能通常可以用其他方式实现。在调试程序时触发器可能成为干扰。假如你确实需要采用触发器,最好集中对它文档化。

b. 使用常用英文(或者其他任何语言)而不要使用编码。在创建下拉菜单、列表、报表时最好按照英文名排序。假如需要编码,可以在编码旁附上用户知道的英文。

c. 保存常用信息。让一个表专门存放一般数据库信息非常有用。在这个表里存放数据库当前版本、最近检查/修复(对 Access)、关联设计文档的名称、客户等信息。这样可以实现一种简单机制跟踪数据库,当客户抱怨他们的数据库没有达到希望的要求而与你联系时,这样做对非客户机/服务器环境特别有用。

d. 包含版本控制机制。在数据库中引入版本控制机制来确定使用中的数据库的版本。时间一长,用户的需求总是会改变的,最终可能会要求修改数据库结构。把版本信息直接存放到数据库中更为方便。

e. 编制文档。对所有的快捷方式、命名规范、限制和函数都要编制文档。采用给表、列、触发器等加注释的数据库工具,这对开发、支持和跟踪修改非常有用。对数据库文档化,或者在数据库自身的内部单独建立文档。这样,当过了一年多时间后再回过头来做第2个版本,犯错的机会将大大减少。

f. 反复测试。建立或者修订数据库之后,必须用用户新输入的数据测试数据字段。最重要的是,让用户进行测试并且同用户一道保证选择的数据类型满足商业要求。测试需要在新数据库投入实际服务之前完成。

g. 检查设计。在开发期间检查数据库设计的常用技术是通过其所支持的应用程序原型检查数据库。换句话说,针对每一种最终表达数据的原型应用,保证你检查了数据模型并且查看如何取出数据。数据库设计的步骤是:数据库结构定义、数据表定义、存储设备和存储空间组织、数据使用权限设置、数据字典设计。

(4)物理设计

根据特定数据库管理系统所提供的多种存储结构和存取方法等依赖于具体计算机结构的各项物理设计措施,对具体的应用任务选定最合适的物理存储结构(包括文件类型、索引结构和数据的存放次序与位逻辑等)、存取方法和存取路径等。这一步设计的结果就是所谓的“物理数据库”。

(5)验证设计

在上述设计的基础上,收集数据并具体建立一个数据库,运行一些典型的应用任务来验证数据库设计的正确性和合理性。一般一个大型数据库的设计过程往往需要经过多次循环反复。当设计的某步发现问题时,可能就需要返回到前面去进行修改。因此,在做上述数据库设计时就应考虑到今后修改设计的可能性和方便性。

(6)运行与维护设计

在数据库系统正式投入运行的过程中,必须不断地对其进行评价、调整与修改。

3. 数据库设计的方法

(1)手工试凑法

使用该方法时,设计质量与设计人员的经验和水平有直接关系,缺乏科学理论和工程方法的支持,工程的质量难以保证,数据库运行一段时间后常常又不同程度地发现各种问题,增加了维护代价。

(2)规范设计法

其基本思想是过程迭代和逐步求精,典型方法有新奥尔良方法、I. R. Palmer 方法和 S. B. Yao方法。

①新奥尔良(new orleans)方法:将数据库设计分为需求分析(分析用户需求)、概念设计(信息分析和定义)、逻辑设计(设计实现)和物理设计四个阶段进行。

②S. B. Yao 方法:将数据库设计分为需求分析、概念设计、逻辑设计、物理设计和验证设计五个步骤。

③I. R. Palmer 方法:把数据库设计当成一步接一步的过程。

(3)计算机辅助设计

①Oracle Designer 2000:这是面向对象的数据库系统开发工具,可编制出可执行的应用程序来。SOL PL/SQL 是关于 Oracle 数据库结构化查询语言的使用方法,在 Designer 2000 中会用到。

②Sybase Power Designer:这是 Sybase 公司的 CASE 工具集,使用它可以方便地对管理信息系统进行分析设计,它几乎包括了数据库模型设计的全过程。利用 Power Designer 可以制作数据流程图、概念数据模型、物理数据模型,可以生成多种客户端开发工具的应用程序,还可为数据仓库制作结构模型,也能对团队设备模型进行控制。它可与许多流行的数据库设计软件,例如 Power-Builder、Delphi、VB 等相配合使用来缩短开发时间和使系统设计更优化。

4. 数据库设计说明书

这是对数据字典的补充和细化,将数据库设计过程确定内容整理成文,说明书的主要内容有数据库名、库内表名、表属性(包括记录规则、违规提示、触发器等内容)、表间关联和参照完整性、表内字段属性(包括名称、类型、长度、规则、违规提示、默认值、空值等内容)等。数据库设计说明书是提供给数据管理员的操作规范手册,也是程序员说明数据处理的编程手册。读者可以根据实验的实例尝试整理数据库设计说明书。

6.2.4　输入输出设计

输入输出设计是确定如何实现人机交互,是系统设计重要的阶段。当信息系统被研制成软件产品供用户使用时,用户对软件操作的简洁、方便和直观等评价都来自输入输出设计的效果。类似于对软件产品的包装,输入输出设计效果直接影响到用户对软件质量的评价与选用。

1. 输入输出设计的原则

(1)先出后入原则

输入输出设计的过程是从输出设计到输入设计,这是因为输出设计直接和用户需求相联系,设计的出发点应该是保证输出方便地为用户服务,正确地反映用户所需要的有用信息。无用信息留在系统不仅浪费输入时间、浪费存储空间,还浪费钱。

(2) GIGO 原则

垃圾进垃圾出(Garbage In Garbage Out,简称 GIGO),装入的是垃圾,出来的当然也是垃圾。信息系统输入错误的数据,不管系统功能有多少,采用的技术多先进,将输出不正确的信息。因此,该原则提示我们在输入设计过程中重视数据的正确性。

(3)经济实用原则

输入输出的方式有多种多样,在设计时既要考虑输入输出的正确性、方便性和实用性,还要考虑输入输出的经济性。输入输出往往是信息系统运行费用的主要开支,而且种类繁多,数量巨大。

2. 输入输出设计的过程

输入设计与输出设计的内容不同,但设计的过程基本相同,都需要充分考虑用户的实际需求、所需设备的经济性、可行性和效率。输入是由人工记录方式转换成计算机记录方式,而输出是由计算机记录方式转换成人工直接可读的记录方式,因此两设计的起点与终点都需要明确数据的来源与存储形式,具体过程如图 6 - 4 所示。

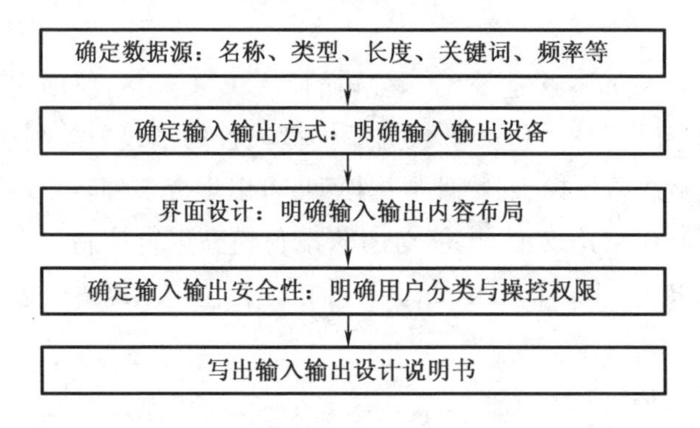

图 6 - 4　输入输出设计的过程

输入设计与输出设计的过程虽然基本相同,但其实现的方法存在本质的差别。尤其是输入设计的关键侧重在输入数据的正确性校验,输出设计的关键是实用性和适用性,尽可能模拟管理实务形式。两者共同的重点是安全性设计、用户分类与权限控制。

3. 输出设计过程的实现

根据输入输出设计原则和用户对信息获取输出的需求,首先确定输出的信息名,如输出凭证、单据、发票、报表、卡片、文件等的名称,并为输出设计提供一个信息编码。然后,确定这些信息输出的目的、用途、对象、频率、密级、信息使用后的处理方法(保存、销毁或上缴等)以及对输出信息的实时性和信息接收方式等要求。最后,选择经济实用的输出方式输出给用户。

(1)选择输出方式

根据输出信息的内容与要求选择合适的输出方式。信息系统的输出方式总体上可分成显示输出、打印输出、绘图输出、语音输出和信号输出等方式。

①显示输出方式。显示输出内容不能长期保存,但显示区域可以重复使用。显示输出又分成指标显示、数码显示、LED 显示和 CRT 显示。当仅用于显示系统状态时,采用指标显示;如果输出内容仅是数值时,采用数码显示;当只需要显示简单少量的文字时,采用 LED 显示;对于一般办公系统和管理信息系统的输出则采用 CRT 显示方式,不仅可以显示繁杂的字符,而且可显示图像图形。

②打印输出方式。根据打印输出原理有较多的不同打印设备。常规的打印设备有激光打印机和喷墨打印机,按输出效果还可以分为彩色和单色两类,彩色激光打印机要比彩色喷墨打印机贵许多,因此一般采用彩色喷墨打印机输出彩色内容,而用单色激光打印机输出普通文档。打印输出设备还有针式击打打印机、光敏打印机和热敏打印机等,针式击

打打印机噪音大、效率低,已经基本被淘汰;光敏和热敏打印机需要使用特殊的输出纸,成本高、保存期短,因此也很少使用,仅被少量用于高精图文输出。

③绘图输出方式。当信息系统需要输出图形时,需要使用绘图仪输出。绘图仪根据工作原理可分成平板式与滚筒式两类,根据能绘制图形的最大尺寸又可分成不同的规格。平板式绘图仪输出图形质量好,但价格高。相对而言同规格的滚筒式绘图仪的价格低许多,因此一般精度要求不高时采用滚筒式绘图仪。

④语音输出方式。信息系统中往往需要采用多媒体方式输出图文与语音,通过信息系统输出的语音信息都十分简单,采用声卡和普通音箱即可,有些计算机系统将音箱与显示器集成为一体,作为计算机系统的标准配置。

⑤信号输出方式。我们可将信息系统中的信息通过外存储设备输出,也可以通过网络输出将信息传递到目的地,还可以通过 DAC 转换输出给受控设备,或直接输出数字信息到远程设备,实现物联网的操控。信号输出方式的选择完全依赖于信息系统的用途和经济性。

(2)设计输出界面

设计输出界面也称为输出内容布局。除了语音与信号输出没有布局,显示、打印与绘图输出都需要合理布局。由于系统默认的字号、图形大小与输出设备提供的空间往往不一致,设计者需要根据输出设备提供可用空间的大小设定输出内容的位置、输出文字的字号与图形的尺寸。布局设计对于显示输出设计而言也称为界面,把输出内容分成固定区与变化区,固定区往往安排数据名称,而变化区输出数据值;对于打印输出设计,首先要了解打印机的工作原理与特性,找出定位输出的坐标原点与行列坐标方向,实际打印字号占用空间。使用打印机输出时,只能往前或往下走,遇到回车与换行符,才输出本行内容,接受下行内容。当输出坐标发生错误时,很可能因坐标定位不正确发生错换行或换页。当输出坐标超出极限时,会发生错误。行宽超限将空换行,行坐标超出范围时,打印机找不到位置而无穷输出白纸。

(3)写输出设计说明书

输出设计说明书描述输出设计全过程所确定的内容,主要包括输出信息名、输出功能、输出周期、输出期限、输出媒体、输出方式、输出用纸、传递方式(邮递、电话、传真、电子邮件或人工传递)、使用后的处理(保存、销毁或上缴)、输出用文字(英文、汉字、汉语拼音)、输出信息校验(检验输出信息的正确性,包括确定校验内容、检验方法和校验后的处理)、保密要求和输出项目名称等。

4. 输入设计过程的实现

在管理信息系统中,输入数据是否正确直接影响整个系统质量的好坏。若输入数据缺乏精确性和适时性,即使计算和处理十分正确,也不可能得到可靠的输出信息。最佳的信息系统始于最佳的输入系统。

(1)选择输入方式

根据输入数据形式与数据采集方式要求选择合适的输入方式。信息系统的输入方式总体上可分成人工输入、半自动输入和全自动输入等方式。

①人工输入方式。键盘输入与鼠标输入属于人工输入方式,输入内容完全由人工决

定。这也是管理信息系统中最常见的输入方式,尤其是键盘输入是所有信息系统中不可或缺的标准配置。随着多媒体技术的广泛应用与菜单操作方式的普及推广,鼠标输入作为操作选择输入已经得到普及。人工输入方式具有灵活方便的特性,已经作为人机交互的主要方式。但是,人工输入方式中操作者直接影响输入数据的正确性和输入速度,是数据校验的重点工作。

②半自动输入方式。语音输入、条形码输入和扫描输入属于半自动输入方式,在数据输入过程需要人工选定输入内容,掌控输入设计运行,但输入内容的正确性与完整性取决于输入设备,一旦开始读取数据,由系统完成输入过程。

③全自动输入方式。网络数据输入、磁盘数据输入、RFID 和 ADC 信号输入都属于全自动输入方式。网络数据输入和磁盘数据输入是批数据自动输入,RFID 和 ADC 信号输入是实时数据采集输入。

(2)选择输入数据校验方式

在确保用户数据输入方便、完整的前提下,最关键的是运用数据校验方式确保输入数据的正确。针对不同的数据输入方式需要采用不同的数据校验方式。人工输入方式是输入数据校验的重中之重。

①人工输入方式的数据校验方式。

在人工输入方式下受人为因素影响最大,因此数据的不确定性也最大,必须对输入内容进行校验,数据检验的具体方式主要有如下几种。

a. 建立严格复核制度。未经复核的数据作为临时数据,不进入系统的正式数据文件。同时数据复核与数据输入作为不相容岗位,由不同人员完成,减少出错。

b. 输入后输出校验。输入数据的同时全部显示输出给输入者校验,但这种查错效果随着数据录入员的熟练程度的提高而降低,也可以将数据输入后全部打印出来,然后将原稿与输入打印稿供其他人员复核校验,可以减少个人因素的校验效果影响。

c. 两次输入校验。将相同内容连续输入两次,比较前后两次是否一致,如果不一致,则提示复核数据。

d. 程序校验。可以采用数字检验、界限检验、逻辑检验、格式检验、字符检验和数据内在关联检验等方式。数字检验是检查数据项内容中是否出现非数字数据;界限检验是检查数据项是否超过规定的数据范围,如数据位数、数值范围等;逻辑检验是检查数据的合理性、逻辑性是否符合要求(例如月份不会超过 12,更不会是负数);格式检验是检查数据记录中各数据项的位数和位置是否符合预先规定的格式,例如工资定为 4 位整数、2 位小数,检查最高位是不是空格或数字等;字符检验是检查全部由字母组成的数据(如姓名)中是否出现非字母字符,或检查该数据长度和格式是否符合规定;数据内在关联检验是检查数据之间的内在关系是否成立,如发票上的数量乘单价必须等于金额,凭证上的借方金额累计与贷方金额累计必须相同,应收工资必须等于应收工资各项明细之和。

②半自动输入和自动输入方式的数据校验方式。

有网络数据输入、磁盘数据输入、RFID 和 ADC 信号输入、语音输入、条形码输入和扫描输入等输入方式,对于不同的输入方式应当采用不同的校验方式。

a. 标定输入设备方式。RFID 与 ADC 信号输入、语音数据输入和图文扫描输入等方式在数据输入过程中完全依赖于输入设备的工作状况。在做好输入准备的同时还需要对输入设备进行校验，只有通过输入设备校验才能正确采集数据。输入设备的校验是由设备生产厂家对设备进行物理标定，RFID 与 ADC 信号输入设备还能在现场通过调整信号的电标定，为采集后的数据处理提供依据。

b. 校验码方式。条形码输入、网络数据输入和磁盘数据输入等方式往往是在原数据码的基础上通过增加校验码进行校验。在将原数据和校验码同时输入后，按某种规则计算原数据与校验码以发现采集数据中的错误，从而确保数据正确。校验码的编码方法有许多种，不同的方法其功效和成本不同，详细内容请参考有关编码技术教材。

③设计输入界面

运用人工输入方式，在输入数据过程中必须显示其输入内容，提供数据校验功能。因此输入界面设计过程与方法类同于显示输出设计，所不同的仅在于显示格式需要充分考虑能保证输入精度，应尽量减少填写量，便于填写，便于校对，采用通用、标准格式和规范化输入，简化和减轻输入负担，接近人工数据填报形式，减少操作培训工作量。

④写输入设计说明书

输入设计说明书描述输入设计全过程所确定的内容，主要包括输入信息名、输入功能、输入周期、输入期限、输入媒体、输入方式、收集方式、原始信息名、输入项目名、输入用文字等内容。

5. 输入输出安全性设计

根据用户的需求，采取符合安全性要求的设计方案，才能保证输入输出数据的安全性。应考虑如下的安全性因素：系统输入的安全性，对错误输入、恶意输入的处理；系统内部数据传输的安全性；系统输出的安全性；系统内各模块的出错处理；如果是分布式系统，还要考虑网络传输的安全性（是否需要加密、加密的强度等），各分布模块的安全性、抗攻击能力等。为了确保输入输出的安全，在系统分析与设计时首先要对用户进行分类管理，给不同的用户提供不同的操作权限，由系统的用户操作权限分配表明确规定每个用户的可操作性。在用户进入系统时通过软件进行安全检测。

（1）输入安全性检测

输入检测主要包括：

①文件描述符的安全性：如文件读、写权限的安全性，输入标准出错处理的安全性。

②文件内容的安全性。

③对于直接读取的文件，如果不被信任的用户能访问该文件或任何它的父目录，都是不可信任的。

④设置输入数据的超时和加载级别限制，特别是对于网络数据更应如此。

（2）输出安全性检测

输出检测主要包括：

①最小化反馈信息，使得黑客不能获得详细信息。

②是否处理了阻塞或响应缓慢的输出情况。

③是否控制了输出的数据格式。

④控制输出的字符编码。

(3)出错处理检测

主要包括:

①各种出错情况都被处理。

②给用户的出错信息,不会泄漏程序信息的细节。

(4)异常情况检测

主要包括软件的各种异常情况是否都被处理、软件的异常情况是否会导致程序产生严重后果。

大型复杂信息系统的安全性设计应当作为独立的工程项目内容,设立专门的设计组织负责信息系统的整个安全性设计,而输入输出安全是信息系统安全的重要组成部分。

6.2.5 功能模块与处理过程设计

信息系统经过系统总体设计后已经清晰地划分成子系统和各功能模块,各个功能模块的内部处理过程或处理任务如果还相当复杂或相当多时,需要按功能模块划分原则与方法进一步划分成子功能模块,依此细化成相对简单的功能模块。这样大模块可以分为小模块,逐层分解使各模块之间形成了树型结构,如图 6-5 所示。

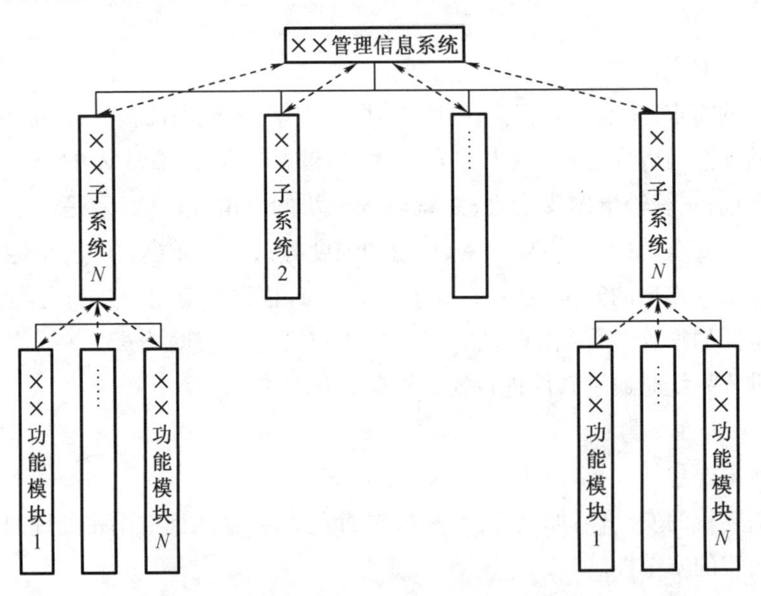

图 6-5 管理信息系统功能模块结构图

通过信息系统的功能模块结构图我们可以初步了解用户需求是如何实现的,但还不能交给程序员编写软件,需要进一步确定各模块之间的数据传递关系和各模块内部的数据表达形式,即画出 HIPO 图和 IPO 图。

1. 功能模块设计

功能模块设计的关键是要画出 HIPO 图。HIPO(Hierarchy plus Input/Process/Output, HIPO)图是 IBM 公司于 20 世纪 70 年代中期在层次结构图(structurechart)的基础上推出的

一种描述系统结构和模块内部处理功能的工具（技术）。HIPO 图由层次结构图和 IPO 图两部分构成，前者描述了整个系统的设计结构以及各类模块之间的关系，后者描述了某个特定模块内部的处理过程和输入/输出关系。HIPO 图一般由一张总的层次结构图（H 图）和若干张 IPO 图组成。

（1）H 图

用于描述软件的层次结构，矩形框表示一个模块，矩形框之间的直线表示模块之间的调用关系，同结构图一样未指明调用顺序。

（2）IPO 图

H 图只说明了软件系统由哪些模块组成及其控制层次结构，并未说明模块间的信息传递及模块内部的处理。因此对一些重要模块还必须根据数据流图、数据字典及 H 图绘制具体的 IPO 图。

在 IPO 图中必须包括输入 I、处理 P、输出 O 以及与之相应的数据库文件、在总体结构中的位置等信息。IPO 图中的处理过程 P 的描述比较困难，易引起二义性问题。

2. 处理过程设计

处理过程设计的关键是用一种合适的表达方法来描述每个模块的执行过程。这种表示方法应该简明、精确，并由此直接导出用编程语言表示的程序。日常用的描述方式有图形、语言和表格三类，如传统的框图、各种程序语言、判定表等。一个复杂的大型信息系统往往是由许多员工共同合作完成，处理过程是整个信息系统功能实现的核心，为了减少系统实现出现数据冲突与传递不一致等现象，在处理过程设计前首先要制定有关规则。

（1）统一逻辑处理描述

在描述逻辑处理时需要明确并统一采用决策树或判定表等表达方式，虽然这些工具都能有效地描述处理过程，但在一个项目中应当选用其中之一。

（2）统一处理图符

在绘制功能结构与处理框图时也应当统一符号，尽可能采用标准化、规范化的图符与语言，以便于交流。

（3）分析与设计相一致

在描述处理过程时，所有数据与数据处理过程要与系统分析时建立的数据字典一致，这样不仅可以减少工作量，降低出错率，还可以减少将来程序设计的工作量。

总体上，处理过程设计需要遵守标准化与规范化。这些标准化与规范化中有些已经通过 ISO 或 GB 制定，也有些需要通过信息系统研发团队内部自制。

3. 系统设备的选择

信息系统经过上述设计后，其功能和性能基本确定，最后需要选择信息系统运行支撑的软件与硬件设备。信息系统运行设备的配置在系统应用设计好后才能进行，在系统配置过程中必须遵守系统软件的需要，必须满足信息系统应用的需要，系统硬件（包括网络硬件设备）的需要必须满足系统软件的需要的原则。简而言之，系统软件应适应系统应用，系统硬件应适应系统软件。

(1)计算机硬件的选择

主要选择信息系统中需要的计算机主机、辅机、外围设备和环境设备,其中选择计算机主机是关键。由于计算机主机不仅型号、规格和制造厂商众多,而其性能、价格、质量和服务也存在很大的差别。因此,在选配计算机主机时,要根据系统总体设计和详细设计的要求,明确计算机主机的类型(巨型、大型、超级小型、微型)、性能(主频、字长、主存容量、缓存能力)、生产厂商、产地和品牌等指标参数,并采用招标方式选择合适的硬件供应商。

(2)计算机软件的选择

计算机软件可分成系统软件、工具软件和应用软件。应用软件是指将要开发的管理信息系统,在此不是选择,而是根据用户的需求进行开发。工具软件是指为应用软件开发提供的开发工具,因此工具软件是由应用软件开发决定,在选择工具软件时,通常还分应用服务软件的前台开发工具、后台数据库管理系统和信息系统通信工具。不同的开发工具具有不同的功能与对环境支撑不同的要求,需要根据开发者的经验与运行环境选定。系统软件是管理计算机系统硬件的软件,需要根据计算机系统硬件和计算机结构体系以及用户需求确定。系统软件往往是由计算机提供商随计算机硬件提供,这种提供方式既方便、经济又实用,用户可以不需要了解更多的系统软件配置细节,但有些大型信息系统也与硬件独立配置,确保系统开发平台的实用性和可维护性。

(3)计算机网络系统的选配

网络系统包括网络硬件和网络软件两部分。随着信息技术的广泛应用,信息系统的普及推广,网络系统深入到各行各业,网络结构越来越复杂,网络硬件种类繁多,网络软件十分丰富。选择计算机网络硬件首先要根据网络拓扑结构、网络体系和网络层等因素确定网络硬件的种类、数量、型号和规格,根据网络传输速率和距离选择网络传递方式和性能指标以及网络软件配置,以便充分发挥信息系统提供的信息资源的作用。

6.2.6 系统设计说明书

系统设计说明书又称为系统设计报告,是系统设计的最后成果。它全面、清楚、准确、详细地描述了系统设计过程中的具体方法、技术、手段和环境要求等系统设计的结果。系统设计结果称为新系统的物理模型或称为用户需求的解决方案,是系统实施的主要依据。因此它具有很高的经济性和一定的保密性。系统设计说明书必须遵守软件开发文档书写标准格式。

1. 系统设计总体说明

系统设计说明书首先要从总体视角说明系统设计的项目名称、项目编号、说明书编写单位、编写日期等,这些内容往往在说明书的封面上标注清楚。其次,对整个项目需要做概要性的陈述,主要陈述项目目标、意义,用户对信息系统的要求,系统具有的功能与性能等。再次,要说明系统设计单位和参加设计人员的基本情况,重点列出系统设计人员的分工与责任人。最后,需要对本系统设计所用的术语进行解释,以及列出系统设计过程遵守或采用的有关标准。

2. 系统设计详细说明

在系统设计说明书中必须明确地陈述系统设计过程所确定的技术方案,并整理每个环节设计产生的文档资料。因此,系统设计详细说明的主要内容有系统总体结构、计算机网络结构、系统配置清单、代码设计方案、数据结构与数据库结构、系统功能结构、输入输出方案与操作界面、计算机处理过程等。也可以将设计过程中每个环节产生的相关说明书经过组合、整理、编目,形成系统设计说明书的详细说明部分。

3. 系统设计其他说明

系统设计也应当同时考虑多个方案供用户有选择地实施,在实际设计过程中往往是主要推荐一个方案,但不可缺少与其他方案的比较。因此,在系统设计说明书中往往需要有多组方案供选择。对系统设计的主要推荐方案做详细说明,而对其他方案只做概要性介绍。另外,在系统设计说明书中还需要对系统实施估计所需实施费用和进度计划,为实施计划与进程控制提供依据。

6.3 面向对象的系统设计

面向对象的系统设计(OOD)是由面向对象的分析(OOA)至面向对象的程序设计(OOP)的一个中间过程,在实施信息系统开发过程中,OOA与OOD是紧密结合在一起完成的,分析与设计有相同的问题域,都需要明确对象、类、属性和方法等内容,但是OOA的目的是从现实中抽象,提取概念模型,而OOD是从概念模型转换成程序设计的模型,也是设计过程中由逻辑模型向实在模型(软件程序)转换的过程。

6.3.1 OOD基本概念

面向对象的系统设计是根据面向对象系统分析所确定的应用域(Appica - tion Domain)进行建模,并进一步详细地描述系统中的对象、对象的属性和操作、对象的动态特性、对象间的构造关系和通信关系等,从而建立系统的静态结构和动态活动模型。

1. OOD的特征

OOD和传统技术之间存在着根本的差异,OOD创建的对象不依赖于任何细节,而细节则高度依赖于创建的对象。OOD有如下特征:

(1)适合表达复杂多变的问题域的需要;运用抽象的原则,使多余的问题简单明了;对系统中易变的部分打包,构造了对变化具有弹性的系统。

(2)体现了OOA、OOD与OOP之间的内在一致性。

(3) OOD对基于问题域和现实空间的约束而构建的结果支持软件重用。

(4)改善了用户、系统分析员、设计员和程序员之间的交流。

2. OOD的方法

在传统的系统开发中,系统分析与设计是相互分离的。系统设计是设计人员把系统分析文档转换成系统设计文档的等价形式。在转换过程中,设计文档大部分情况下由于一些原因进行了相应的修改,这一修改极少返回去对分析文档进行相应的修改。

而 OOD 方法只需要在 OOA 的基础上，对 OOA 模型进行不断的优化、补充。因此，可以说面向对象方法在分析阶段建立了 OOA 模型，在 OOD 阶段对 OOA 模型进行细化，两阶段所面对的始终是一个模型。

3. OOD 的系统模型

OOD 的系统模型由四个部件组成：问题域（Problem Domain，简称 PD）、人机交互（Human Interaction，简称 HI）、任务管理（Task Management，简称 TM）和数据管理（data management，简称 DM），这四个部件对应于组成目标系统的四个子系统。在由这四个子系统构成的系统中，问题域部件主要负责描述现实系统的边界，它在 OOA 中建立，将在 OOD 时改进；人机交互部件负责人和计算机的交互界面；任务管理部件是对系统中的各项任务进行合理的组织与管理；数据管理部件负责数据的存储、更新和恢复。在设计这四个子系统时，各子系统应尽可能简单，而且具有明确的接口，子系统之间的依赖性要小。

6.3.2 OOD 一般过程

OOD 是在 OOA 的基础上进一步确认、审核和改进，因此 OOD 的实现过程与 OOA 基本相同，由抽象的概念细化成可以用编程工具表达的空间。

1. 问题域（PD）部件的设计

以 OOA 构建系统建模为出发点，确定系统边界、问题域和系统责任。就企业应用而言，问题域就集中在诸如财务、办公、质量控制、生产计划和控制、销售服务、人力资源管理、材料供应管理等方面。

(1) OOD 模型的初始 PD 部分

直接从复制 OOA 模型开始，把 OOA 模型作为 OOD 模型的问题域部分。

(2) 修改和增补初始 PD 部分

①对于可复用的设计/编程方面的类，可利用现有的实现库中已有的类和对象来形成它。

②将域有关的类组成一组，利用抽象原则来建立公共协议，形成一个新的类。

③对初始 PD 部分的继承进行调整。

④修改设计以提高性能。

⑤在使用初始 PD 部分时，若考虑利用一些商品化的特定域的类库或其他地方的类来实现对初始 PD 部分中类的修改时，应首先对这些类中的属性和服务进行识别，尽量使不需要的属性和服务最小化，并在转换（修改）中加入一般 - 特殊关系的规格说明。

⑥为了提高系统的工作效率，可以合并一些高度耦合的类，还能在类及对象中扩充一些保存临时结果的属性或一些低层控制块。

⑦提供数据管理部分，增加属性和服务使对象能够被保存，保存的数据可以是对象本身，也可以是数据管理部分或面向对象的数据管理系统。

⑧增补一些类来反映系统底层的逻辑细节。

2. 人机交互（HI）部件的设计

人机交互部件设计将确定系统用户层与业务层之间的对象、类的标识、属性、方法、消息和传递等行为。

(1) HI 部件的对象(类)

在许多大型的信息系统中,人机交互对象(类)通常是指窗口屏幕或报告。窗口通常是由安全登录窗口、设置窗口和业务功能窗口等组成;报告往往也是对象(类),这种对象(类)可以包括绝大多数用户需要的信息,如下学期的课程表、党员名单、成绩单等都属于报告。

(2) HI 部件对象(类)的标识

标识 HI 部件对象(类)主要包括确定每个对象(类)必需的属性,确定对象(类)属性的方法与 OOA 的方法相同;确定两个类之间所有的一般 - 特殊、整体 - 部分结构或其他的对象;确定便于实现目标的最适合类的服务。

(3) HI 部件的构建

在设计 HI 部件时,首先对所有和系统有关的人进行分类,根据每类人的工作目的、所完成的任务以及系统对他们所能提供的支持进行必要的描述。然后,按照人机交互设计的一些准则,即一致性、最少的操作步骤、及时响应用户操作、允许用户误操作、界面设计简单明了等准则,设计出良好的用户界面或人机交互系统。对于大型复杂化的信息系统来讲,前面所建的对象模型并不能十分清楚地说明其系统的人机交互部件,这时还需要用辅助的工具菜单树来加以补充说明。

3. 任务管理(TM)部件的设计

在 OOD 中,任务是指系统为达到某一设定目标而进行的一连串的数据操作(服务),若干任务的并发执行称多任务。TM 设计的主要任务之一是选择应当遵循的策略。

(1) TM 部件的设计应遵循的策略

在 OOD 的 TM 设计时根据系统特点和用户需求需要选定遵循的策略。TM 设计必须遵循的策略主要有识别事物驱动任务、识别时钟驱动任务、识别优先任务和关键任务、识别协调者和审核任务等。

(2) TM 部件设计的步骤

TM 部件设计的步骤首先是对类和对象进行细化,建立系统的 OOA/OOD 工作表格。然后,审查 OOA/OOD 的工作表格,寻找可能被封装在 TM 部件中那些与特定平台有关的部分,以及任务协调部分、通信的从属关系、消息/线程序列等。最后,构建系统的新类。

(3)系统中任务的执行机制

TM 部件一般在信息系统中使用得较少,只有当系统任务繁杂,具有实时性要求时才采用,但在控制系统中应用得较多。

4. 数据管理(DM)部件的设计

面向对象的设计从总体体系结构上可分成表现层、业务逻辑层和数据访问层的设计,如图 6 - 6 所示。DM 部件设计是系统设计的最底层,也是 OOD 的根本性工作,它根据上述已经确定的对象、类的属性和消息,定义数据交互和持久信息的组织结构。

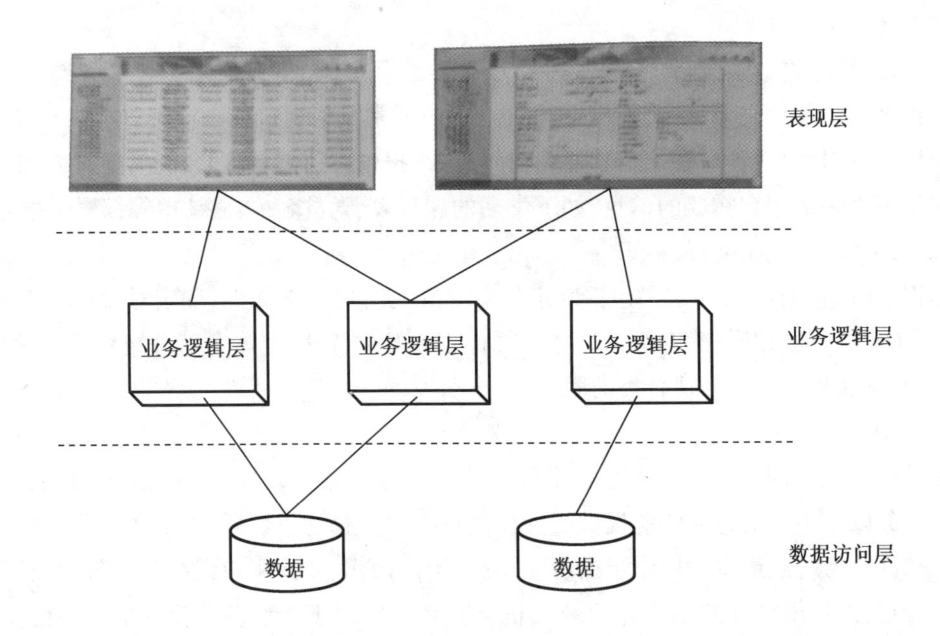

图 6-6　面向对象设计的三层架构

(1) 对象模型中 DM 部件应实现的主要目标

首先确定存储问题域的持久对象,然后确定 DM 部件如何为问题域中所有的持久对象封装查找和存储机制。

(2) DM 部件设计的内容

其主要内容有数据存储设计、相应服务的设计和对象表的规范化过程。数据存储的方式主要有文件方式、关系数据库方式和面向对象的数据库方式。在 OOD 中通常采用面向对象的数据库方式。面向对象的数据库设计的关键是要确定数据模型和定义数据库的对象模式。数据模型是由基本数据类型和特殊数据类型组成。而类定义依据 OOA 的类关系定义数据库的对象模式。相应服务设计是定义一个类及对象服务,主要有告诉每个对象存储它自己和检查被存储的对象以供系统模型中其他成分使用这两项服务。

事实上,OOA 与 OOD 是紧密相关的,特别是层、包、主要框架、对象、类、接口和子系统的定义很难区分是分析还是设计,在系统开发过程中,分析是基础,设计是关键,通过分析与设计,将用户的需求用规范的文档传达给系统实施人员,采购硬件设计、配置系统环境软件,由程序员编制、调试应用软件,达到用户期望的功能和性能。

本 章 小 结

本章介绍了系统设计的主要任务、方法和原则。明确了系统设计的重要性、阶段性和目的性。分别详细介绍了结构化的系统设计方法的全过程,重点结合实例详细地阐述了系统总体结构设计、代码设计、数据库设计、输入输出设计和功能模块设计的过程和方法。分别介绍了系统总功能结构设计、软件结构、硬件和网络选择方法;代码设计的原则、事物分类方法、编码种类和代码应用方法;数据库设计过程、种类和常用方法;输入输出的形式、选择方法、输入校验方法、输出界面和人机界面的设计过程;IPO 图、HIPO 图的含义、作用和绘制方法。

本章以对比方式介绍了面向对象的系统设计方法和过程,陈述了面向对象设计方法的基本概念,并结合实例列出了面向对象的系统设计的过程,包括问题域(PD)部件的设计、人机交互(HI)部件的设计、任务管理(TM)部件的设计和数据管理(DM)部件的设计。

[思考题]

1. 系统设计在管理信息系统开发过程中起什么作用?系统设计人员与程序设计员有何区别?

2. 系统设计的主要方法有哪几种?各有何特点?

3. 简述结构化的系统设计过程。系统设计应当遵守什么原则?

4. 简述系统总体结构设计全过程。系统总体设计的主要成果是什么?

5. 简述代码设计原则。线分类与面分类有何不同?编码有哪几种?

6. 简述数据库设计过程。数据库设计的依据是什么?

7. IPO 图与 H 图各有何作用?

8. 系统设计报告有何作用?报告内容主要陈述什么?

9. 人机界面设计主要影响因素有哪些?为什么?

10. 面向对象的系统设计方法有何特点?

第 7 章　管理信息系统的实施

[学习目标]

1. 掌握系统实施的主要内容；

2. 了解程序设计的方法；

3. 掌握系统测试的方法；

4. 掌握系统转换的主要方式。

7.1　系统实施概述

经过系统分析和系统设计阶段，已经得到了有关系统的全部设计信息，接下来的工作就是将文档中的逻辑系统变成真正能够运行的物理系统，系统实施是系统开发工作的最后一个工作阶段，作为系统的物理实现阶段，对系统的质量、可靠性和可维护性等有着十分重要的影响。因此，必须制订系统实施计划，确定系统实施的方式、步骤及进度、费用等，以保证系统实施工作的顺利进行。主要的任务有物理系统的实施、程序设计、系统测试、系统转换、系统维护、系统评价等。

系统实施是一项十分复杂的系统工程，诸多因素都会影响系统实施的进程和质量，其中管理因素和技术因素的影响尤为突出。

1. 管理因素

系统实施涉及开发人员、测试人员、各级管理人员，大量物资、设备、资金和场地，涉及各部门及应用环境，十分复杂，如果没有强有力的管理措施，将无法进行。

实施管理的第一步就是要建立一个企业主要领导干部挂帅的领导班子。这个领导班子必须具有较大权利，能够调动各种人、财、物资源，制定整个企业的各种规章制度，重新规划企业的组织机构等。

各部门应积极协同开发人员的工作，这不仅仅表现在行动上，更应该从思想上提高对管理信息系统的认识，主动去理解系统，并正确对待管理信息系统即将给工作带来的变化。同时，人员培训是系统实施中的一项重要工作，培训质量的好坏直接关系到系统未来的效益，企业应予以重视。

2. 技术因素

(1)数据整理与规范化

管理信息系统的成功实施，依赖于企业准确、全面、规范化的基础数据。系统的硬件、软件是可以花钱买到的，而企业的基础数据只有靠企业自己去整理和规范化，是金钱买不到的东西。管理信息系统是一个数据加工厂，没有高质量的数据原材料，就不可能有高质量的信息产品。

(2)软硬件及网络环境的建设

建设管理信息系统的软件、硬件及网络环境是一项技术性高、工作量大的任务。软件、硬件及网络环境是管理信息系统运行的基础设施和平台,如其不能很好地工作,管理信息系统就不可能很好地工作。因此,它是企业应用的前提和基石。

(3)开发技术的选择和使用

使用合适的系统开发工具是快速高效地实现管理信息系统的根本途径,它是直接影响管理信息系统实施的最重要的技术因素。

7.2 程序设计

程序设计是指设计、编制调试程序的方法和过程,是管理信息系统开发过程中的重要组成部分。程序设计的任务是依据系统模块层次结构图、数据库结构设计、代码设计方案等将系统设计阶段得到的系统物理模型,用某种程序设计语言进行编码,以完成每个模块乃至整个系统的具体实现。

7.2.1 程序设计的目标

随着计算机应用水平的提高,软件愈来愈复杂,同时硬件价格不断下降,软件费用在整个应用系统中所占的比重急剧上升,从而使人们对程序设计的要求发生了变化。在过去的小程序设计中,主要强调程序的正确和效率,但对于大型程序,人们则倾向于首先强调程序的可维护性、可靠性和可理解性,然后才是效率。

1. 可维护性

由于信息系统需求的不确定性,系统需求可能会随着环境的变化而不断变化。因此,就必须对系统功能进行完善和调整,对程序进行补充或修改。此外,由于计算机软硬件的更新换代也需要对程序进行相应的升级。

考虑 MIS 寿命一般在三年至十年时间,程序的维护工作量相当大。一个不易维护的程序,用不了多久就会因为不能满足应用需要而被淘汰,因此,可维护性是对程序设计的一项重要要求。

2. 可靠性

程序应具有较好的容错能力,不仅正常情况下能正确工作,而且在意外情况下应便于处理,不至于产生意外的操作,从而造成严重损失。

3. 可理解性

程序不仅要求逻辑正确,计算机能够执行,而且应当层次清楚,便于阅读。这是因为程序的维护工作量很大,程序维护人员经常要维护他人编写的程序,一个不易理解的程序将会给程序维护工作带来困难。

4. 效率

程序的效率指程序能否有效地利用计算机资源。近年来,由于硬件价格大幅度下降,而其性能却不断完善和提高,程序效率已不像以前那样举足轻重了。相反,程序设计人员的工作效率则日益重要。提高程序设计人员的工作效率,不仅能降低软件开发成本,而且可明显降低程序的出错率,进而减轻维护人员的工作负担。此外,程序效率与可维护性、可理解性通常是矛盾的,在实际编程过程中,人们往往宁可牺牲一定的时间和空间,也要尽量提高系统的可理解性和可维护性,片面地追求程序的运行效率反而不利于程序设计质量的全面提高。为了提高程序设计效率,应充分利用各种软件开发工具,如 MIS 生成器等。

7.2.2 结构化程序设计

在系统分析与系统设计阶段,使用自顶向下的结构化系统设计思想,而在系统实施阶段则采用自底向上的逐步开发方法来实现整个系统。自顶向下的方法有利于从整体的角度理解系统,然后通过模块化将系统划分为各功能模块。这些功能模块在编程实现时则应采用结构化程序设计方法。

结构化程序的概念首先是为限制以往在编程过程中无限制地使用 goto 等跳转语句而提出的。跳转语句可以使程序的控制流程强制性地转向程序的任一处,如果一个程序中多处出现这种转移情况,将会导致程序流程无序可寻,程序结构杂乱无章。这样的程序不规范、可读性差,并且容易出错。尤其在管理信息系统的开发中,系统投入运行后还要不断地维、更新、完善,更加要求软件的可读性和可维护性,这种结构和风格的程序是不符合管理信息系统开发要求的。为此提出了程序的三种基本结构:顺序结构、循环结构、选择结构。任何程序都可由这三种基本控制结构构成。

1. 顺序结构

顺序结构表示含有多个连续的处理步骤,按照书写的先后顺序依次执行,如图 7-1 所示。在程序中经常使用的顺序结构语句有:赋值语句(=)、输入语句(Input)、输出语句(?)、注释语句(Note)等。

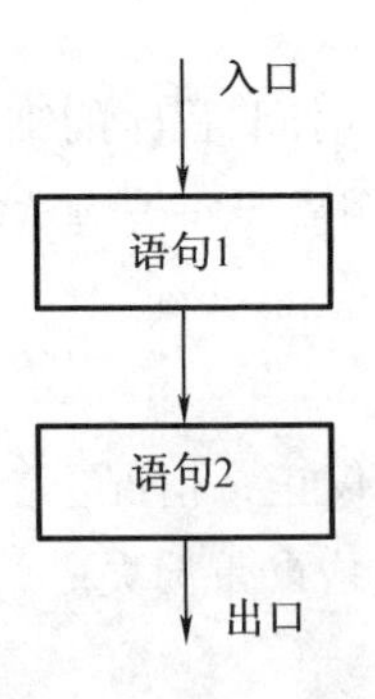

图 7-1 顺序结构

2. 选择结构

由某个逻辑表达式的聚会决定选择两个处理加工中的一个,如图 7-2 所示。

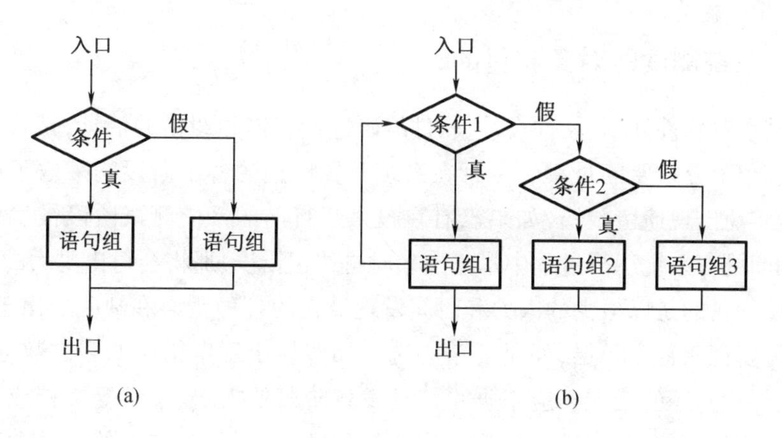

图 7 – 2　选择结构

3. 循环结构

循环结构一般由一个或几个模块构成，程序运行时重复执行，直到满足某一条件为止，如图 7 – 3 所示。

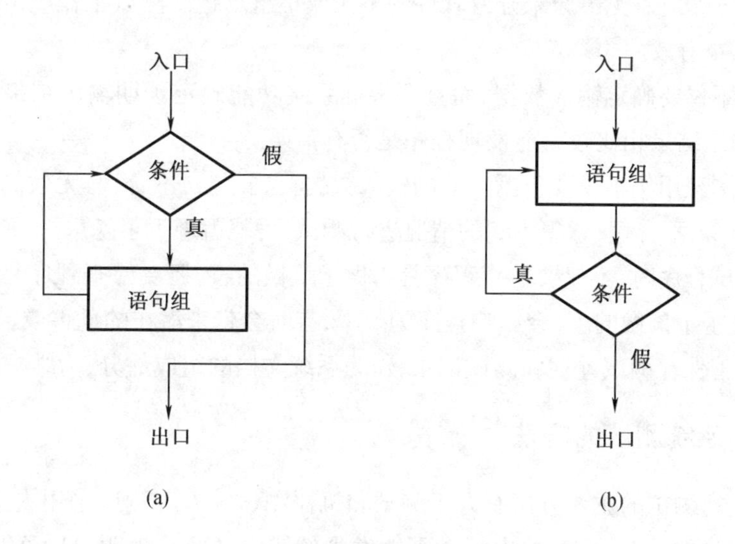

图 7 – 3　循环结构

7.3　系 统 测 试

系统测试也称系统调试，它是指在计算机上用各种可能的数据和操作条件对程序进行试验，找出可能存在的问题并加以修改，使其完全符合设计要求的过程。系统测试占用的时间、花费的人力和成本占软件开发很大的比例。统计表示，开发较大规模的系统，系统测试的工作量占整个软件开发工作量的 40% ~50% 。对于一些特别重要的大型系统，测试的工作量和成本更大。

7.3.1 系统测试的对象和目的

系统测试是对软件计划、软件设计、软件编码进行查错和纠错的活动,是管理信息系统开发周期中一个十分重要的过程。尽管在系统开发周期的各个阶段均采取了严格的技术审查,但仍然难免出现遗留差错,如果没有在投入运行前的系统测试阶段被发现并得到及时纠正,等到问题在系统运行过程中暴露出来时再纠正错误,那将会付出更大的代价。

系统测试的目的是以最少的人力和时间发现潜在的各种错误和缺陷。出于这个目的,系统测试不是要证明程序无错,而是要精心选取那些易于发生错误的测试数据,以十分挑剔的态度,去寻找程序的错误。应根据系统开发各阶段的需求、设计等文档或程序的内部结构精心设计测试用例,并利用这些用例来运行程序,以便分析错误的性质和确定错误的位置,并纠正错误。

系统测试是保证系统质量和可靠性的关键步骤,是对系统开发过程中的系统分析、系统设计和系统实施的最后复查。基于以上系统测试概念和目的,在进行系统测试时应遵循以下基本原则:

(1)测试工作应避免由原来开发软件的个人或小组承担。测试工作应由专门人员来进行,会更客观、更有效。

(2)测试不仅要确定输入数据,而且要根据系统功能确定预期输出结果。将实际输出结果与预期输出结果相比较就能发现程序是否有错误。

(3)设计测试用例不仅要包括有效的输入数据,也要包含不合理、无效的输入数据。如果忽略了对异常、不合理、意想不到的情况进行测试,可能就埋下了隐患。

(4)在测试程序时,不仅要检查程序是否做了该做的事,还要检查程序是否做了不该做的事。程序做了不该做的事,会影响程序的效率,有时会带来潜在的危害或错误。

(5)应妥善保存测试计划和测试记录,作为系统文档的组成部分,为维护提供方便。

7.3.2 系统测试的方法

对软件进行测试的主要方法有人工测试和机器测试。人工测试采用人工方式进行,目的在于检查程序的表态结构,找出编译不能发现的错误。经验表明,良好的人工测试可以发现程序中30% ~70%的编码和逻辑设计错误,从而可以减少机器测试是将事先设计好的测试作用于被测试程序,对比测试结果和预期结果的差别以发现错误。机器测试只能发现错误的症状,不能进行问题的定位,而人工测试一旦发现错误,就能确定问题的位置、类型和性质。对于有些类型的错误,机器测试比人工测试有效,但对另一些类型的错误则人工测试更有效。因此,应根据实际情况来选择测试方法。

1. 人工测试

人工测试是由测试人员手工逐步执行所有的活动,并观察每一步是否成功完成。人工测试是任何测试活动的一部分,在开发初始阶段软件及其用户接口还未足够稳定时尤其有效,因为这时自动化并不能发挥显著作用。即使在开发周期很短以及自动化测试驱动的开发过程中,人工测试依然具有重要的作用。人工测试主要有个人复查、小组走查和会审三种方法。

(1)个人复查

源程序编完以后,直接由程序员自己进行检查。由于程序员心理上和思维上的惯性,一般不太容易发现自己的错误,自身对程序功能算法的理解错误也很难纠正。所以这种方式针对小型程序和模块的检查。

(2)小组走查

一般由3~5人组成测试小组,小组成员应是从未介入过该软件设计工作的有经验的程序设计人员。在预先阅读过该软件资料和源程序的前提下,测试人员将测试数据沿程序的逻辑走一遍,监视程序的执行情况,发现程序中的错误。由于是人工方式,一般采用少量的、简单的测试用例进行检查。

(3)会审

测试小组的成员与走查相似,要求测试成员在会审前仔细阅读软件有关资料,根据错误类型清单,填写检测表,列出根据错误类型要提问的问题。通过测试小组成员与程序员的提问、讲解、回答及讨论的各种交互过程,发现并纠正错误。同时,审定有关系统程序的功能、结构及风格等。

2. 机器测试

机器测试是指在计算机上直接用测试用例运行被测试程序,以发现程序错误。机器测试有黑盒测试、白盒测试和灰盒测试三种方法。

(1)黑盒测试

黑盒测试也称功能测试,注重于测试软件的功能性需求。测试者把程序看成是一个黑盒,即在完全不考虑系统内部结构的青况下运行系统,测试软件的外部特性,如图7-4所示。

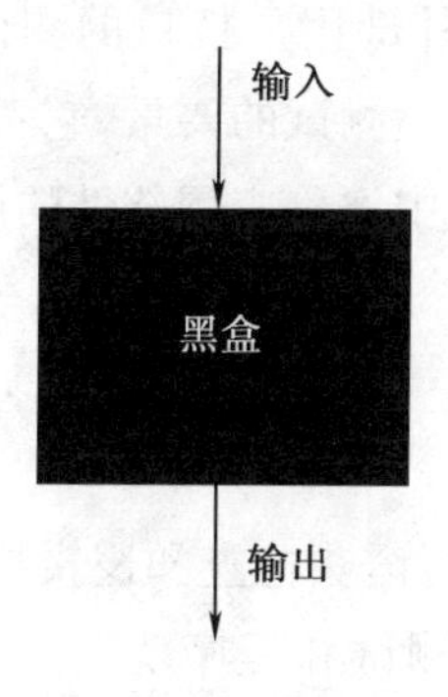

图7-4 黑盒测试

利用黑盒测试法进行动态测试时,只需要测试软件产品的功能,不需测试软件产品的内部结构和处理过程。黑盒测试共有两种基本测试策略:一是以系统通过测试为目标,设计测试用例,使其达到通过测试的目的;二是以使系统不能通过测试为目标,设计测试,以达到测试失败未通过测试的目的。

(2)白盒测试

白盒测试也称结构测试,将软件看作一个透明的白盒子,按照程序的内部结构和处理逻辑来选定测试用例,对软件的逻辑路径及过程进行测试,检验程序中的每条通路是否都能按预定要求正确工作,如图 7-5 所示。

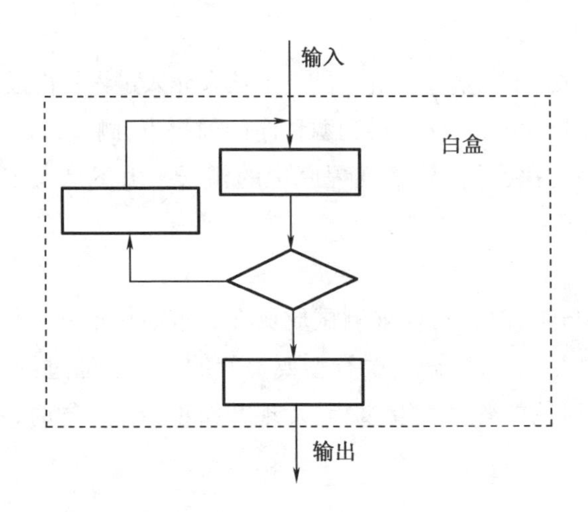

图 7-5 白盒测试

采用白盒测试法设计测试的方法有语句覆盖、条件覆盖、判断覆盖、条件组合覆盖等。白盒测试不仅要完成黑盒测试的测试内容,还要从系统内部的角度检查数据是如何从输入到达输出的。

(3)灰盒测试

灰盒测试是基于程序运行时的外部表现同时又结合程序内部逻辑结构来设计用例,执行程序并采集程序路径执行信息和外部用户接口的测试技术。灰盒测试介于白盒测试与黑盒测试之间,结合了白盒测试和黑盒测试的要素,它考虑了用户端、特定的系统知识和操作环境,它在系统组件的协同性环境中评价应用软件的设计。

7.3.3 系统测试过程

1. 程序测试

程序测试指对所设计的程序进行语法检查和逻辑检查,测试程序运行的时间和存储空间的可比性。程序测试一般从代码测试和程序功能测试两个方面进行。程序的逻辑检查的方式是代码测试。通常需要编写各种测试数据,通过考察程序对正常数据、异常数据和错误数据输入的反应,检验程序执行的逻辑正确性,以及程序对各种错误的监测和处理能力。程序经过代码测试后,验证了它的逻辑正确性,但是否实现了规定的功能,尚未可知。因此,还应该测试其应用功能的需求,即面向程序的应用环境,考察是否达到了设计的功能和性能指标。

2. 功能调试

通常系统总是由多个功能模块组成,而每个功能模块又是由一个或多个程序构成,因此,在完成对单个程序的测试以后,还应当将组成一个功能模块的所有程序按照其逻辑结构加以组合,以功能模块为单位,检查该功能模块内各程序之间的接口是否匹配,控制关系和数据传递是否正确,联合操作的正确性及模块运行的效率如何。

3. 系统调试

系统调试指在实际环境或模拟环境中调试系统是否正常。主要检查各子系统之间接口的正确性,系统运行功能是否达到目标要求,系统的再恢复性等。其目的就是保证系统能够适应运行环境。一般从以下两个方面进行。

(1)主控程序和调度程序调试

将所有控制程序与功能模块的接口“短路”,以某种联系程序代替原功能模块,验证控制接口和参数传递的正确性,并发现和解决资源调度过程中的效率等问题。

(2)程序总调。将主控程序和调度程序与系统中的各功能模块以及所有程序联合起来进行整体调试。调试应对系统的各种可能的使用形态及组合进行考察,全面测试新系统的综合性能,以确认是否达到设计目标。

除了上述常规测试以外,有时根据系统需求还可进行一些特殊测试,如峰值负载测试、容量测试、响应时间测试、恢复能力测试等。另外,交付使用之前,还可进行实况测试,以考察系统在实际运行环境下的运行合理性与可靠性。

7.3.4 系统测试报告

系统测试完成后,需要对测试的具体情况及测试结果进行说明,形成的文档资料即系统测试报告。测试报告是把测试的过程和结果写成文档,并对发现的问题和缺陷进行分析,为纠正软件存在的质量问题提供依据,同时为软件验收和交付打下基础。一般测试报告由摘要和正文两部分构成,具体包括以下几项内容。

(1)引言部分

介绍系统测试报告的具体编写目的、项目背景、系统简介、术语和缩写词解释以及参考资料。

(2)测试介绍

包括测试用例的设计方法、测试方法、测试环境等。

(3)测试执行情况

介绍测试参与人员时间、覆盖分析和系统缺陷统计与分析。

(4)测试结论和建议

明确给出测试结论,并对系统存在的缺陷给出修改和完善的建议和意见。

7.4 系统转换

在完成系统测试工作以后,即可将其交付使用。所谓交付使用是新系统与旧系统的交替,旧系统停止使用,新系统投入运行。整个交付过程要选择转换的方式,要进行用户的操作培训,系统转换的任务就是完成新老系统的平衡过渡。

7.4.1 系统转换前的准备工作

1. 数据整理与准备

数据整理与准备是指从旧系统中整理出新系统运行所必需的基础数据和资料,即将旧系统数据加工处理为符合新系统要求的格式。具体工作包括:历史数据整理、数据资料模式化、分类和编码、个别数据及项目的调整等,这部分的工作量十分巨大,应当提前做好准备,否则会影响系统转换的正常实施。数据整理和准备工作一般分为以下 3 个步骤。

(1)数据的整理和准备

将旧系统中的数据进行整理,如果旧系统是手工处理的系统,常常会出现原始数据不全、冗余或与实际不符的情况,这就需要进行补充和修改。数据整理准备工作非常烦琐和费时,通常需要提前至系统分析阶段的后期逐步开始。

(2)数据的转换

将整理好的原始数据按照数据库的要求转化为新系统所要求的数据格式,这项工作需要由了解数据库具体设计的专业人员协作完成。

2. 文档的准备

总体规划、系统分析、系统设计、系统实施、系统测试等各项工作完成后,应有一套完整的文档资料,这套资料记录了开发过程中的开发轨迹,是开发人员工作的依据,也是用户运行系统、维护系统的依据,因此文档资料要与开发方法相一致,并且符合一定的规范。在系统运行之前要将这套文档资料准备齐全,形成正规的文件。

3. 人员培训

人员培训是至关重要的实施活动。为了确保新系统正常、有效地运行,应当尽早组织有关人员进行必要的培训。培训关系到系统的成败。如果员工不能理解新系统的管理过程,不能确定新系统是否适用于他们的工作,那么他们可能会消极使用系统,甚至阻碍系统的推广。如果组织的管理人员不理解系统产生的报告以及系统如何影响其业务活动,不理解如何利用系统进行相关管理业务的处理及处理流程,将不能有效地利用系统为其管理决策服务。通过不同的方式,促进用户了解系统,将业务过程与系统流程良好地融合,避免由于用户不习惯使用新系统而使系统发挥不了作用。另一方面,培训过程也可以进一步了解用户的需求和建议,为维护工作积累材料。信息系统的正常运行需要对用户单位不同级别、层次的人员分别进行培训。

(1)企业管理人员的培训

企业管理人员的理解和支持是新系统成功运行的重要条件。对企业管理人员的培训主要有以下主要内容:新系统的目标与功能:系统的结构及运行过程;对企业组织结构、工作方式等产生的影响;采用新系统后,员工必须学会新技术的要领;今后如何衡量任务完成情况等。

(2)系统操作人员的培训

系统操作人员是管理信息系统的直接使用者。统计资料表明,管理信息系统在运行期间发生的故障大多数是由操作失误造成的。所以,对系统操作人员的培训应该是人员培训工作的重点。对系统操作人员的培训主要有以下内容:必要的计算机软件硬件知识:新系统的工作原理:新系统输入方式和操作方式的培训;简单错误及时处置知识;运行操作注意事项等。

(3)系统维护人员的培训

对系统的维护人员来说,除了要具有良好的计算机软硬件知识外,还必须对新系统的原理和维护知识有深刻的了解。在较大的企业或部门中,系统维护人员一般由计算机中心的专业人员担任。对这类人员的培训可以在系统开发的开始阶段就进行,让他们参与到系统建设的整个过程,这样有助于他们了解整个系统,为后期维护工作打下良好的基础。

7.4.2　系统转换的方式

系统转换过程实际上是新旧系统交替过程,旧的系统被淘汰,新的系统投入使用。这种交替过程可以根据用户的要求、管理状况及转换过程中的进度情况调整速度选择不同的方式进行。主要的系统转换方式包括直接转换、并行转换和分段转换,如图7-6所示。

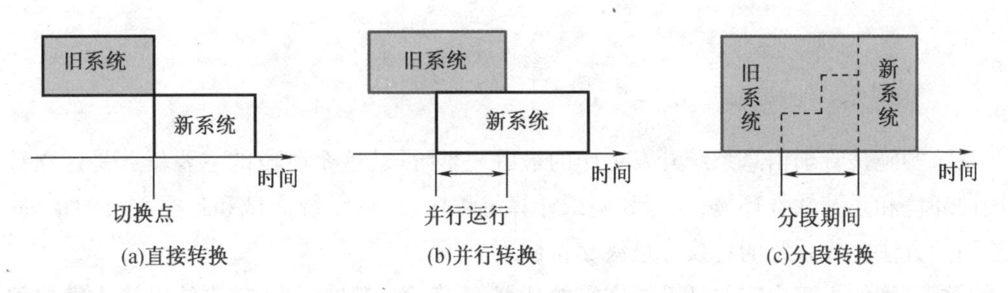

图7-6　系统转换的主要方式

(1)直接转换

直接转换是指在某一特定时刻,旧系统停止使用,同时新系统立即投入运行。这种方式简单,人员、设备费用很省,但风险较大。该方式一般适用于一些处理过程不太复杂,数据不很重要的场合。对于信息系统来说,如果要采用这种方式则事先要经过详细的测试和模拟运行,否则一旦运行失败,旧的系统已经停止运行,新系统又不能正常运转,中间没有过渡阶段,将直接影响到企业或组织的日常工作,严重的可能会导致企业或组织的瘫痪。

(2)并行转换

并行转换是在新系统投入运行时,旧系统并不停止运行,各自完成相应的工作,与新系统并行工作一段时间后,进行对比、审核,确定新系统运行的结果与旧系统结果一致,才由新系统正式替代旧系统。这种方式需要双倍的人员、设备,费用和工作量较大,但系统运行的可靠性大大提高,风险较小。如银行、教务和一些企业的核心系统中,并行转换是一种经常使用的转换方式。

(3)分段转换

分段转换是对上述两种转换的综合,即在新系统投入运行时,分阶段完成新旧系统的交替过程。这种方式是分期分批进行转换,保证了系统的可靠性,能防止直接转换产生的风险,与并行转换相比费用更低。这种转换要求子系统之间有一定的独立性,对系统的设计与实现都有一定的要求,不足之处是接口多。这种转换方式适合较大的系统,典型的如ERP 系统。

系统初始化是新系统投入运行之前必须完成的另一个工作。所谓系统初始化,是指对系统的运行环境和资源进行设置,设定系统运行和控制参数,数据加载,以及系统与业务工作的同步调整等内容。其中数据加载是工作量最大且时间最紧迫的重要环节,因为必须在运行之前将大量的原始数据一次性输入到系统中,而且正常的业务活动中也会不断产生新的数据信息,它们也必须在新系统正式运行前存入系统。

新系统安装完毕、转换成功后,便正式投入运行。在系统运行的过程中,系统将由用户来进行操作、检验和审查,以确定系统在多大程度上实现了系统目标以及需要什么样的修改和完善。为修改系统现有的错误、满足新的要求而对系统硬件、软件、文档所做的修改都称为系统维护。系统也正是在不断地维护、评价和修改过程中逐步成熟起来的。运行和维护阶段是管理信息系统生命周期中时间最长的阶段,将一直持续到系统被新的管理信息系统替代。

本 章 小 结

系统实施是管理信息系统开发工作的最后一个阶段,这个阶段的主要任务是建立计算机硬件环境和系统软件环境,编写和调试计算机程序,组织系统测试和各类人员的培训,选择恰当的方法完成系统的转换并最终交付使用。

系统实施的主要内容包括系统实施的计划、准备、组织与管理,按系统设计方案购置和建立计算机系统安装,数据整理与准备、系统测试、试运行及用户验收,以及相关人员的培训。

程序设计是指设计、编制调试程序的方法和过程,是管理信息系统开发过程中的重要组成部分。系统测试的方法有人工测试和机器测试,其中机器测试又分为黑盒测试、白盒测试和灰盒测试三种方法。系统转换过程实际上是新旧系统交替过程,旧的系统被淘汰,新的系统投入使用,主要的系统转换方式包括直接转换、并行转换和分段转换。人员培训至关重要,按培训对象分主要分为对企业管理人员的培训、系统操作人员的培训和系统维护人员的培训。

[思考题]

一、选择题

1. 在银行的核心系统中,新旧系统的转换方式通常采用(　)。

A. 直接转换　　B. 并行转换　　C. 分段转换　　D. 定时转换

2. 新系统取代旧系统,风险较大的转换方法是(　　)。

A. 平行转换法　　B. 直接转换法　　C. 逐步转换法　　D. 逐个子系统转换法

3. 系统转换的任务是(　)。

A. 测试系统　　B. 将总体设计转换为详细设计

C. 验收系统　　D. 保证新老系统平稳而可靠的交换

4. 在系统开发过程中,企业管理人员直接参与执行的工作包括系统分析和( )。

A. 系统运行、评价　　B. 系统调试　　C. 编写程序　　D. 系统设计

5. 计算机设备的购置应在(　)。

A. 系统开发之前　　B. 系统分析阶段　　C. 系统设计阶段　　D。系统实施阶段

6. 系统实施中的系统切换方式以下说法不正确的是(　)。

A. 直接切换　　B. 并行切换　　C. 分段切换　　D. 分时切换

7. 程序设计的任务是(　)。

A. 画出程序框图　　B. 实现数据库设计

C. 编出实现系统功能的源程序　　D. 给出程序任务书

8. 对于大型程序设计来说,首先应强调的是(　)。

A. 运行效率　　B. 可维护性　　C. 开发成本　　D. 使用方便

二、判断题

1. 信息系统维护的工作就是纠正系统的错误。(　　)

2. 在系统转换方式中,直接转换方式比较适合设备和人员培训费用较少、属于低风险的方式。(　　)

3. 系统测试的目的就是要证明程序没有错误。(　　)

4. 系统转换的方式有多种,其中最安全的是直接转换。(　　)

5. 系统测试的目的就是要证明程序没有错误。(　　)

第8章 管理信息系统运行管理与信息系统的评价

[学习目标]

1. 掌握管理信息系统运行管理的目标和内容；
2. 掌握管理信息系统维护的目标和内容；
3. 理解和掌握信息管理机构的组织形式；
4. 理解和掌握信息部门的人员构成；
5. 理解和掌握信息系统运行管理的相关制度；
6. 理解管理信息系统质量评价的内容；
7. 掌握管理信息系统经济效果评价的主要指标；
8. 理解管理信息系统综合评价的主要指标。

8.1 信息系统的运行管理和维护

信息系统建设是一项长期的工作,如何充分有效地开发利用组织内外的信息资源,加强信息系统资源的管理以强化竞争实力并获得竞争优势,已成为现代组织管理的重要任务。对信息系统资源的管理可以从信息系统运行和维护管理的角度去考虑。信息系统是一个面向社会、服务于管理领域的人机交互系统,其效益需要人机双方不断努力才能发挥出来,其中人的一方起着积极的、主动的作用,这主要体现在信息系统开发完成后,人们还有大量的工作需要做,包括运行管理制度、系统质量评价和效益分析、信息系统维护等。

8.1.1 信息系统运行管理

1. 信息系统运行管理的目标

管理信息系统的运行管理工作就是对管理信息系统的运行进行控制,记录其运行状态,进行必要的修改与扩充,以便使管理信息系统真正符合管理决策的需要,为管理决策者服务。需要注意的是,管理信息系统的运行管理绝不是指对计算机设备和其他附属设备的日常维护与维修。对机器设备的管理只是管理信息系统运行管理的小部分工作,这只属于硬件保障的范畴。除此之外,运行管理还包含软件管理、数据管理等。

管理信息系统的运行管理目标是通过对管理信息系统进行有效的科学的管理与维护,使管理信息系统在一个预期的时间内真正发挥为管理者提供信息的作用,产生其应有的效益。

2. 信息系统运行管理的内容

管理信息系统的运行管理工作是管理信息系统研制工作的继续,其任务和内容围绕着它的目标展开，主要包括如下三方面的工作。

(1)信息系统日常运行的管理

管理信息系统投入使用后日常工作量巨大，运行管理人员必须完成数据的准备工作、例行的信息处理与信息服务工作、硬件设备的运行与维护和系统的安全管理等工作。

①数据准备工作。对管理信息系统来说，最重要的资源是数据，一切硬件、软件以及其他资源都是为了保证数据的及时、完整和准确，整个管理信息系统的效率和对外的形象都依赖于它所保存的数据。如果系统数据收集工作做不好，整个系统的工作就成了“空中楼阁”。所以，数据准备工作是管理信息系统日常运行管理中的重要环节之一。

管理信息系统在运行中需要将大量的数据录入到系统中，由系统完成处理、存储或统计工作。那么这些数据在进入系统之前要经过数据收集、数据校验和数据录入 3 个必要的环节。因此，信息收集过程流程图如图 8－1 所示。数据收集是数据准备工作的第一个环节。最开始的原始数据往往分散在企业的各个部门，因此它的收集工作也是由各个部门的管理人员或工作人员来完成的。由于这个原因必然造成数据收集工作在组织管理上的难度，如果数据收集得不够完整就会造成信息链的脱节；数据收集的不够及时就会造成统计工作的失真，就不能达到管理信息系统运行管理的目标，从而造成管理和决策的偏差。因此，企业的管理者和系统主管人员应该努力通过各种方法，提高数据收集人员的技术水平和工作责任心，对他们的工作进行评价、指导和帮助，以便提高所收集数据的质量，为管理信息系统运行管理工作打下坚实的基础。数据校验是数据准备工作的第二个环节。对于规模较小的系统，数据校验工作往往由系统管理人员自行完成，而当系统规模较大时，一般需要设立专职数据校验人员来完成这一任务。数据收集人员一般来说由业务人员担任，在行政方面不隶属于与信息处理的专职部门。因此，数据校验这种“数据把关”的工作是不可缺少的。数据录入是数据准备工作的第三个环节。录入人员的责任在于把经过校验的数据录入计算机，工作要求迅速且准确。录入人员不承担对数据在逻辑上、具体业务中的含义进行考证的责任，这一责任是由校验人员来承担，录入人员只需要保证送人计算机的数据与纸面上的数据严格一致。因此，决不能跳过校验工作直接由录入人员完成数据收集过程。

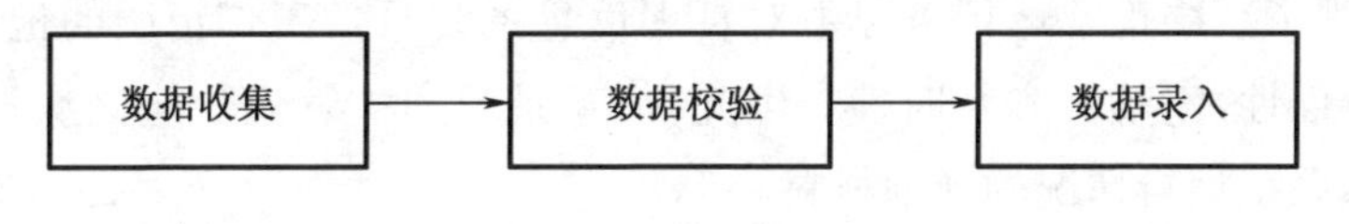

图 8－1　信息收集的过程

②例行的信息处理和信息服务工作。在数据录入到管理信息系统后，管理信息系统开始进行例行的信息处理工作，例如，数据统计分析、数据保存与复制、数据的更新、报表的生成与输出等。操作人员要严格按管理信息系统使用说明书要求的操作步骤和规则完成各项操作。信息系统的主管人员要做好对操作人员的培训、指导和帮助工作。

③硬件的运行与维护工作。硬件设备是管理信息系统正常运行的物质基础，如果没有人对计算机等硬件设备进行日常的运行维护，设备就很容易损伤，造成管理信息系统使用

的中断。硬件设备的运行维护工作包括设备的使用管理、各种耗材的使用管理(如光盘、打印纸等)、电源及工作环境的使用管理、备品配件的准备和使用以及定期检修等。同时在人员配备方面,对于大型计算机要安排较多的专职人员来负责,对于微型计算机可以安排几个专职人员或者兼职人员来负责。

④系统的安全管理工作。系统的安全管理工作是日常工作的重要内容之一,是为了防止系统外部对系统资源不合法的使用和访问,保证系统的硬件、软件和数据因偶然或者人为的因素遭受破坏、泄露、修改或者复制,维护正常的信息活动,保证信息系统安全运行所采取的手段。信息系统的安全性体现在保密性、可控制性、可审查性和抗攻击性四方面。

上述 4 项任务是管理信息系统日常运行管理中必须切实完成、认真组织的工作,如图 8 –2 所示。作为企业信息系统的管理人员,必须全面考虑上述问题,组织相关人员按规定的程序实施,并严格要求。否则,管理信息系统将很难发挥其应有的实际效益。除上述例行的工作外,经常还会有一些临时的信息处理和服务的要求,例如,临时的查询、统计、报告等。所以,信息系统管理人员要不断积累经验,寻找规律,在工作中注意总结提炼,以满足各种信息服务的要求。

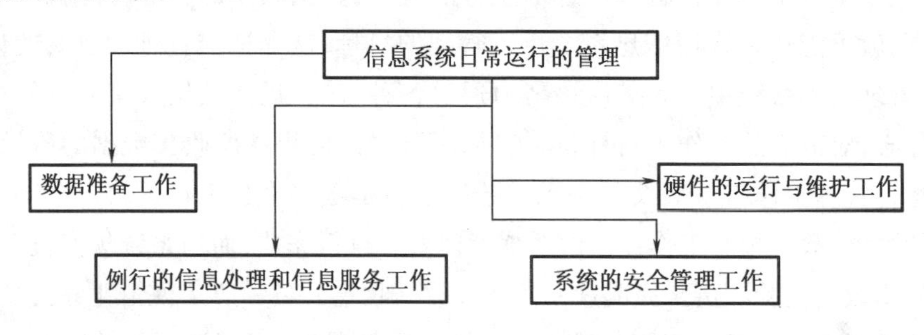

图 9 –2 信息系统日常运行的管理

(2)系统运行情况的记录

管理信息系统日常运行情况的积累是对管理信息系统进行有效的管理和科学的评价的重要依据,也是从事管理信息系统管理工作的专业技术人员进行实践数据收集,开展深入研究的宝贵资料。企业的信息系统管理人员常常重视系统发生故障时对有关情况和资料的记载,而忽视了系统正常运行情况下对管理信息系统日常工作情况的记录,且无法保证这种记录的全面性、完整性和及时性。因此,信息系统的主管人员应该从系统运行的一开始就注意积累系统运行情况的详细材料。

在信息系统的运行过程中,需要收集和积累的资料包括以下 5 方面。

①有关工作数量方面信息的记录。管理信息系统的工作数量既可以反映信息系统的工作负担,也可以反映信息系统所提供的信息服务的规模。例如,每天开关机的时间、应用系统进入的情况、天周月年数据的录入量、系统中积累的数据量、单位时间内提供的报表数量等都是有关工作数量的信息。

②有关工作效率方面信息的记录。管理信息系统的工作效率即信息系统为了完成所规定的工作,占用了多少人力、物力及时间。例如,向某个部门的管理人员提供某一方面的统计报表,管理信息系统用了多少时间、多少人力。在市场竞争日益激烈的今天,微利经营

已成为不争的事实,企业在经营管理中越来越重视成本的最低化,通过对工作效率的总结记录,有利于管理信息系统在企业的进一步推广和深入应用。

③有关服务质量方面信息的记录。管理信息系统的服务质量主要包括提供信息是否满足管理的需要、是否及时、对报表的结构形式是否满意等。这部分记录不可能完全由管理信息系统管理人员来完成,需要由使用者提供,信息系统管理人员可以通过定期或不定期访问或发放调查问卷的形式向使用者征集。

④有关系统维护修改情况的记录。管理信息系统中数据的更新、软件和硬件的维护和检修等工作都要有详细的及时的记录,记录的内容一般包括:维护的时间、维护的部门、维护的内容以及执行维护人员的签字等。

⑤有关系统故障情况的记录。管理信息系统的故障不是指计算机本身的故障,而是对整个信息系统的故障。例如,由于数据收集不及时,使年度报表的生成未能按期完成,这是整个信息系统的故障导致而非计算机自身的故障。管理信息系统的故障,既包括硬件故障,又包括软件故障。在日常工作中信息系统管理人员有重硬轻软的现象,这是非常错误的。同样,收集来的原始数据有误也不是计算机的故障,然而这些错误的类型、数量等统计数据是非常有用的资料,其中包含的有益信息,对整个系统的扩充和发展起着重要意义。

故障无论大小,都应及时记录。故障记录的内容一般包括:时间、部门、现象、故障发生时的工作环境、处理方法和结果、善后措施以及原因分析等。管理信息系统运行情况的记录要采用固定的表格,并装订成册。在填写时要注意用词确切,尽量用定量的描述,避免使用含糊或有歧义的语。设计表格时,可以采用分类分级的办法,让填写者选择即可。

由于该项工作较烦琐,在实际工作中往往会流于形式。信息系统的主管人员要特别注意,一是要经常地开展教育培训,要大家了解到管理信息系统日常运行情况记录的重要意义;二是要加强制度建设,严格管理,通过制度监督保证系统运行情况记录工作的质量;三是在管理信息系统中设置自动记录功能。

以上5方面中,通常在正常情况下的运行数据比较容易被忽略。因为发生故障时,人们往往比较重视对相关的情况及时记载,而在系统正常运行时则不那么注意。事实上,要全面地掌握系统的情况,必须十分重视正常运行时的情况记录。如果缺乏平时的工作记录,就无从了解瞬间的情况。如果没有日常的工作记录,则可靠性程度的平均无故障时间指标就无从计算。

(3)对管理信息系统运行情况的检查与评价

对管理信息系统运行情况的检查与评价是对管理信息系统当前各项性能的测评和总结,也是为今后对信息系统进行改进和扩展提供依据。其目的是为了估计管理信息系统的技术能力、工作性能和系统的利用率。信息系统在其运行过程中除了不断进行大量的管理和维护工作外,还要定期对系统的运行状况进行审核和评价。这项工作主要在高层领导的直接领导下,由系统分析员或者专门的审计人员会同各类开发人员和业务部门精英共同参与进行。其目的是为了估计系统的技术能力、工作性能和系统的利用率。它不仅对系统当前的性能进行总结与评价,而且为系统的改进和扩展提供依据。对管理信息系统进行评价一般要考虑以下几方面的因素。

①对管理信息系统是否达标的评价。管理信息系统是否达到了预期的各项目标、计划目标是否需要修改,这是首要评价的指标之一。在这方面需要做的工作有通过现场观察、座谈、审计运行日志、统计分析等方式检查计划目标的合理性和有效性,考察随时间变化、环境变化和需求变化管理信息系统是否还能满足各级管理者的需求,最后还要给出相应的结论和修改意见。

②对管理信息系统适应性和安全性的评价。系统的适应性包括系统运行是否稳定可靠,系统使用与维护是否方便,运行效率是否能满足管理人员的管理需求等。随着计算机技术的不断发展和信息系统的广泛应用,系统的安全性和可靠性越来越受到人们的重视,防止信息的被盗、舞弊等利用计算机犯罪事件是任何一个信息系统必须认真考虑的问题,否则将会给整个系统带来重大的损失和混乱,甚至给社会带来极其严重的影响,所以应该对系统信息进行定期的检查和审计。例如,1987 年美国由于一名政府人员的疏忽,使美国银行和金融机构的现金总额出现一笔 3.7 亿美元的差错,这个差错在计算机信息系统中运行了 3 个星期,结果使股票和证券市场遭受 650 亿美元的损失。近年来,无论是我国还是其他国家,利用计算机进行受贿、盗窃等犯罪现象在逐年增加,而案件的破获率却很低,给社会、企业或者组织带来严重的损失,所以要加强系统安全性、可靠性保护,定期对系统进行检查评价。

③对管理信息系统经济效益的评价。当产出大于系统投入时,说明管理信息系统是一个成功的、有益的系统,如果产出小于或等于投入时,则要考虑是否重新开发新的管理信息系统。管理人员对管理信息系统经济效益的评价往往着重于短期利益,而忽略了间接的、中长期的、无形的经济效益。

信息系统的价值实际上包括了经济和社会两方面。社会效益与人们对系统的认识、使用直接相关,例如,使用了信息系统可以提高信息的使用质量、提高数据的准确性、减轻人们的劳动强度、提高信息处理的能力、为领导决策提供有利的信息支持等。这方面的效益不直接与企业或者组织的经济效益相关,但对企业或者组织的各项管理活动产生重大影响。

经济效益是指通过信息系统开发与运行的投资,使得企业增加收入、降低成本,进而为企业带来更大的效益。例如。在信息系统建设中的资金投入将在系统运行的多长时间内,通过降低成本、增加收入收回这些投资,继续创造效益,在系统运行中必要的资金投入与所带来的收益的比例如何等,这些都可以用来衡量信息系统的经济效益,它可以看作是各个应用效益的综合。因此,要定期进行有关经济的评价,对系统未来的发展提出合理的意见和建议。然而,对信息系统所带来的经济效益的评价通常不易量化,且信息系统效益的发挥与人的因素密切相关,这就需要综合地进行分析、评价,客观地评价信息系统的效益,才能真正地把握系统的命脉,确定系统未来发展的方向。

综上所述,对系统运行情况的检查与评价工作一般是在企业高层领导的直接领导下,由系统分析员、审计人员、开发人员和各部门负责人员共同参与。通过检查、审计和评价,如果管理信息系统基本适应需要但需改进的,则要做好管理信息系统的维护工作;如果确认管理信息系统不能满足需要的,则说明该管理信息系统已经完成了它的生命周期,必须提出新的开发需求,开始新的管理信息系统的生命周期,整个开发过程又回到系统开发的最初阶段。

3. 信息系统运行管理的组织与人员

企业管理信息系统的运行管理工作是系统开发工作的后续,不能简单地与硬件设备的管理工作等同起来。硬件的管理与维护只是这项工作的一小部分,如果缺乏必要的组织与管理,信息系统不可能实现为管理工作提供信息服务以及辅助决策管理的目标。因此,企业管理信息系统的运行与维护工作的首要问题就是建立和完善系统运行的组织。

(1)信息系统运行管理的组织

有效地组织好信息系统运行对提高管理信息系统的运行效率是十分重要的。信息部门参与企业运营的情况及对应的组织形式反映了信息部门在企业的地位和作用。

目前,信息管理机构共经历了以下3种组织形式。

①零散组织形式。使用这种组织设置的各部门都拥有自己独立的信息系统,部门内部由微机室来完成相关信息管理工作,各系统内部资源不能为企业的其他部门所共享,如图8-3所示。这对加快部门的信息处理速度、提高部门的工作效率发挥了重要的作用,但相应地也导致了部门管理的局限性,制约了企业信息资源的综合应用。

②并行组织形式。鉴于零散组织形式下的部门管理的局限性,在并行组织结构下信息系统的管理机构开始独立出来,与企业其他部门并行,享有同等的权利,如图8-4所示。这改变了零散组织形式下各部门信息系统各自为政的情况,信息资源可以为整个企业共享。但由于部分管理的并行性也相应地导致信息部门的决策能力较弱,管理信息系统开发、运行维护中的协调和决策工作也会受到影响。

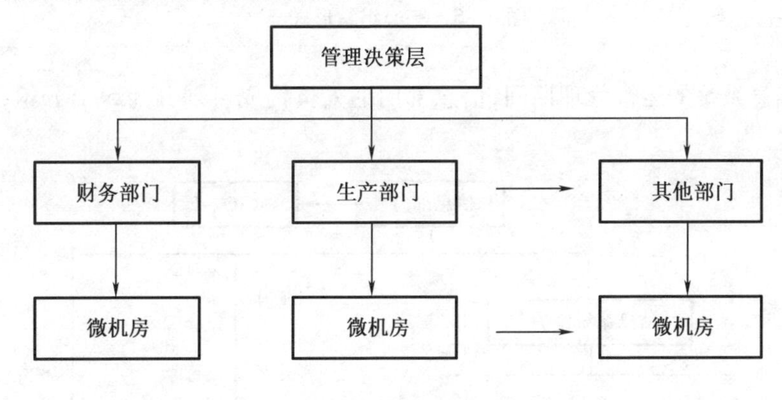

图8-3 零散组织形式

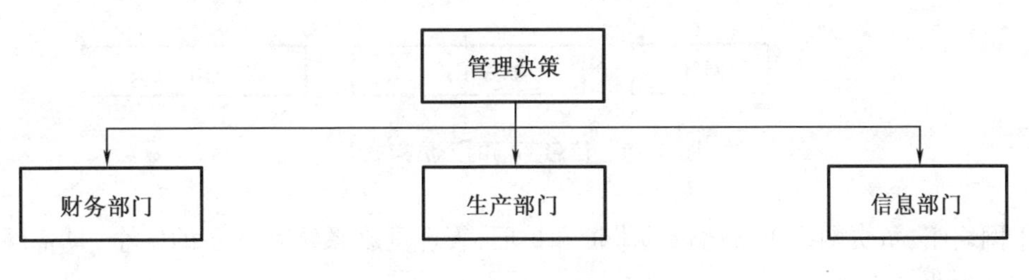

图8-4 并行组织形式

③核心组织形式。这种方式是零散组织形式和并行组织方式的结合体。一方面信息部门独立存在于各业务部门之外,另一方面各业务部门也设立自己的信息处理室(IS室),配备专人负责该业务部门的信息系统业务,这个专人或IS室归信息部门领导,如图8-5所示。这种结合方式既有利于加强信息管理和资源的共享,并且能深入了解并满足各业务部门的需要,又能够在系统开发、运行维护过程中便于协调和决策。

(2)信息系统运行管理的人员

由于信息系统需要运用先进技术为管理工作服务,其工作必须要涉及多方面的、具有不同知识水平及技术背景的人员。这些人员在系统中需要各尽其责、互相配合,共同实现系统的功能。这些人员能否发挥各自的作用,他们之间能否互相配合、协调一致,是系统成败的关键之一。因此,人员管理好坏是系统能否发挥作用的关键。没有好的人员管理,分工协作失效,人机系统的整体优化将只是一句空谈。

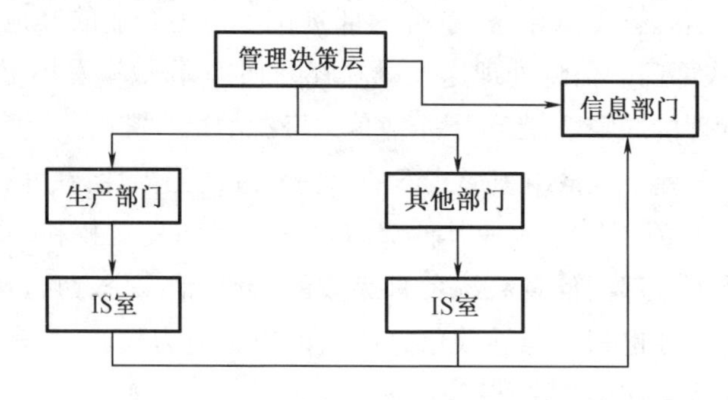

图8-5 核心组织形式

在管理信息系统的运行管理期间,信息部门的人员构成可划分为5个分组,如图8-6所示。

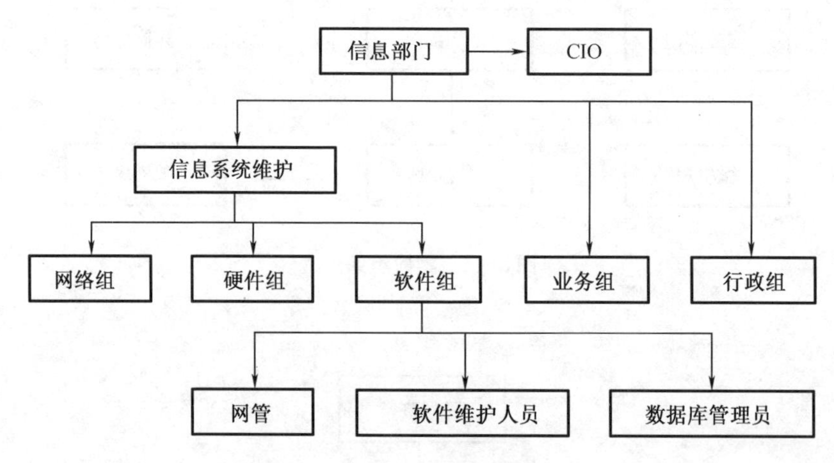

图8-6 信息部门的人员构成图

①网络组:负责网络正常运行的维护和扩展,管理网络系统及设备的安全,具备网络问题诊断和初步解决能力。

②硬件组:负责计算机硬件及相关设备正常运行的维护和管理,保证计算机硬件及相

关设备的安全,组织硬件设备的更新升级和日常维护,解决计算机硬件及相关设备的故障。

③软件组:软件组人员包括网管、软件维护人员和数据库管理员。其中,网管负责服务器资源优化配置、用户授权和网络监控;软件维护人员保证软件系统的正常运行,更新和完善信息系统功能;数据库管理员负责制定数据备份和归档策略,确定数据备份和归档方案,发生系统灾难时负责数据恢复,确保输入数据的正确性。

④业务组:负责管理信息系统用户与信息管理部门的沟通和联系,及时向信息管理人员反馈信息,具有业务管理和信息使用两方面的责任。

⑤行政组:负责信息部门的日常管理工作,收集各层次用户对管理信息系统应用的意见,及时通知有关小组进行处理和改进。

除此之外,信息系统还专门设置了首席信息官(Chief Information Officer,CIO)职位。CIO是负责制定组织的信息发展战略、标准和程序,对整个组织的信息资源进行管理和控制的高级行政管理人员。从人员配备方面,作为首席信息官不仅是技术专家,同时还是企业管理变革的领导者,因此首席信息官需要具备很高的领导能力,以调用各方资源,与企业各方(如CEO、CFO)进行沟通来推进信息化。从工作职责方面,CIO不仅要从企业信息的综合开发角度制定和执行企业信息化战略规划,而且需要对信息管理相关工作进行协调与沟通。CIO要从企业目标出发,整合信息资源,对企业内外各方面的信息进行综合处理和分析,得到对全局更为重要的信息和知识,提供给相关管理部门,尤其是企业高层管理人员,以支持企业决策,保持并创造企业的竞争优势,进而帮助企业利用IT降低成本、提高效率,实现战略经营目标。

(3)信息系统运行管理制度

企业启用新管理信息系统后,便进入了长期的使用、运行和维护期。为保证系统运行的正常工作,就必须建立和健全各项规章制度,这是今后实施有效管理、科学管理的重要依据,也是管理信息系统正常运行的重要保障。这里需要强调的是,在实际工作中制度的建立不存在隐患问题,问题往往出在对制度执行情况的监督检查环节,如果监督检查环节没有实施就等同于没有建立制度。所以,信息管理职能部门的负责人要做好制度的监督检查工作,只有这样才能保证管理信息系统为各层管理服务,充分发挥信息资源的作用。

信息系统运行管理制度是系统正常运行的有效保障。相关管理制度主要包括如下内容。

①信息系统运行的机房管理制度。机房是指企事业单位管理信息系统的中心结点,即服务器、核心交换机等设备存放的房间。信息系统网络中工作站的计算机一般安装在各部门工作人员的办公室,不属于机房范畴。机房的管理制度一般包括如下3个方面的内容。

a.安全方面的制度。主要包括进入机房人员范围的规定、出入机房办理手续的规定、出人机房携带物品的规定、监控及报警系统的使用规定和消防安全方面的规定等。

b.操作方面的制度。主要包括日常操作规程、异常情况处理规程、防病毒等计算机安全方面的规定。

c.环境方面的制度。主要包括机房供电系统方面的规定、机房“四度”方面的规定(温度、湿度、洁净度、照度)等。

机房要由专人管理,机房管理制度要正式行文,汇编成册,并在机房明显位置进行张贴。

②信息系统运行制度。管理信息系统的运行管理在实际工作中常常随时间的推移被忽视,经常出现不按规程操作等问题。信息管理职能部门的负责人要加强对管理信息系统运行管理工作的监督,使每个操作计算机的人员养成遵守管理制度的习惯。管理信息系统运行管理制度一般包括如下两方面的内容:

a. 数据管理方面的制度。主要包括数据修改更新的权限制度、数据恢复备份制度等。

b. 运行操作方面的制度。主要包括工作站日常操作规程、异常情况处理规程、设备故障报修制度、定期检修制度等。管理信息系统运行管理制度要正式行文,汇编成册,并在执行制度的岗位的明显位置进行张贴。

③信息系统运行日记制度。管理信息系统运行过程中的日记资料,是查找管理信息系统故障的线索,也是今后审计和评价管理信息系统的重要依据。所以,要从表格设计、填写的源头上抓好制度建设工作。管理信息系统运行日记制度一般包括如下两方面的内容:

a. 日记的内容方面。要规范日记的内容,日记的内容一般包括:时间、操作人、运行情况、异常情况、值班人签字和负责人签字等,要设计成表格并装订成册。特别是异常情况的记录要设计得更为周密,可以和前面的日记共用一张表格,也可单独设表,但无论采用哪种方式,表中的项目都要尽量详细。异常情况的记录内容一般包括:发生时间、现象、处理人、处理过程、处理记录文件名、在场人员等。

b. 日记的管理方面。主要包括:填写要求制度、监督与责任制度、存档保存制度和复印查阅制度等。管理信息系统运行日记制度要正式行文,汇编成册,并在执行制度的岗位的明显位置进行张贴。

4. 信息系统运行安全与保密性

从"信息化高速公路"到"数字地球",信息化浪潮席卷全球。Internet 的迅猛发展不仅带动了信息产业和国民经济的快速增长,也为企业的发展带来了勃勃生机。企业通过 Internet 可以把遍布世界各地的资源互联互享,但因为其开放性,在 Internet 上传输的信息在安全性上不可避免地会面临很多风险。当越来越多的企业把自己的业务系统放到网络上后,针对网络的各种非法入侵、病毒等活动也随之增多。

(1)信息系统运行面临的威胁性

在现实的网络应用中,威胁是普遍存在的。威胁的描述性定义就是潜在的安全隐患。个人计算机仅仅一个简易的应用便可满足常规用户的需要,而企业的服务器一般要担当多个角色,提供多个服务,这样的后果是节约了成本,却牺牲了安全。安全原理其实就是木桶原理,任何局部的隐患都会使全局的安全性崩溃。这类似于射击,面积大的目标被命中的概率更大。在现有的信息系统中,威胁的种类层出不穷,网络无时无刻在发展,威胁也无时无刻在翻新。目前的企业信息系统中,威胁主要有以下几类:物理威胁、漏洞威胁、病毒威胁、入侵威胁和复合性威胁。

①物理威胁。物理威胁最简单,也最容易防范,更容易被忽略,许多信息机构服务被中

止仅仅因停电、断网和硬件损毁。例如,某处施工时无意破坏了通信电缆或者供电线路都会导致大规模的损失,所以保障企业信息系统的物理安全至关重要。系统维护人员可以通过以下方式保障信息系统的物理安全:一是机房采用 UPS 不间断电源,保障停电后服务器能够不中断运行,从而杜绝因停电损失数据的事件发生;二是对网络设备多清查,多检测;三是机房杜绝外人接近,同时拆除服务器不必要的数据接口,以防信息流失和隐患程序流入;服务器加物理锁,以防恶意关机和非法重启。有条件的企业最好采用 RDP 协议远程登录服务器,避免人员与服务器直接接触。

②漏洞威胁。仅次于物理威胁的是漏洞威胁,几乎所有的安全事件都源于漏洞。漏洞主要分为系统漏洞、软件漏洞和网络结构漏洞。

系统漏洞相对常见,目前企业中常用的操作系统大致分为两种: Windows 和 UNIX/Linux。基于 NT 内核的 Windows NT 4、Windows 2000、Windows Server 2003/2008/2012/2016 等都是常见的操作系统,需要有效利用组策略构建适合企业现状的安全模型。系统维护人员必须重视 Windows Update,保证系统最新,因为漏出的安全缺陷官方会迅速通过 Windows Update 布置到计算机上。常用 Microsoft Baseline Security Analyzer 检测安全漏洞,及时修复。平时关闭一些不必要的端口和服务,管理员要设置强密码,防止黑客挂字典爆破,保障全局安全。

对于 UNIX/Linux 系统的企业安全漏洞也不容忽略。主流应用于企业的发行版本有 FreeBSD、RedHat Linu、Suse Linux、Debian Linux,尽量不要使用一些小组织的 Lmux 发行版,如果企业有足够的技术资源,可以考虑定制适合自己的 Linux 发行版。众所周知,Linux 为开源软件,无数优秀的特性被加入进来。但这个特性也相当致命,一个完全透明的系统很容易被黑客利用,作为 Linux 用户,采用安全防御措施相当重要。同 Windows 一样,最基本的措施是及时安装安全补丁,留意近期的安全通告,同时根据业务需要,关闭不必要的系统服务。由于 Linux 的账户模型比较复杂,还需要根据需要删除一些诸如 adm、lp、sync、shutdown、halt、mail 等特权账号,同时为存在的账号设置强密码。账号管理上要为不同的 ID 分配不同的权限,并且归并到不同的用户组中。

③病毒威胁。操作系统的正确使用和配置很重要,操作系统安全是企业信息系统安全的基础,对企业信息系统杀伤力比较大的是病毒威胁,网络通信服务病毒发生的概率还是比较高的。能够引起计算机故障、破坏计算机数据的程序统称为计算机病毒,但该定义仅能够定义早期的病毒,是一个狭隘的病毒定义,现在的病毒特征更广泛,例如,间谍软件、木马、流氓软件、广告软件、行为记录软件、恶意共享软件等,它们的危害远远超出了传统定义中"占用系统资源""破坏数据""阻塞网络"等经典危害。这些新型病毒可以导致重要机密泄露,甚至现有的安全机制全部崩溃。日常应用中,要保证系统经常更新,在常用服务器上部署强大的安全机制和防病毒应用程序,同时多进行员工的安全教育。此外,还应及时进行数据备份,一般中小型非信息企业每日应有增量备份,每周应有全盘备份,在病毒发生时早报警,早恢复。

④入侵威胁。大部分病毒攻击只是机械性的执行,但入侵则是人为攻击策略,灵活多变。早期黑客仅为炫耀一下自己高超的技术或发泄一下情绪而已,现在的黑客已经从业余

发展到越来越专业化,动机已发生本质的变化。一般来讲,只要不给黑客创造成熟条件,一般的入侵或攻击是难以实现的。所谓的条件,其根源还是系统或软件的漏洞,手段主要以木马为主,通常配合一些远程控制软件。因此,主要防范措施还是要以入侵检测为主,早发现,早处理,对于触犯法律的还要报告相关司法部门。

⑤复合性威胁。在现实应用中,任何威胁都以复合形式出现。试想,一次完美的入侵,并非一个单一的条件就可发生,需要其他条件的配合。因此,保障信息系统任何微小细节的安全,才能使安全事件的发生概率降至最低。

(2)信息系统安全运行的防护措施

信息系统安全运行的防范措施是企业信息系统高效运行的方针,其能在很大程度上确保信息系统安全有效的运行。相应的企业安全运行的措施一般可分为以下几类。

①安全认证机制:安全认证机制是确保企业信息系统安全的一种常用技术,主要用来防范对系统进行主动攻击的恶意行为。安全认证,一方面需要验证信息发送者的真实性,防止出现不真实;另一方面可以防止信息在传送或存储过程中被篡改、重放或延迟的可能。一般来说,安全认证的实用技术主要由身份识别技术和数字签名技术组成。

②数据的加密与解密:主要用来防止存储介质的非法被窃或复制,以及信息传输线路因遭窃听而造成一些重要数据的泄露,故在系统中应对重要数据进行加密存储与传输等安全保密措施。加密是把企业数据转换成不能直接辨识与理解的形式;而解密是加密的逆行式,即把经过加密以后的信息、数据还原为原来的易读形式。

③入侵检测系统的配备:入侵检测系统(Intrusion Detection Systems,IDS)是最近几年来才出现的网络安全技术,它通过提供实时的入侵检测,监视网络行为进而识别网络的入侵行为,从而对此采取相应的防护措施。IDS 通过从计算机网络系统中若干关键结点收集信息并加以分析,监控网络中是否有违反安全策略的行为或者是否存在入侵行为。它能提供安全审计、监视、攻击识别和反攻击等多项功能,并采取相应的行动,如断开网络连接、记录攻击过程、跟踪攻击源、紧急告警等,是安全防御体系的一个重要组成部分。

④采用防火墙技术:防火墙技术是为了确保网络的安全性而在内部和外部之间构建的一个保护层。其不但能够限制外部网对内部网的访问,同时也能阻止内部网络对外部网中一些不健康或非法信息的访问。

⑤加强信息管理:在企业信息系统的运行过程中,需要对全部的信息进行管理,对经营活动中的物理格式和电子格式的信息进行分类并予以控制,将所有抽象的信息记录下来并存档。

8.1.2 信息系统维护

管理信息系统的维护是为了应付管理信息系统的环境和其他因素的各种变化,保证系统正常工作而进行的一切活动。它包括系统功能的改进和解决在系统运行期间发生的一切问题和错误。无论在新系统交付使用前还是在交付使用后,系统维护工作始终需要进行,这是管理信息系统运行管理的重要内容。运行与维护阶段的主要任务是做好系统的管理和维护工作,根据环境变化和用户需求不断修改、扩充,使新系统更加完善,保证新系统经常处于良好运行状态。只有不断维护的管理信息系统才能适应这种环境变化。一般管理信息系统的使用寿命,短则两年,长则五六年。在系统的整体使用寿命中,都将伴随着系统维护工作的进行。这一过程,一直延续到企业又提出了开发下一个新系统的需求为止,也有可能是为了适应企业环境的变化,对现有系统进行的升级。

1. 信息系统维护管理的目标

系统维护的目的就是为了保证系统正常、可靠地运行,并能使系统不断得到改善和提高,以充分发挥作用。或者说,系统维护就是为了保证系统中的各个要素随着环境的变化,始终处于最佳的和正确的工作状态。这是系统生命周期的最后一个阶段,也是很重要的一个阶段,新系统是否有生命力取决于这一阶段的工作。

管理信息系统运行与维护的目标,可以归纳为保证新系统的正常、可靠、安全地运行,并不断完善系统,以增强系统的生命力,延长系统的生命周期,不断提高企业的管理水平,为企业创造经济效益。

2. 信息系统维护管理的作用

系统开发工作量(包括系统分析、系统设计、系统实施、系统调试)仅占系统生命周期总工作量的20%~30%,而系统维护工作量要占到总工作量的70%~80%。由此可见,在开发过程中,强调提高工作质量、追求代码的可读性和可维护性对运行与维护阶段的意义。

新系统开发成功并提交用户以后,维护阶段的工作才刚刚开始,而不是万事大吉。软件开发得再好,如果软件维护工作跟不上,管理信息系统依然会失败。系统维护工作常常被忽视,错误的做法是开发工作完成后,开发队伍解散或撤走,没有配备适当的系统维护人员。这样,一旦系统发生问题或环境发生变化,最终用户将无从下手,这就是为什么有些管理信息系统在运行环境中长期与旧系统并行运行而不能转换,甚至最终被废弃的原因。

随着管理信息系统应用的深入,以及使用寿命的延长,系统维护的工作量将越来越大。系统维护的费用往往占整个系统生命周期费用的60%以上,因此有人曾以浮在海面上的冰山比喻系统开发与维护的关系,系统开发工作如同冰山露出水面的部分,因为容易被人看到,所以重视这一部分,而系统维护工作如同冰山浸在水下的部分,其体积远不露出水面的部分大得多,但由于不容易被人看到而常被忽视。从另一方面看,和具有"开创性"的系统开发工作相比,系统维护工作属于"继承性"工作,挑战性不强、成绩不显著,使很多技术人员不安心于系统维护工作,这也是造成人们重视开发而轻视维护的原因。经验和教训都在告诫我们,系统维护是管理信息系统可靠运行的重要技术保障,应给予足够的重视。

3. 信息系统维护的类型

(1)更正性维护

众所周知,系统测试不可能发现系统中的所有错误,还有许多潜在的错误,只有在系统运行过程中具备一定的激发条件才可能出现,人们把诊断和改正这类错误的维护工作称为更正性维护。

出现这些错误的原因通常是由于遇到了调试阶段从未使用过的输入数据的某种逻辑组合或判断条件的某种组合,即没有测试到这些情况。在系统运行期中遇到的错误,有些可能不太重要或者很容易处理或回避,有的可能相当严重,甚至会使系统无法正常工作。

但无论错误的严重程度如何,都要设法去改正。修改工作需要制订修改计划,提出修改要求,经领导审查批准后,并在严格的管理和控制下进行系统的更正性维护。

(2)适应性维护

适应性维护是指信息系统的外部环境发生变化时需要进行的系统维护。计算机技术(包括硬件和软件)的发展速度非常快,而一般的系统使用寿命都超过最初开发这个系统时的系统环境的寿命。计算机硬件系统的不断更新,新的操作系统或操作系统新版本的出现,都要求对系统做出相应的改动。此外,数据环境的变化(如数据库管理系统的版本升级、数据存储介质的变动等)也要求系统进行适应性维护。适应性维护也要制订维护计划,有步骤、分阶段地组织实施。

(3)完善性维护

当信息系统投入使用并成功运行以后,由于企业业务需求变化和扩展,用户可能会提出修改某些功能、增加新的功能等要求,这种系统维护被称为完善性维护。其目的是为了改善和加强信息系统的功能,满足用户对系统日益增长的需求。

此外,还有一些其他的完善性维护工作,例如,系统经过一段时间的运行,发现系统某些地方运行效率太低而需要提高,或者某些功能界面的可操作性有待提高,或者需要增加一些新的安全措施等,这类维护也属于完善性维护。

(4)预防性维护

预防性维护是一种主动性的预防措施,对一些使用时间较长,目前尚能正常运行,但可能要发生变化的部分模块进行维护,以适应将来的修改或调整。与前3种维护类型相比,预防性维护工作相对较少。

在信息系统的维护中4种维护类型出现的比例如表8-1所示。

表8-1 系统维护的类型

类型	描　述	在维护中占的百分比
更正性维护	修复系统设计和规划错误	70%
适应性维护	因环境改变而修改系统	10%
完善性维护	维护系统解决的问题或者为新问题解决提供有利条件	15%
预防性维护	维护系统将来的问题	5%

4. 信息系统维护的类型

图8-7所示为信息系统维护的全过程步骤,可以看出,在某个维护目标确定以后维护人员必须先理解要维护的系统,然后建立一个维护方案。由于程序的修改涉及面较广,某个模块的修改很可能会影响其他模块,所以建立维护方案后要加以考虑的重要问题是修改的影响范围和波及面的大小,然后按预定维护方案修改程序,还要对程序和系统的有关部分进行重新测试。若测试发现较大问题,则要重复上述步骤。若通过,则可修改相应文档并交付使用,结束本次维护工作。

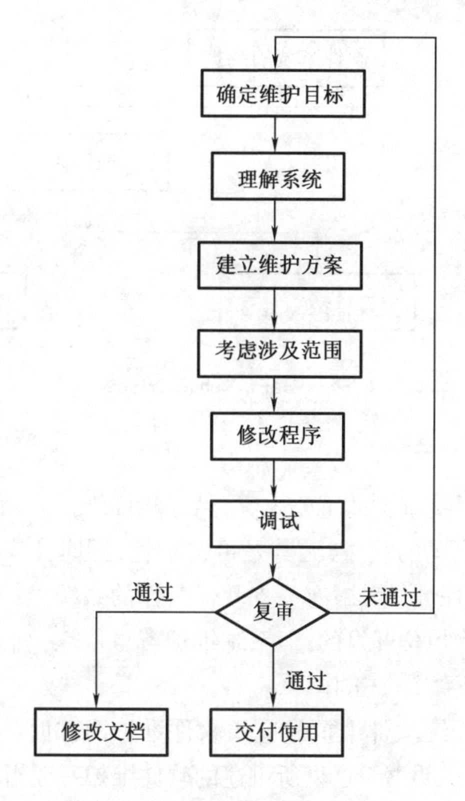

图8-7 信息系统维护的全程步骤

必须强调的是,维护是对整个系统而言的,因此,除了修改程序、数据、代码等部分以外,必须同时修改涉及的所有相应文档。

5. 信息系统维护的内容

系统维护面向信息系统中的各种构成因素,按照维护对象的不同,系统维护的内容主要包括如下3方面的工作。

(1)硬件系统的维护

硬件系统的维护是指对主机以及外设的维护和管理。硬件维护的目的是尽量减少硬件的故障率,当故障发生时,能在尽可能短的时间内恢复工作。硬件系统的维护应该由专门的硬件维护人员负责,主要分为硬件系统更新和故障维护,如图8-8所示。因此,在很多情况下需要同硬件厂商合作来共同完成系统维护工作,定期制订更新计划。对于管理信息系统的硬件系统,系统维护不仅要处理突发性的故障处理,日常维护工作也需要进行定期的预防性维护,例如,在每周或每月固定的时间对系统硬件进行常规性检查和保养。定期地进行硬件系统的维护可以减少以后的系统维护工作量,降低维护的费用。

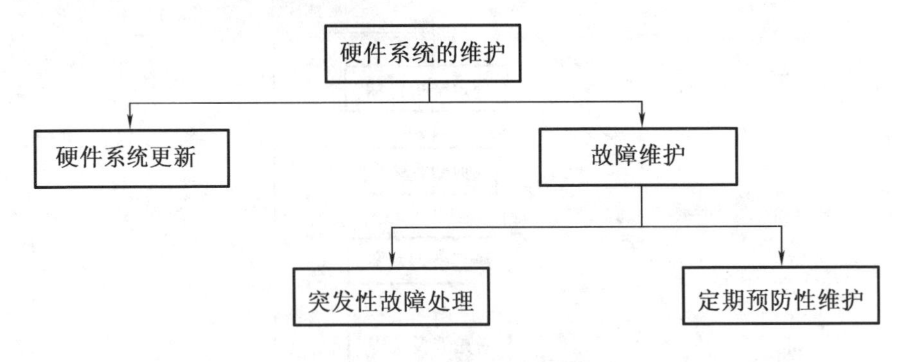

图8-8　硬件系统的维护类型

(2)软件系统的维护

软件维护是管理信息系统维护的重要内容,搞好软件维护有两个关键:第一,在新系统开发过程中就应保证软件代码的质量,尤其是可维护性,同时还应有与代码一致的开发文档,这是软件维护的基础和保证;第二,有一支胜任工作的系统维护队伍。很多企事业单位的管理信息系统是委托协作单位开发的,但系统维护若也依靠他们,则远水不解近渴,必须培养本单位的员工担负起系统维护工作。

软件系统的维护涉及系统软件维护和应用软件维护两方面。系统软件的维护可参考具体的系统软件使用、维护说明书。这里所讲述的软件维护一般指应用软件维护。

应用软件的维护包含:正确性维护、适应性维护、完善性维护和预防性维护。

①正确性维护目的是为了保证系统功能的正确。维护内容包括在系统测试阶段尚未发现的错误、键盘屏蔽不全面引起的输入错误和以前未遇到过的数据输入组合或数据量增大引起的错误。

②适应性维护目的是对软硬件的升级,保证系统的性能。适应性维护是为了使系统适应环境的变化而进行的维护,约占维护活动的25%。维护内容包括制订维护工作计划、对维护后的软件进行测试、应用软件功能的完善和改进以及网络系统(计算机硬件或操作系统)的升级、更新。一方面,计算机硬件的更新周期越来越短,新的操作系统和原来操作系统的新版本不断推出,外围设备和其,他系统部件经常有所增加和修改,这就必然要求管理信息系统能够适应新的软硬件环境,以提高系统的性能和运行效率。另一方面,机构的调整、管理体制的改变、数据与信息需求的变更等都将导致系统不能适应新的应用环境。如编码改变、数据结构变化、数据格式以及输入/输出方式的变化、数据存储介质的变化等,都将直接影响系统的正常工作。因此,有必要对系统进行调整,使之适应企业环境的变化,以满足用户的要求。

③完善性维护目的是为了扩展和改善系统功能,是为了改善系统的性能或者扩充应用系统的功能而进行的维护,这些系统的性能或功能要求一般是在先前的功能需求中没有提出的。在系统的使用过程中,用户往往要求扩充原有的功能,或提高其性能,如增加数据输出的图形方式、增加联机在线帮助功能、调整用户界面等,这些要求在需求规格说明书中没有,属于用户需求在原有系统的基础上进一步改善和提高的内容。随着用户对系统的使用和熟悉,这种需求可能会不断提出。为了满足这些需求而进行的系统维护工作就是完善性

维护,即完善性维护是指为了满足用户新的需求而生行的功能扩充或优化方面的开发活动。这种类型的维护是系统维护的主要形式,工作量最大,约占维护活动的50%,如图8-9所示。

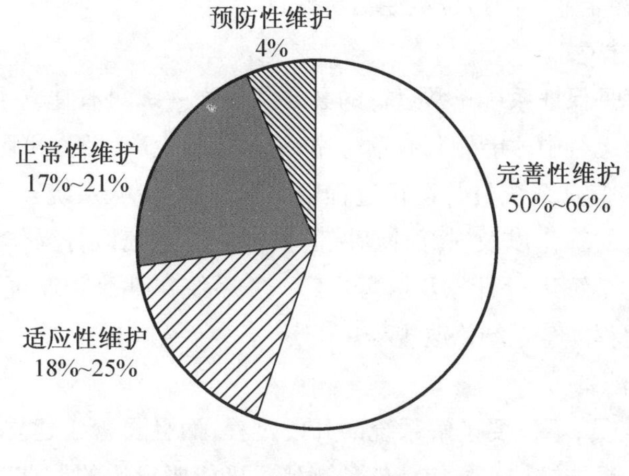

图8-9 软件维护的时间比例

④一些软件工程师还提出了第四种软件维护活动,即预防性维护。预防性维护是为了提高软件,未来的可维护性、可靠性,或为未来的修改与调整奠定更好的基础而修改软件的过程。

(3)数据的维护

系统的业务处理对数据的需求是不断变化的,要经常对文件或数据库进行修改(不包括正常更新),增加数据库的新内容和建立新的文件等。数据的维护主要包括:数据备份、数据恢复和数据归档。数据备份是指将计算机硬盘上的原始数据(程序)复制到可移动介质上,如磁带、光盘、移动硬盘等。数据恢复是数据备份的逆过程,即将备份的数据再复制到硬盘上的操作。数据归档将硬盘数据复制到可移动介质上,并在完成复制工作后将原始数据从硬盘上删除,释放硬盘空间。

数据备份与数据恢复主要是为了应对因介质、操作系统、应用软件和其他环境原因导致重要数据库文件严重损坏、系统运行瘫痪等灾难的发生。数据归档一般是在一个时间周期结束或一个项目完成时将相关数据保存到可移动介质上,以备日后查询和使用,同时释放硬盘空间。

6. 信息系统维护的管理

信息系统开发完成并经过严密的测试和系统切换后,就进入了系统日常运行阶段。信息系统是一个面向管理领域的人机交互系统,在其运行过程中要完成管理、维护、评价分析等工作。如果系统的运行管理不善,新系统的优越性就无法充分发挥出来,不能达到系统开发的目标。

(1)完善的组织机构

信息系统的组织管理机构是信息系统开发、维护和管理的综合性部门,在许多大型企业中都设有信息中心(或计算中心),专门负责企业的信息化建设。信息系统的维护部门一般由软硬件维护部门、数据和信息维护部门、行政管理部门等组成。由于负责信息系统运行的组织在企业中的地位不高,往往不被重视,造成我国信息系统组织机构不完善,影响了信息系统的开发和应用。随着我国企业信息化建设的加快,企业对信息化认识的不断提高,信息系统的组织在企业中的地位也在不断提高。

(2)管理制度的建立

完善的管理制度是保证系统正常运行的必要条件之一。只有建立了完善的管理制度,企业信息系统在日常运行中才能做到有章可循,为企业的生产、经营和管理奠定基础。

下面列出了一些信息系统日常运行过程中的管理制度,从系统安全、操作等多个方面规定了系统日常运行的工作以及对意外情况的处理。①系统运行操作规程。②系统信息的安全保密制度。③系统运行日志及填写规定。④系统定期维护制度。⑤系统安全管理制度。⑥用户操作规程。⑦系统修改规程。

(3)维护人员的配备

作为系统维护人员,不仅要了解系统的开发过程,而且要善于建立良好的维护人员和操作员之间的关系。系统维护人员应能够预测那些可能要出错的地方,还要根据业务需求的改变,考虑必要功能的改变,根据系统需求的改变考虑修改硬件、软件及其接口。因此,维护工作涉及的范围较广,是一项长期复杂的工作。

系统维护人员究竟该由谁来担当?属于自主开发或联合开发的信息系统,可以由程序开发人员或参与系统开发的用户人员作为系统的维护人员,他们清楚系统的构架和程序的体系内容,可以比较轻松地完成系统的维护任务;对于委托开发方式或者购买的商品化软件,企业应该培养系统维护人员或者委托软件公司负责系统的维护工作。

(4)维护任务的安排

信息系统在运行过程中会遇到各种类型的维护任务,必须对其进行统一有效的管理,才能保证系统维护工作有条不紊地进行。换句话说,有的维护任务很紧急,有的维护任务可以推迟一段时间,要采取一定方法对其进行甄别排序,决定哪一项维护任务先被执行,哪一项后被执行或忽略。

一般来说,首先要确定维护任务的类型。例如,对于更正性维护,要判断引起错误故障的重要性,如果非常重要,就需要给它赋予较高的优先权,把它放在任务队列的前面,等待维护处理。再如,有些维护任务不是由错误引起的,而是为了系统适应新技术,或者是为了业务改变而增加新的业务功能。同样,也需要对这些任务进行评估、分类及排序,然后放到任务队列上。需要注意的是,必须有一个共同的标准来评价和判断每一个系统维护任务,并作为其分类和排序的依据,维护任务安排如图 8-10 所示。

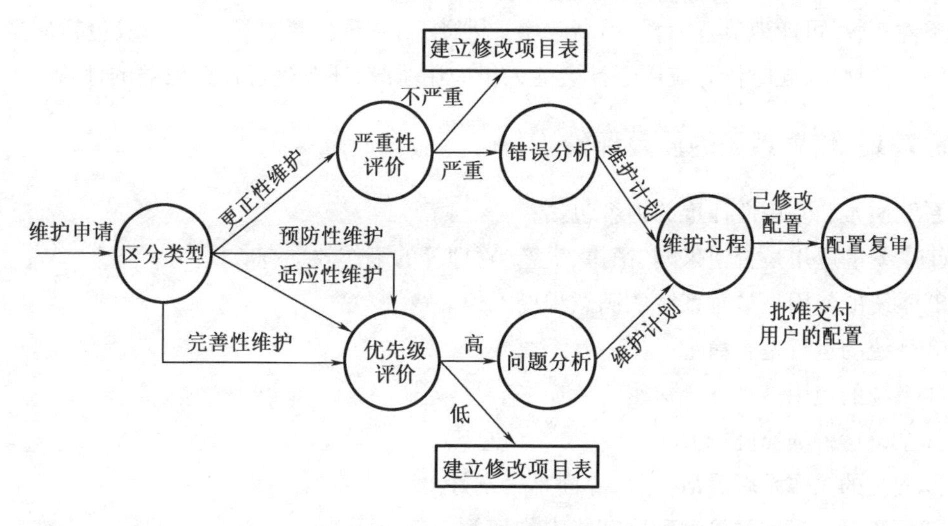

图8-10　维护任务安排

(5)自动化维护工具的使用

在信息系统的开发过程中,占用时间最多的是系统编码和测试工作。而且,在系统维护中,如果系统修改被批准后,仍然要进行代码修改和测试工作。与此同时,还必须将已修改的信息更新到系统文档和说明书中,目的是为了保证所有的系统文档的一致性。但是,这些工作往往很枯燥、费时,因而系统中许多维护工作较易被维护人员所忽略,这必然会给以后的维护工作带来困难。

为了解决上面的问题并提高维护工作效率,很多公司开发出了支持系统维护的CASE(计算机辅助软件工程)自动化工具,它们能够实现对代码修改和文档更新同步化,为系统的维护工作提供了支持。特别是在使用一些综合的CASE开发环境时,系统能自动生成系统分析、设计以及维护的所有文档,例如数据流图、代码设计、输出设计等。而且,如果对系统设计文档进行了修改,系统会自动修改代码并生成新的版本。同时,大多数文档的维护工作也会自动完成。

8.2　信息系统的评价

新系统的建立花费了大量的资金、人力和物力,系统性能究竟怎样不仅对用户来说是重要的,也是系统开发人员所关心的。只有对新系统质量进行全面考核,才能回答这些问题。新系统不可能尽善尽美,通过评审可以发现问题、解决问题,进行必要的修改与维护。

系统评价是对一个管理信息系统的性能进行估计、检查、测试、分析和评审,包括用实际指标与计划指标进行比较,以及评价系统目标实现的程度。严格地讲,在管理信息系统开发的整个过程中,每当完成了一个工作阶段或步骤,都应该进行评价。对新系统的全面评价是系统运行了一段时间之后进行的。

对企业应用项目的评价,一般都会从技术和经济两方面进行。要么是在一定的经济条件下,获得尽可能多的系统功能和尽可能高的系统性能;要么是在满足一定功能和性能要求的条件下,尽可能地节省消耗,提高效率。因此,对管理信息系统评价一般包括质量评价和经济效益评价,同时作为应用于社会的人机应用系统,还要进行社会效益的评价。

8.2.1 信息系统的质量评价

系统质量和实用性评价的内容包括:

①系统的应用是否使采购、销售、生产、管理等的工作效率有所提高。

②系统的使用人员对系统的满意程度如何。

③系统的运行是否稳定。

④系统的使用是否安全保密。

⑤系统运行的速度如何。

⑥系统的操作是否灵活,用户界面是否友好。

⑦系统对误操作的检测和屏蔽能力如何等。

8.2.2 信息系统的经济效益评价

经济效益是企业首先要探究的问题。经济效益评价主要包括对企业信息化成本和效益的比较研究,如许多企业将投资经济效益系数作为衡量管理信息系统经济效益的基本指标,以确定系统运行后经济效益的提高等。

使用新系统后产生的经济效果是评价新系统的一个决定性因素,对管理信息系统进行经济效果评价的主要指标有间接效果和直接效果。

1. 间接效果

间接经济效益是指应用管理信息系统给企业带来的管理变革、企业管理决策水平的提高,从而为企业创造的经济效益。管理信息系统的经济效益通常主要体现在其运行过程中所产生的间接经济效益。

管理信息系统与其他先进技术的应用一样,必然会给企业带来一系列的变化,促进管理工作的进一步科学化,这类综合性的经济效益称为系统的间接经济效益,这种效益是无法用具体统计数字计算出来的,只能做定性分析。衡量管理信息系统的间接经济效益应从以下五方面进行评价。

①管理体制是否进一步合理化。任何一个企业都是由技术、生产、经济、组织等多个子系统组成的复杂的整体系统,企业的各个环节都是相互衔接、相互配合和相互制约的。我国现行的企业管理体制和组织机构中还存在着诸多弊端。管理信息系统实行了信息资源的集中管理,应该加强纵向和横向的业务联系,做到纵横结合,使各职能部门在分工的基础上相互协调一致。管理信息系统实质上是尽可能实现完善的信息管理,它与现行的管理方式是有区别的。管理信息系统在实现信息管理的同时,也使企业的管理体制进一步合理化。

②管理方法是否进一步科学化。管理信息系统的建立,应该使企业的经济管理由静态管理变为动态管理。评价时需审查来之不易的信息系统是否辅助和加强了以计划和控制为核心的动态管理。

③管理基础数据是否进一步科学化。与手工信息处理系统不同,录入管理信息系统的数据应该及时和正确。反过来,管理信息系统的运行,应该促进基础数据管理向统一化、规范化的方向发展。

④管理效果是否进一步最佳化。管理信息系统辅助企业管理,应当促使管理人员更多地应用经济数学方法和定量分析技术,如生产计划的方案优化和产品销售的统计预测等,从而使定性决策变为定量决策。

⑤管理人员的劳动性质是否发生了变化。这方面的评价主要是看管理信息系统运行之后,是否把管理人员真正地从繁杂的数据处理(如记账、汇总)中解脱出来,并且能否帮助管理人员从事更有创造意义的分析与决策活动。

为了对管理信息系统的间接经济效益做出正确评估,可以采用专家评估或直接调查的方式进行。

2. 直接效果

直接经济效益是应用管理信息系统而直接产生的成本的降低和收入的提高,一般采用经济效益评价方法进行评价。例如,计算由于系统应用带来的利润增长、计算投资回收期、投资效果系数法、德尔菲专家评审法等。

管理信息系统直接经济效益的基本指标是年经济效益的变化。直接经济效益主要取决于下列要素:系统正式投入运行后,因合理地利用现有的资源而使产品产量有了增加;因减小工时损失和生产设备停工损失,而使劳动生产率提高,产品生产周期缩短;因改善组织管理,而减少了物资储备,提高了产品质量,降低了非生产费用等。

上述因素可用一些综合性指标进行计算。常用的评价指标有:年利润增长额(年节约额)、年经济效益、系统的投资效益系数、投资回收期等。

8.2.3 信息系统的综合评价

1. 综合评价的基本概念

我们所面对的信息系统是一个复杂的系统。它所追求的不仅仅是单一的经济性目标,除了从费用、经济效益和财务方面考虑外,它还涉及技术先进性、可靠性、适用性、易维护性和用户界面友善性等技术性能方面的要求,以及改善员工劳动强度和企业经营环境,增强市场竞争力等间接效益或企业文化方面的目标。上述目标的多重性产生了对信息系统进行多指标综合评价的必要性。

多指标综合评价的理论和方法研究是一个正在发展的领域,有关它在信息系统评价中的应用研究则更有待人们的努力。这里所谓的信息系统多指标综合评价,是指对信息系统所进行的一种全方位的考核或者判断。综合评价的目的是对信息系统做出一个整体性的判断,并用一个总评价值来反映信息系统的一般水平。

一般来说,信息系统多指标综合评价工作主要包括3方面的内容:

①综合评价指标体系及其评价标准的建立,这是整个评价工作的前提。

②用定性或定量的方法确定各指标的具体数值,即指标评价值。

③各评价值的综合,包括综合算法和权重的确定、总评价值的计算等。

2. 信息系统综合评价指标

评价的关键是要定出评定质量的指标以及评定优劣标准。由于管理信息系统的评估指标(包括定性指标和定量指标)不仅数量多、比较复杂,而且随着信息系统的发展,指标也在变化,因此建立价值评估体系是当务之急。有一个客观的、科学的价值评估模型,才能对信息系统进行全面综合评价。

借助于运筹学和系统工程领域的层次分析法(AHP),对多指标的信息系统进行综合评估,是一种有意义的尝试。层次分析法是美国运筹学家沙旦于20世纪70年代提出的,是一种定性分析和定量分析相结合的多目标决策分析方法。采用层次分析法建立的信息系统价值评估模型,在信息系统评价指标中包括:定量指标,即投入指标和产出指标;定性指标,即宏观和微观指标。

(1)定量指标

分析定量指标可以按传统的模式,广义的信息系统的投资回报可以简单写成:

$$ROI = \frac{(\text{成本降低} + \text{收入增长})}{\text{总成本}}$$

①投入指标(总成本)。

a. 系统分析设计费用和实施费用:包括硬件、软件和人员消耗费用等。

b. 人力成本:包括人员重新招聘、人员重新部署和人员培训的费用。

c. 流程成本:这也是很重要的。因为部署信息系统的企业需要对现有的工作流程进行改造。

d. 系统运行成本:诸如集成和测试费用、运行费用、管理费用、数据分析成本、数据转换成本等。

e. 信息系统的维护和持续改进费用。

f. 机会成本:例如,企业由于选用其中某一家厂商的管理软件系统,而放弃了其他厂商所能够带来的机会效益,就是一种典型的机会成本。

②产出指标:主要包括收入增加和成本降低。

(2)定性指标

①宏观指标。

a. 企业的经济效益和竞争力是否提高了。如果将其转变为具体的经济指标,可以分为利润率、成本费用利润率、流动资金周转率、存货周转率、全员劳动生产率、计划执行准确率、设备利用率、市场信息准确率、客户满意率、交货准时率、产品优质率等。

b. 管理模式、组织结构和业务流程是否有所创新。

②微观指标。

a. 信息系统的应用广度和深度,包括系统的用户数量、用户的职位、系统信息数量、业务信息数量等。

b. 信息系统对资源的开发率和利用率。如果把 OA 信息系统比作人体骨骼,信息资源就是肌肉和血液。从信息资源开发利用角度,可以评价信息系统的利用程度和企业的知识管理水平。这可以从挖潜能力以及信息的收集、加工和共享方面进行评估。

c. 企业的业务流程、工作流程是否发生了实质性的变化。

d. 员工素质的提高和员工参与信息化的程度。人力资源是企业信息化的重要组成部分,也是信息化的参与者,即信息化的主体。在这里,人力资源包括信息技术人员和企业的其他员工。对于前者的评价,主要考察其计算机应用能力、软件设计开发能力以及理论和实践相结合的能力;而对后者,由于企业信息化的深入,员工积累了丰富的经验和教训,这是推动企业信息化的基础。

e. 是否改善员工工作满意度。

f. 企业不同部分之间是否拥有统一的基础数据环境,以及能否实现协同工作流。

g. 系统数据是否能够确保完整,以及能否确保质量。

h. 企业各级人员对信息系统所体现的管理思想和管理方法的接受,包括企业文化是否发生变化,销售、市场、服务人员的工作方式是否发生变化,绩效考核方法是否发生变化等。

i. 是否减少人工信息处理的工作量,从而节约人工费用和办公开支。

j. 是否加快信息收集、传递、处理速度,提高企业的反应速度。

k. 是否改善服务水平、提高企业的市场竞争力。

l. 信息安全的评价。随着信息技术的发展,各行各业相继建立了不同类型的信息系统,如各类具有信息采集、信息传递、信息存储、信息处理等功能的子系统和分系统。但同时,利用相应的信息系统,既可以窃取信息系统中的信息内容,又可以扰乱信息系统中的信息内容。随着社会信息化程度的提高,信息安全问题也逐步演变为严重限制和制约经济发展的重大问题。因此,对于企业信息化安全的评价应引起足够的重视。

m. 系统实施后是否拥有后续的持续改进和升级服务。

信息系统的评价与IT审计和企业信息化密切相关,它们有着共同的目的和一致的目标。因此,信息系统评价指标可借鉴国内外相关的规范和条例。当前已经出台的指标体系包括《IT审计规范》和《企业信息化评估指标》。IT审计是指根据公认的标准和指导规范对信息系统及其业务应用的效能、效率、安全性进行监测、评估和控制的过程,以确认预定的业务目标得以实现。信息系统审计的目的是保证信息化过程的每个环节经常处在可控之中。按照科学的、符合实际的决策原则,一项信息系统要经历规划阶段、实施阶段以及运行维护阶段的审计。审计不仅是项目完成时验收的需要,而且在信息系统运行和维护过程中更为重要,因为任何一项信息系统不可能在规划和实施阶段就十全十美,又一成不变。这就要求定期或不定期地进行审计,发现问题,解决问题,以适应新的环境变化和业务需求。

8.2.4 信息系统评价报告

系统评价的结果应形成正式的书面文件,即系统评价报告。该报告应包括以下几方面的内容:

①系统的名称、结构和功能。

②任务提出者、系统开发者和用户。

③有关文档资料。

④经济效益评价。

⑤系统性能评价。

⑥综合评价:提出对各类指标的综合评价结果,系统存在的问题及改进意见。

本 章 小 结

通过本章学习,学生应掌握管理信息系统运行管理和系统维护的目标和内容,掌握信息系统运行管理的方法,能够对信息系统进行质量和经济效益评价,并完成信息系统评价报告。

信息系统投入运行后,运行阶段是信息系统接受实践检验的阶段,对系统的评价、管理、维护与升级是这一阶段的主要内容。信息系统就像机械设备一样,需要不断地维护才能保证信息系统的正常运行,需要有效地评价才能改进或完善信息系统的系统性能和经济效果。随着信息技术的发展和企业管理水平的提高,管理人员对信息系统的功能和安全性方面有着更高的要求,因此在信息系统运行阶段,对系统进行评价、提出改进建议、维护升级等越来越受到企业的高度重视。

附录　管理系统中计算机应用自学考试大纲

I　课程性质与课程目标

一、课程性质和特点

管理系统中计算机应用是高等教育自学考试经济管理类本科专业必修课程。

计算机和网络正极大地改变着我们的工作、学习和生活的方方面面,而且这种改变的方式和影响的深度远远超过以往。在信息化浪潮的推动下,中国的发展步伐日益加快。随着国家"十二五"规划的顺利执行,中国的经济改革不断深入,以物联网、云计算、3G 等新一代信息技术为代表的新的应用浪潮也日益紧追国际前沿,席卷了各个领域。

当前,我国各种企事业组织中计算机应用越来越普及,计算机系统在各行业中均得到了广泛的使用。人们无论在何种岗位从事何种工作,几乎都离不开计算机也离不开网络。他们虽然不一定都是计算机类专业的人员,却必然会成为各类计算机应用系统的用户。对他们而言,学习和掌握信息技术和管理方面的知识,了解如何有效地利用身边的信息系统为自己服务,知道如何利用和保护日益丰富的数据资源,如何得到所需要的信息系统,用来改善企业组织的业务和管理,都是非常必要的。

二、课程目标

本课程的主要对象是经济管理类本科段的考生,他们很多已经是或将会是各类企事业经济组织中计算机应用系统的用户。本课程将帮助这些人员熟悉计算机、网络及信息系统的应用发展现状和最新知识,学习和掌握数据系统的设计和实现方法,知道如何通过计算机管理和使用数据资源;了解信息系统分析与设计的基本知识与系统实施的过程;使他们一方面能够正确有效地使用计算机应用系统来支持自己的工作,解决现实的管理问题;另一方面在计算机应用不断发展的过程中,能切实有效地支持、配合及参与信息系统的改善和建设项目,成为信息时代的合格用户。

在学习过程中要求考生认真贯彻理论联系实际的原则,除自学基本概念和基本方法外,必须进行上机实习。自学考试强调基础性,注重实用性和实践性。通过上机实习和作业,考生可以掌握数据管理和系统开发的现实技能和熟悉数据库系统的基本操作;了解通过面向对象技术建立用户应用的基本过程;了解典型应用信息系统的作用和界面环境,为在工作中自如地使用和管理计算机应用系统及参与系统开发工作打下必要的基础。

三、与相关课程的联系与区别

经济管理类专科段的微型计算机应用基础课是学习本课程必需的先修课。经济学、会计学、管理学等经济管理类相关课程也是本课程的先修课程。

Ⅱ 考核目标

为使考生把握自学要求,大纲在考核要求中,提出了四个能力层次要求,即识记、领会、简单应用和综合应用。这四个层次规定了其应当达到的能力层次要求。四个能力层次是递进关系,各个能力层次的含义是:

识记(Ⅰ):要求考生能够识别和记忆本课程中有关管理信息、管理信息系统、数据库系统及面向对象程序设计等有关名词、概念、符号、图表等知识的含义,并能正确认识和表述。

领会(Ⅱ):在识记的基础上,能全面理解管理信息系统基本概念、基本知识的内涵和外延,以及它们适用的条件和环境;并能掌握有关概念、知识的区别和联系,能对知识做解释和辨析。理解为什么要在信息管理中使用计算机软硬件及相关技术、方法和策略。理解管理信息系统的应用对现代化管理的重要性。

简单应用(Ⅲ):在领会的基础上,能运用管理信息系统中的系统分析、系统设计、系统实施及维护等技术和方法,分析和解决管理实践中简单的计算机应用和管理问题。

综合应用(Ⅳ):在简单应用的基础上,能更深入和灵活地运用管理学知识、数据库技术、软件编程技术等综合知识,分析、设计或实现比较复杂的管理信息系统。

Ⅲ 课程内容与考核要求

第1章 管理信息系统概论

一、学习目的和要求

管理信息是企业的重要资源。通过本章的学习,要求考生掌握信息系统及信息技术领域的基本概念,了解计算机在管理中应用的发展历程及其对管理实践的影响,了解现代企业管理与信息技术应用之间的关系,懂得学习信息管理技术的重要性和在企业管理工作中的必要性。

二、课程内容(学习考核内容)

1.1 管理环境
1.2 信息与数据
1.3 系统概述
1.4 管理信息系统概述
1.5 管理信息系统的分类
1.6 管理信息系统的集成结构
1.7 管理信息系统与组织环境

三、考核知识点与考核要求

(一)管理环境

1. 识记:(1)虚拟数字企业(2)全球化的经济环境

2. 领会:(1)信息时代(2)组织结构

(二)信息与数据

1. 识记:(1)信息的概念和特点(2)信息的衡量

2. 领会:(1)计算机中数据的表示方法

3. 简单应用:用实例说明企业信息数据在计算机系统中的实现流程

(三)系统概述

1. 识记:(1)系统的概念及特征(2)系统的运行过程

2. 领会:(1)系统性能的评价

(四)管理信息系统概述

1. 识记:(1)管理信息系统概念(2)管理信息的特点

2. 领会:无

(五)管理信息系统的分类

1. 识记:(1)事务处理系统 (2)知识管理信息系统(3)办公自动化(4)狭义管理信息系统(5)决策支持系统(6)经理信息系统(7)销售管理信息系统(8)生产管理信息系统(9)采购管理信息系统(10)财务管理信息系统(11)人力资源管理信息系统

2. 领会:无

(六)管理信息系统的集成结构

1. 识记:(1)模块

2. 领会:(1)模块的功能及纵向支持和横向支持

(七)管理信息系统与组织环境

1. 识记:(1)组织的产品生产过程(2)信息需求的区别(3)组织的系统性(3)管理的规范化程度(4)决策的类型

2. 领会:(1)组织规模(2)生产方式的类别

3. 简单应用:运用实际案例讲述管理信息系统与企业组织生产环境的关系

四、本章重点、难点

1. 重点:(1)管理信息系统的基本概念(2)管理信息系统的分类(3)管理信息系统的集成结构(4)管理信息系统与组织环境

2. 难点:管理信息系统的集成结构

第2章 企业信息管理

一、学习目的和要求

通过本章的学习,使学生了解企业信息管理在企业管理中的重要性,掌握企业信息管理解决企业管理中的一般问题、企业信息管理在企业管理的关键技术、企业信息管理的组织结构、CIO、企业战略信息管理等内容。

二、课程内容(学习考核内容)

2.1　企业信息管理概述
2.2　企业信息管理的关键技术与组织结构
2.3　企业信息主管
2.4　企业战略信息管理

三、考核知识点与考核要求

(一)企业信息管理概述

1. 识记:(1)企业信息的构成(企业内部信息和企业外部信息)(2)企业信息资源(3)企业信息管理的内容(3)企业信息管理实施的条件

2. 领会:企业竞争情报

(二)企业信息管理的关键技术与组织结构

1. 识记:(1)企业信息管理的关键技术(ERP 技术、CRM 技术和虚拟技术)(2)企业信息管理的组织结构(高层信息管理机构、中层信息管理机构和基层信息管理机构)

2. 领会:(1)企业信息管理的其他技术(2)企业信息管理机构现状与发展方向

(三)企业信息主管

1. 识记:信息主管(CIO)的职责和素质要求

2. 领会:无

(四)企业战略信息管理

1. 识记:(1)战略信息管理(2)战略信息管理过程分析(战略信息资源规划、战略信息资源的收集、战略信息资源的分析和战略信息资源的传播)

2. 领会:(1)信息战略 (2)战略信息管理的特点

四、本章重点、难点

1. 重点:(1)企业信息的构成(企业内部信息和企业外部信息)(2)企业信息资源(3)企业信息管理的内容(4)企业信息管理实施的条件(5) 企业信息管理的关键技术

2. 难点:(1)企业信息管理的关键技术(ERP 技术、CRM 技术和虚拟技术)(2)企业信息管理的组织结构(高层信息管理机构、中层信息管理机构和基层信息管理机构)

第 3 章　管理系统的信息化平台

一、学习目的和要求

通过本章的学习,要求考生能够了解信息化的基础平台;熟悉计算机系统的最新发展;了解计算机网络的结构和基本通信服务;理解数据库平台的构成和演进方向。

二、课程内容(学习考核内容)

3.1 管理系统信息处理的基础平台

3.2 计算机系统平台

3.3 通信系统平台

3.4 计算机网络平台

3.5 数据库平台

三、考核知识点与考核要求

(一)管理系统信息处理的基础平台

1. 识记:(1)计算机系统平台(2)数据库平台(3)通信网络平台(4)C/S 与 B/S 模式(5)集中式平台、分布式平台

2. 领会:(1)信息处理的软资源(2)计算机平台的发展(3)通信网络平台的发展(4)数据库系统的发展

(二)计算机系统平台

1. 识记:(1)计算机的体系结构(2)计算机系统(3)多媒体计算机

2. 领会:(1)计算机(2)计算机的发展历程及方向

(三)通信系统平台

1. 识记:(1)数据通信系统的概念(2)数据通信方式(3)数据通信系统的功能(4)数据传输的信号(5)编码方式(6)传输媒体(7)异步传输和同步传输(8)数据交换技术

2. 领会:(1)带宽的概念(2)多路复用技术

(四)计算机网络平台

1. 识记:(1)计算机网络的特点(2)计算机网络的体系结构(3)网络协议(4)互联网协议(5)物联网(6)云计算

2. 领会:(1)计算机网络的分类

(五)数据库平台

1. 识记:(1)数据库(2)硬件支持系统(3)软件支持系统(4)数据库管理员(5)用户(6)数据库系统的结构(7)数据库管理系统

2. 领会:(1)数据处理技术的发展(人工管理阶段、文件系统阶段和数据库系统阶段)(2)数据库技术的新发展

四、本章重点、难点

1. 重点:(1)计算机系统平台(2)数据库平台(3)通信网络平台(4)计算机系统(5)通信系统平台(6)物联网和云计算(7)数据库(8)数据库系统的结构和数据库管理系统

2. 难点:(1)数据库(2)数据库系统结构

第4章　管理信息系统开发的方法与规划

一、学习目的和要求

通过本章的学习,使学生掌握管理信息系统结构化系统开发方法与原型化系统开发方法的思路、步骤以及两者的区别;了解面向对象的系统开发方法和计算机辅助软件工程;了解管理信息系统开发的组织机构设立与开发计划;了解企业管理信息系统规划的原因和意义;熟悉系统的初步调查方法和步骤;了解企业系统规划法、关键成功因素法和战略集转化法;熟悉管理信息系统可行性分析的内容。

二、课程内容(学习考核内容)

4.1　管理信息系统开发的基本方法
4.2　管理信息系统开发的组织管理
4.3　管理信息系统开发的系统规划

三、考核知识点与考核要求

(一)管理信息系统开发的基本方法

1. 识记:(1)结构化系统开发方法(2)原型化系统开发方法(3)面向对象的系统开发方法(4)计算机辅助软件工程

2. 领会:(1)结构化系统开发方法的基本思想(2)管理信息系统的生命周期与开发步骤

(二)管理信息系统开发的组织管理

1. 识记:(1)管理信息系统开发的组织管理机构(2)管理信息系统开发的计划与控制

2. 领会:无

(三)管理信息系统开发的系统规划

1. 识记:(1)系统规划内容和步骤(2)系统开发任务(3)系统规划方法(企业系统规划法、关键成功因素法和战略集转化法)(4)可行性分析

2. 领会:系统调查

四、本章重点、难点

1. 重点:(1)结构化系统开发方法(2)原型化系统开发方法(3)面向对象的系统开发方法(4)计算机辅助软件工程(5)管理信息系统开发的组织管理机构(6)管理信息系统开发的计划与控制

2. 难点:(1)结构化系统开发方法(2)管理信息系统开发的计划与控制

第5章　系统分析与建模

一、学习目的和要求

通过本章内容的学习,使学生掌握系统的开发方法,系统开发项目管理,可行性分析的

任务和内容,可行性分析报告格式,现行系统的分析,建议的系统,投资及效益分析,组织结构和功能分析,业务流程分析,了解面向对象的概念,对象模型,动态模型,功能模型。

二、课程内容(学习考核内容)

5.1 管理信息系统开发方法概述
5.2 管理信息系统实施阶段
5.3 可行性分析
5.4 系统分析
5.5 面向对象分析与建模

三、考核知识点与考核要求

(一)管理信息系统开发方法概述
1. 识记:(1)系统开发项目管理(2)系统需求调查
2. 领会:(1)系统开发方法
(二)管理信息系统实施阶段
1. 识记:(1)管理信息系统实施
2. 领会:无
(三)可行性分析
1. 识记:(1)可行性分析的任务和内容(2)可行性分析报告格式(3)现行系统分析
2. 领会:(1)建议的系统(2)可选择的其他系统方案(3)投资及效益分析(4)社会因素方面的可行性
(四)系统分析
1. 识记:(1)组织结构和功能分析(2)业务流程分析
2. 领会:无
(五)面向对象分析与建模
1. 识记:(1)面向对象的概念(2)对象模型(3)动态模型(4)功能模型
2. 领会:无

四、本章重点、难点

1. 重点:(1)系统开发项目管理(2)可行性分析的任务和内容(3)组织结构和功能分析
2. 难点:(1)现行系统分析(2)业务流程分析

第6章 信息系统设计

一、学习目的和要求

通过本章的学习,使学生掌握系统设计的主要任务、系统设计的主要方法、系统设计的原则、系统总体结构设计、代码设计、数据库设计、输入输出设计、功能模块与处理过程设计及系统设计说明书,了解面向对象的系统设计(OOD)的基本概念、面向对象的系统设计的一般过程。

二、课程内容(学习考核内容)

6.1　系统设计概述
6.2　结构化的系统设计
6.3　面向对象的系统设计(OOD)

三、考核知识点与考核要求

(一)系统设计概述

1. 识记:(1)归纳法(2)演绎法(3)结构化的系统设计(4)面向对象的系统设计(5)系统设计的原则

2. 领会:系统设计的原则

(二)结构化的系统设计

1. 识记:(1)系统的应用结构(2)系统的网络结构(3)系统的软件结构(4)系统的硬件结构(5)系统划分方法(6)代码设计(7)数据库设计(8)输入输出设计(9)功能模块

2. 领会:(1)系统划分的依据(2)系统划分的原则(3)系统总体设计说明(4)系统设计说明书

(三)面向对象的系统设计(OOD)

1. 识记:(1)OOD 的特征(2) OOD 的方法(3) OOD 的系统模型

2. 领会:OOD 一般过程

四、本章重点、难点

1. 重点:(1)归纳法(2)演绎法(3)面向对象(4)系统的软件结构(5)系统的硬件结构(6)代码设计(7)数据库设计(8)输入输出设计(9)功能模块

2. 难点:(1)代码设计(2)数据库设计 (3)功能模块

第7章　管理信息系统的实施

一、学习目的和要求

通过本章内容的学习,使学生掌握系统实施的主要内容,了解程序设计的方法,掌握系统测试,掌握系统转换的主要方式,了解系统评价的主要内容。

二、课程内容(学习考核内容)

7.1　系统实施概述
7.2　程序设计
7.3　系统测试

7.4 系统转换

三、考核知识点与考核要求

（一）系统实施概述
1. 识记：(1)管理因素(2)技术因素
2. 领会：无
（二）程序设计
1. 识记：(1)效率(2)顺序结构(3)选择结构(4)循环结构
2. 领会：(1)可维护性(2)可靠性(3)可理解性
（三）系统测试
1. 识记：(1)系统测试原则(2)系统测试方法
2. 领会：(1)系统测试过程(2)系统测试报告
（四）系统转换
1. 识记：(1)数据整理(2)数据转换(3)文档资料
2. 领会：(1)直接转换(2)并行转换(3)分段转换

四、本章重点、难点

1. 重点：(1)管理因素(2)技术因素(3)效率(4)顺序结构(5)选择结构(6)循环结构(7)数据整理(8)数据转换

2. 难点：(1)数据整理(2)数据转换

第8章 管理信息系统运行管理与信息系统的评价

一、学习目的和要求

通过本章的学习，使学生掌握管理信息系统运行管理的目标和内容，管理信息系统维护的目标和内容，信息管理机构的组织形式，信息部门的人员构成，信息系统运行管理的相关制度，管理信息系统质量评价的内容，管理信息系统经济效果评价的主要指标以及管理信息系统综合评价的主要指标。

二、课程内容（学习考核内容）

8.1 信息系统的运行管理和维护
8.2 信息系统的评价

三、考核知识点与考核要求

（一）信息系统的运行管理和维护
1. 识记：(1)信息系统运行管理(2)信息系统维护
2. 领会：无

(二)信息系统的评价

1. 识记:(1)信息系统的质量评价(2)信息系统的经济效益评价

2. 领会:(1)信息系统的综合评价(2)信息系统评价报告

四、本章重点、难点

1. 重点:(1)信息系统运行管理(2)信息系统维护

2. 难点:无

Ⅳ 实践环节

一、类型:上机实习

说明:创建数据库、表及数据查询等应当主要以 SQL Server2000、Visual FoxPro6.0 软件中的 SQL 语言及向导或设计器实现。创建各种界面可以使用 Visual FoxPro 实现。ERP 系统可使用微软的 Dynamics AX4.0。

二、目的和要求

(一)目的

1. 掌握使用 SQL 语言创建数据库、表、索引及视图的方法;
2. 熟悉使用向导或设计器创建数据库、表、索引及视图的操作;
3. 掌握对数据库中数据进行自主的编辑、修改、更新和删除等操作;
4. 熟悉对数据进行各种简单和复杂查询的操作方法;
5. 了解对数据的排序、筛选、批量更新、添加和删除等操作;
6. 掌握各类索引的创建、使用及作用;
7. 熟悉使用视图创建和管理用户的数据;
8. 了解数据库的安全使用机制、数据保护机制等建立的过程;
9. 了解 ERP 系统的模块结构和操作效果。

(二)要求

1. 上机前预习相关内容,准备好一定量的数据,设计好数据库的逻辑模型及相关对象的结构;

2. 根据实验要求打印程序、操作内容和结果,或复制相关文档;

3. 写出实验报告。

三、上机实验内容

实验1:熟悉 SQL Server2000 及 Visual FoxPro6.0 的操作窗口及菜单命令。

实验2:使用窗口操作和 SQL 语句创建数据库,并对数据进行各种管理操作。

实验3:使用窗口操作和SQL语句创建数据表,并追加记录、编辑修改数据,更新表结构。

实验4:使用窗口操作和SQL语句创建索引,并比较各种记录查找、浏览方式。

实验5:使用窗口操作和SQL语句创建视图,并比较视图与表的异同。

实验6:使用SQL语句实现数据表的各种简单查询。

实验7:使用SQL语句实现数据表的各种高级查询。

实验8:在SQL Server2000中定义用户权限、服务器角色及数据库角色。

四、与课程考试的关系

实践环节必须在考试之前完成。上机实验所涉及的学习内容主要在第4章和第7章中。第4章主要介绍了使用SQL语言的操作方法,第7章主要介绍了使用窗口操作的方法。由于教材主题和篇幅的限制,教材中对数据库管理系统软件的介绍不够完整和深入,为了更好地达到实践环节的要求,考生应当再参考学习其他的相关知识。实践环节是掌握课程内容的重要步骤,是考试内容的重要组成部分。

V 关于大纲的说明与考核实施要求

一、自学考试大纲的目的和作用

课程自学考试大纲是根据专业自学考试计划的要求,结合自学考试的特点而确定的。其目的是对个人自学、社会助学和课程考试命题进行指导和规定。

课程自学考试大纲明确了课程学习的内容以及深广度,规定了课程自学考试的范围和标准。因此,它是编写自学考试教材和辅导书的依据,是社会助学组织进行自学辅导的依据,是自学者学习的材料、掌握课程内容知识范围和程度的依据,也是进行自学考试命题的依据。

二、自学考试大纲与教材的关系

自学考试大纲是本课程学习和考核的依据,教材是本课程知识体系和知识内容的承载工具。教材的所有内容均根据大纲的规定展开,对本课程的专业知识进行精心的组织和详细的阐述,教材各个章节的安排反映了本课程知识内容的完整性、相关性和连续性,以及由浅入深的学习过程。

大纲与教材所体现的课程内容是一致的。大纲里面规定的课程内容和考核知识点,在教材里面一定会包含,但是教材的某些内容有可能超出大纲的规定。本课程的考核始终以大纲的规定为准。

三、关于自学教材

指定教材:《管理系统中计算机的应用》,孔宁主编,哈尔滨工程大学出版社,2021年版。

四、关于自学要求和学习方法指导

本大纲的课程基本要求是依据专业考试计划和专业培养目标而确定的。课程基本要求还明确了课程的基本内容,以及对基本内容掌握的程度。基本要求中的知识点构成了课程内容的主体部分。因此课程基本内容掌握程度、课程考核知识点是高等教育自学考试考核的主要内容。

本课程是高等教育自学考试经济管理类专业本科考试计划中的主要课程,综合性与实际性强,内容有一定深度,应考者在自学时应注意以下几点:

1. 管理系统中计算机的应用是一门边缘性课程。它是由管理学、计算机科学和系统科学等相关学科的知识形成的综合性课程,所以,自学本课程时要特别体会本课程与上述相关学科之间的联系。必要时可复习和查阅有关内容,为了顺利完成上机实践环节,上机前应复习以前学过的微型计算机应用基础等有关内容。

2. 自学考试的原则是:考试范围既不超出大纲又不超出教材范围,所以考生应当根据教学大纲规定的考试内容和考核要求,认真学习教材,要全面、系统了解教材中的基本概念、基本知识,以及互相之间的联系;还要在理解的基础上掌握基本概念和术语。

3. 考生应在系统学习教材的基础上,根据大纲要求,有的放矢,把握各章节的重点和难点,对重点章节进行深入细致的学习。在学习过程中,切忌死记硬背模拟试题,只做题不看教材的情况。还应当避免对教材不做全面学习,单纯孤立地抓重点,从而无法理解各知识点间的内在联系,无法应对多个知识点综合应用的情况。过于实用主义的学习方法是不可能取得好效果的。

4. 管理系统中计算机的应用是一门实践性很强的课程,不少概念需要通过作业、上机实习才能深刻地理解和掌握。因此在自学过程中,阅读完课程内容后要认真完成作业和有关实践环节,再进入后续章节的学习。

五、对社会助学的要求

1. 助学辅导教师应熟知考试大纲对课程提出的总要求和各章的知识点。

2. 助学辅导教师应掌握各知识点要求达到的层次,并深刻理解对各知识点的考核要求。

3. 辅导时,应以教材为基础,考试大纲为依据,不宜随意增删内容,以免与大纲脱节。

4. 辅导时,应对学习方法进行指导,宜提倡“认真阅读教材,主动争取帮助,依靠自己学通”的学习方法。

5. 辅导时要注重基础,突出重点,启发考生提出问题,思考问题,培养考生自学的能力。

6. 应指导考生上机实习操作。

7. 辅导时,要引导考生努力达到理论与实际相结合,根据本专业的特点,通过分析,解决本专业的实际问题。

8. 要使考生了解,试题的难易程度与能力层次的高低不完全等同。在各个能力层次上都有不同难度的试题。

六、关于命题和考试的若干规定

1. 考试方式为闭卷、笔试，考试时间为150分钟。考试时只允许携带笔、橡皮和尺，答卷必须使用蓝色或黑色钢笔或圆珠笔书写。

2. 本大纲各章节所规定的基本要求，知识点及知识点下的知识细目都是考试内容，考试命题要覆盖到各章并适当突出重点章节，加大重点内容的覆盖密度。

3. 本课程试卷中对不同能力层次要求的分数比例大致是：识记占30%、领会占40%、简单应用占20%、综合应用占10%。

4. 要合理安排试题的难易程度。试题可分为易、较易、较难和难四个等级。每份试卷中不同难度试题的分数比例一般为3∶4∶2∶1。必须注意，试题的难度与能力层次不是一个概念。在各个能力层次中都会有不同难度的试题。

5. 本课程考试试题主要题型有：单项选择题、多项选择题、填空题、名词解释、简答题、应用题和小型案例分析题等。在命题工作中必须按照本课程大纲中规定的题型命制，考试试卷使用的题型可以略少，但是不能超出本课程大纲对题型的规定。

Ⅵ 参考样卷

全国自考管理系统中计算机应用试题

（2013年7月）

一、单项选择题（本大题共30小题，每小题1分，共30分）

1. 世界上第一台用于管理的商用计算机是（　　）
   A. DEC PDP－8　　B. IBM360　　C. ENIAC　　D. UNIVAC

2. 企业管理信息可分为战略信息、战术信息和业务信息。其中战略信息的（　　）
   A. 加工方法灵活性低　　B. 信息来源单一
   C. 精确程度要求不高　　D. 使用寿命不长

3. 客户对客户的电子商务类型简称为（　　）
   A. B2B　　B. G2G　　C. E2E　　D. C2C

4. 企业中支持操作层运作的信息系统是（　　）
   A. 业务处理系统　　B. 管理信息系统　　C. 决策支持系统　　D. 流程信息系统

5. 根据信息系统与企业组织之间的关联关系，可以将信息系统分为组织间系统、部门级系统和（　　）
   A. 业务级系统　　B. 区域间系统　　C. 企业级系统　　D. 企业间系统

6. 火车订票系统属于（　　）
   A. 业务处理系统　　B. 专家信息系统
   C. 决策支持系统　　D. 主管信息系统

7. 与材料(物质)、能源一起构成人类赖以生存与发展的三大资源是(　　)
A. 数据　B. 信息　C. 土地　D. 海洋

8. 通信网络的主要作用是信息(　　)
A. 传输　B. 采集　C. 存储　D. 处理

9. 把网络划分为局域网、城域网、广域网的依据是(　　)
A. 传输媒体　B. 传输速率　C. 覆盖范围　D. 交换技术

10. 数据处理技术的发展经历了三个阶段,能实现数据统一管理的是(　　)
A. 人工管理阶段　B. 文件系统阶段
C. 机器管理阶段　D. 数据库系统阶段

11. 数据库系统的核心是(　　)
A. 数据库　B. 数据库管理员
C. 操作系统　D. 数据库管理系统

12. 在数据库系统体系结构的三级模式中,最核心和关键的是(　　)
A. 模式　B. 子模式　C. 映射　D. 内模式

13. 关系数据库系统中,每个关系就是一个(　　)
A. 元组　B. 字段　C. 实体　D. 属性

14. 对数据库关系规范化,一般需要达到(　　)
A. 1NF　B. 3NF　C. 4NF　D. 5NF

15. 关系模式中的不完全函数依赖关系(　　)
A. 无法消除　B. 可以全部消除
C. 不应消除　D. 无法全部消除

16. 从规划范围上看,企业信息系统规划分为(　　)
A. 战略性规划和执行性规划　B. 企业级规划和部门级规划
C. 战略性规划和部门级规划　D. 综合发展规划和项目规划

17. 在诺兰模型的六个阶段中,从信息技术管理到数据资源管理的转折点位于(　　)
A. 第一、二阶段间　B. 第二、三阶段间　C. 第三、四阶段间　D. 第四、五阶段间

18. 在基于构件的开发方法中,信息系统的构件主要包括:接口、实现和(　　)
A. 功能　B. 代码　C. 文件　D. 部署

19. 在系统开发过程中,建立规范的书面和电子文档(　　)
A. 可规范系统开发活动　B. 在系统规划阶段完成
C. 会提高设计人员水平　D. 在系统设计阶段完成

20. 最有利于收集灵活性信息的数据调查方式是(　　)
A. 查阅年报　B. 盘点　C. 收集账册　D. 访谈

21. 功能格栅图(U/C 矩阵)中,若发现某数据类列不止一个 C,说明此列(　　)
A. 功能排序不当　B. 数据来源不统一
C. 功能划分不细　D. 数据去向不统一

22. 对系统开发和维护影响最大的因素是(　　)

A. 易阅读性 B. 可纠错性 C. 易使用性 D. 可修改性

23. 结构化设计方法的核心是:自顶向下、逐步求精、结构化和( )

A. 模块化 B. 程序化 C. 规范化 D. 过程化

24. 设计数据库在物理设备上的存储结构和存取方法的过程是( )

A. 物理结构设计 B. 逻辑结构设计 C. 系统结构设计 D. 数据结构设计

25. 系统实施的目标是给用户提供( )

A. 咨询服务 B. 完整可用的系统

C. 业务支持 D. 软硬件设备安装

26. 软件测试中的功能测试是( )

A. 静态测试 B. 黑盒测试 C. 结构测试 D. 白盒测试

27. 组装测试是对系统( )

A. 交付前的最终检测 B. 具体模块进行测试

C. 软件易用性的检测 D. 多模块的联合测试

28. 系统运行管理阶段的主要任务之一是( )

A. 设备安装 B. 系统评价及维护

C. 人员培训 D. 完成系统的切换

29. 信息系统性能评价的可用性主要是指( )

A. 能适应工作环境要求 B. 有必要的安全保密措施

C. 能稳定可靠提供服务 D. 软硬件系统容易扩充

30. 信息系统审计的核心内容包括可用性、保密性、完整性和( )

A. 有效性 B. 可维护性 C. 实用性 D. 可修改性

二、名词解释题(本大题共 5 小题,每小题 3 分,共 15 分)

31. 移动商务

32. 系统

33. 数据通信

34. 数据规范化

35. 回归测试

三、简答题(本大题共 5 小题,每小题 5 分,共 25 分)

36. 简述基于计算机的信息系统(CBIS)的优越性。

37. 人们对现实世界事物的研究,为什么往往以其数据模型为基础?

38. 信息系统开发为什么需要用户参与?

39. 简述系统设计阶段的主要工作。

40. 软件开发、工程建设等技术性因素会从哪些方面影响系统实施效果?

四、应用题(本大题共 3 小题,每小题 10 分,共 30 分)

41. 在 SQL Server2000 的查询分析器中,按默认参数创建一个名为“库存”的数据库,要求其保存在指定位置:D 盘的“用户”目录。请使用 SQL 语句写出程序。

42. 订货系统的数据流程图如题 42 图。客户提交订单后系统需做订单初检,不合格的订单需要让客户重填；合格订单要核查库存，有库存的订单做发货处理，无库存的订单先暂存起来。采购部可用进货单更新库存账，暂存的订单若满足库存条件后可直接做发货处理。发货时要给客户传递发货单，同时更新库存账，并保存发货记录。

请回答：

(1)外部实体模块有________个。

(2)数据存储模块有________个。

(3)Fl 属于________元素，D1 属于________元素，Pl 属于________元素。

(4)F1、F2、F3、F4 的名称分别是

Fl：________ F2：________ F3：________ F4：________

(5)Pl 的名称是________。

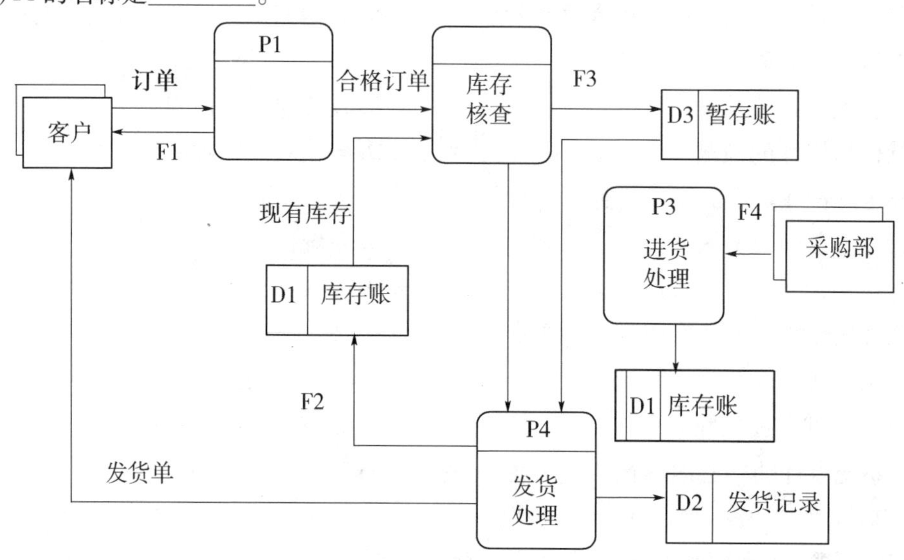

42 题图

43. 在 D 盘的“用户”子目录中创建数据库“公司管理”。主文件名为“公司管理_DATA. MDF”，初始大小为 10 MB，最大尺寸为 50 MB，增长速度为 5%；事务日志文件名为“公司管理_LOG. LDF”，初始大小为 4 MB，最大尺寸为 8 MB，增长速度为 1 MB。在 SQL Server 中创建的过程如下。请填空将步骤补充完整。

在企业管理器“工具”菜单栏下打开__(1)__向导，在“命名数据库并指定它的位置”窗口中先输入数据库名称__(2)__，然后，在输入数据库文件位置输入__(3)__并在__(4)__位置输入__(5)__。接着在“命名数据库文件”窗口中，先输入数据库文件名__(6)__，再输入初始大小__(7)__MB。接着在“定义数据库文件的增长”窗口中，给定增长速度__(8)__%，并给定最大尺寸为__(9)__MB。还要在接下来的各窗口中定义__(10)__的文件信息，最后完成数据库的创建。

试 题 解 答

一、单项选择题

1. D　2. C　3. D　4. A　5. B
6. A　7. B　8. A　9. C　10. D
11. D　12. A　13. C　14. B　15. B
16. A　17. C　18. D　19. A　20. D
21. B　22. D　23. A　24. A　25. B
26. B　27. D　28. B　29. C　30. A

二、名词解释

31. 移动商务

答:移动商务(M - Commerce)指利用智能手机、PDA、掌上电脑等无线终端设备,借助移动通信平台开展的电子商务业务。

32. 系统

答:系统是由彼此关联且与环境关联的元素组成的集合。

33. 数据通信

答:数据通信的概念是相对于电报通信、电话通信等传统的通信形式而提出的,它是依照一定的通信协议,利用数据传输技术在两个终端之间传递数据信息的一种通信方式和通信业务。

34. 数据规范化

答:一个低一级范式的关系模式,可以通过分解转换为若干个高一级范式的关系模式的集合,关系模式的这种不断改进提高的过程叫作数据规范化。

35. 回归测试

答:回归测试是指在发生修改之后要再次重做先前的测试,以验证原问题已修改,并确认所做修改没有引入新的缺陷。

三、简答题

36. 简述基于计算机的信息系统(CBIS)的优越性。

答:(1)支持数据的自动化采集;(2)海量数据高速存取;(3)处理自动化;(4)低成本快速传递;(5)多种方式表现信息内容。

37. 人们对现实世界事物的研究,为什么往往以其数据模型为基础?

答:计算机不能直接处理具体事物,必须先把具体事物及之间的联系转换为抽象模型,进而转换为可处理的数据。

38. 信息系统开发为什么需要用户参与?

答:(1)用户真正理解系统业务含义;(2)系统开发成功的评判者;(3)影响系统使用效果;(4)影响系统开发规模和进程。

39. 简述系统设计阶段的主要工作。

答:(1)系统总体设计。其中包括软件系统总体结构设计、数据库设计、通信网络平台设计;

(2)系统详细设计。其中包括代码设计、输入输出界面设计、处理过程设计;

(3)编写系统设计报告。

40. 软件开发、工程建设等技术性因素会从哪些方面影响系统实施效果?

答:(1)平台建设任务能否如期完成;(2)平台建设质量是否符合要求;(3)技术平台如何服务。

四、应用题

41. Create Database 库存 on (NAME ='库存_DATA. MDF'. FILENAME ='D:\用户\库存_DATA. MDF')。

42. (1)2;(2)3;(3)数据流,数据存储,处理功能(数据处理);(4)不合格订单,发货记录,暂存订单(无库存订单),进货单;(5)订单初检

43. (1)创建数据库;(2)公司管理;(3)D:\用户\;(4)事物日志文件;(5)D:\用户\;(6)公司管理_DATA. MDF;(7)10;(8)5;(9)50;(10)事物日志文件。

参 考 文 献

[1] 柯平,高洁. 信息管理概论[M]. 北京:科学出版社,2002.
[2] 刘秋生. 管理信息系统研发及其应用[M]. 2 版. 南京:东南大学出版社,2018.
[3] 侯洪凤,王璨,曾维佳. 管理信息系统基础[M]. 北京:中国铁道出版社,2018.
[4] 辛晖,李淑珍. 管理信息系统[M]. 西安:西安电子科技大学出版社,2019.
[5] 张珺,盛晏,王华丽. 管理信息系统[M]. 北京:中国农业大学出版社,2019.
[6] 李联宁. 信息管理与管理信息系统[M]. 北京:清华大学出版社,2015.
[7] 庄玉良,贺超. 管理信息系统[M]. 2 版. 北京:机械工业出版社,2019.
[8] 耿会君. 管理信息系统[M]. 北京:电子工业出版社,2018.
[9] 周山芙,赵苹. 管理系统中计算机应用[M]. 北京:外语教学与研究出版社,2012.